冰心作品精选

（散文卷）

永不泯灭的文学经典

冰心 著

长江出版传媒 | 崇文书局

目录

散文

冰心作品精选·散文

寄小读者

通讯一

似曾相识的小朋友们：

我以抱病又将远行之身，此三两月内，自忖已和文字绝缘；因为昨天看见《晨报》副刊上已特辟了“儿童世界”一栏，欣喜之下，便借着软弱的手腕，生疏的笔墨，来和可爱的小朋友，作第一次的通讯。

在这开宗明义的第一信里，请你们容我在你们面前介绍我自己。我是你们天真队里的一个落伍者——然而有一件事，是我常常用以自傲的：就是我从前也曾是一个小孩子，现在还有时仍是一个小孩子。为着要保守这一点天真直到我转入另一世界时为止，我恳切地希望你们帮助我、提携我，我自己也要永远勉励着，做你们的一个最热情最忠实的朋友！

小朋友，我要走到很远的地方去。我十分地喜欢有这次的远行，因为或者可以从旅行中多得些材料，以后的通讯里，能告诉你们些略为新奇的事情。——我去的地方，是在地球的那一边。我有三个弟弟，最小的十三岁了。他念过地理，知道地球是圆的。他开玩笑地和我说：“姊姊，你走了，我们想你的时候，可以拿一条很长的竹竿子，从我们的院子里，直穿到对面你们的院子去，穿成一个孔穴。我们从那孔穴里，可以彼此看见。我看看你别后是否胖了，或是瘦了。”小朋友想这是可能的事情吗？——我又有一个小朋友，今年四岁了。他有一天问我说：“姑姑，你去的地方，是比前门还远吗？”小朋友看是地球的那一边远呢？还是前门远呢？

我走了——要离开父母兄弟，一切亲爱的人。虽然是时期很短，我也已觉得很难过。倘若你们在风晨雨夕，在父亲母亲的膝下怀前，姊妹弟兄的行间队里，快乐甜柔的时光之中，能联想到海外万里有一个热情忠实的朋友，独在恼人凄清的天气中，不能享得这般浓福，则你们一瞥时的天真的怜念，从宇宙之灵中，已遥遥地付与我以极大无量的快乐与慰安！

小朋友，但凡我有工夫，一定不使这通讯有长期间的间断。若是间断的时候长了些，也请你们饶恕我。因为我若不是在童心来复的一刹那顷拿起笔来，我绝不敢以成人烦杂之心，来写这通讯。这一层是要请你们体恤怜悯的。

这信该收束了，我心中莫可名状，我觉得非常的荣幸！

冰心

一九二三年七月二十五日

通讯二

小朋友们：

我极不愿在第二次的通讯里，便劈头告诉你们一件伤心的事情。然而这件事，从去年起，使我的灵魂受了隐痛，直到现在，不容我不在纯洁的小朋友面前忏悔。

去年的一个春夜——很清闲的一夜，已过了九点钟了，弟弟们都已去睡觉，只我的父亲和母亲对坐在圆桌旁边，看书、吃果点、谈话。我自己也拿着一本书，倚在椅背上站着看。那时一切都很和柔、很安静的。

一只小鼠，悄悄地从桌子底下出来，慢慢地吃着地上的饼屑。这鼠小得很，它无猜地、坦然地，一边吃着，一边抬头看看我——我惊悦地唤起来，母亲和父亲都向下注视了。四面眼光之中，它仍是怡然地不走，灯影下照见它很小很小，浅灰色的嫩毛，灵便的小身体，一双闪烁的明亮的小眼睛。

小朋友们，请容我忏悔！一刹那顷我神经错乱地俯将下去，拿着手里的书，轻轻地将它盖上。——上帝！它竟然不走。隔着书页，我觉得它柔软的小身体，无抵抗地蜷伏在地上。

这完全出乎我意料之外了！我按着它的手，方在微颤——母亲连忙说：

“何苦来！这么驯良有趣的一个小活物……”话犹未了，小狗虎儿从帘外跳将进来。父亲也连忙说：“快放手，虎儿要得着它了！”我又神经错乱地拿起书来，可恨呵！它仍是怡然地不动。——一声喜悦的微吼，虎儿已扑着它，不容我唤住，已衔着它从帘隙里又钻了出去。出到门外，只听得它在虎儿口里微弱凄苦地啾啾地叫了几声，此后便没有了声息。——前后不到一分钟，这温柔的小活物，使我心上飕地着了一箭！

我从惊惶中长吁了一口气。母亲慢慢也放下手里的书，抬头看着我说：“我看它实在小得很，无机得很。否则一定跑了。初次出来觅食，不见回来，它母亲在窝里，不定怎样地想望呢。”

小朋友，我堕落了，我实在堕落了！我若是和你们一般年纪的时候，听得这话，一定要慢慢地挪过去，突然地扑在母亲怀中痛哭。然而我那时……小朋友们恕我！我只装作不介意地笑了一笑。

安息的时候到了，我回到卧室里去。勉强的笑，增加了我的罪孽，我徘徊了半天，心里不知怎样才好——我没有换衣服，只倚在床沿，伏在枕上，在这种状态之下，静默了有十五分钟——我至终流下泪来。

至今已是一年多了，有时读书至夜深，再看见有鼠子出来，我总觉得忧愧，几乎要避开。我总想是那只小鼠的母亲，含着伤心之泪，夜夜出来找它，要带它回去。

不但这个，看见虎儿时想起，夜坐时也想起，这印象在我心中时时作痛。有一次禁受不住，便对一个成人的朋友，说了出来；我拼着受她一场责备，好减除我些痛苦。不想她却失笑着说：“你真是越来越孩子气了，针尖大的事，也值得说说！”她漠然的笑容，竟将我以下的话，拦了回去。从那时起，我灰心绝望，我没有向第二个成人，再提起这针尖大的事！

我小时曾为一头折足的蟋蟀流泪，为一只受伤的黄雀呜咽；我小时明白一切生命，在造物者眼中是一般大小的；我小时未曾做过不仁爱的事情，但如今堕落了……

今天都在你们面前陈诉承认了，严正的小朋友，请你们裁判吧！

冰心

一九二三年七月二十八日，北京

通讯三

亲爱的小朋友：

昨天下午离开了家，我如同入梦一般。车转过街角的时候，我回头凝望着——除非是再看见这缘满豆叶的棚下的一切亲爱的人，我这梦是不能醒的了！

送我的尽是小孩子——从家里出来，同车的也是小孩子，车前车后也是小孩子。我深深觉得凄恻中的光荣。冰心何福，得这些小孩子天真纯洁的爱，消受这甚深而不牵累的离情。

火车还没有开行，小弟弟冰季别到临头，才知道难过，不住地牵着冰叔的衣袖，说："哥哥，我们回去吧。"他酸泪盈眸，远远地站着。我叫过他来，捧住了他的脸，我又无力地放下手来，他们便走了。——我们至终没有一句话。

慢慢的火车出了站，一边城墙，一边杨柳，从我眼前飞过。我心沉沉如死，倒觉得廓然，便拿起国语文学史来看。刚翻到"卿云烂兮"一段，忽然看见书页上的空白处写着几个大字："别忘了小小"。我的心忽然一酸，连忙抛了书，走到对面的椅子上坐下——这是冰季的笔迹呵！小弟弟，如何还困弄我于别离之后？

夜中只是睡不稳，几次坐起，开起窗来，只有模糊的半圆的月，照着深黑无际的田野。——车只风驰电掣的，轮声轧轧里，奔向着无限的前途。明月和我，一步一步地离家远了！

今早过济南，我五时便起来，对窗整发。外望远山连绵不断，都没在朝霭里，淡到欲无。只浅蓝色的山峰一线，横亘天空。山坳里人家的炊烟，濛濛的屯在谷中，如同云起。朝阳极光明地照临在无边的整齐青绿的田畦上。我梳洗毕凭窗站了半点钟，在这庄严伟大的环境中，我只能默然低头，赞美万能智慧的造物者。

过泰安府以后，朝露还零。各站台都在浓阴之中，最有古趣、最清幽。到此我才下车稍稍散步，远望泰山，悠然神往。默诵“高山仰止，景行行止，虽不能至，心向往之”四句，反复了好几遍。

自此以后，站台上时闻皮靴拖踏声，刀枪相触声，又见黄衣灰衣的兵丁，成队地来往梭巡。我忽然忆起临城劫车的事，知道快到抱犊冈了，我切愿一见那些持刀背剑来去如飞的人。我这时心中只憧憬着梁山泊好汉的生活，武松林冲鲁智深的生活。我不是羡慕什么分金阁，剥皮亭，我羡慕那种激越豪放、大刀阔斧的胸襟！

因此我走出去，问那站在两车挂接处荷枪带弹的兵丁。他说快到临城了，抱犊冈远在几十里外，车上是看不见的。他和我说话极温和，说的是纯正的山东话。我如同远客听到乡音一般，起了无名的喜悦。——山东是我灵魂上的故乡，我只喜欢忠恳的山东人，听那生怯的山东话。

一站一站地近江南了，我旅行的快乐，已经开始。这次我特意定的自己一间房子，为的要自由一些，安静一些，好写些通讯。我靠在长枕上，近窗坐着。向阳那边的窗帘，都严严地掩上。对面一边，为要看风景，便开了一半。凉风徐来，这房里寂静幽阴已极。除了单调的轮声以外，与我家中的书室无异。窗内虽然没有满架的书，而窗外却旋转着伟大的自然。笔在手里，句在心里，只要我不按铃，便没有人进来搅我。龚定庵有诗云：“……都道西湖清怨极，谁分这般浓福？……”今早这样恬静喜悦的心境，是我所梦想不到的。书此不但自慰，并以慰弟弟们和记念我的小朋友。

冰心

一九二三年八月四日，津浦道中

通讯四

小朋友：

好容易到了临城站，我走出车外。只看见一大队兵，打着红旗，上面写着“……第二营……”又放炮仗，又吹喇叭；此外站外只是远山田垄，更没有什么。我很失望，我竟不曾看见一个穿夜行衣服，带标背剑，来去如飞的人。

自此以南，浮云蔽日。轨道旁时有小湫。也有小孩子，在水里洗澡游戏。更有小女儿，戴着大红花，坐在水边树底做活计，那低头穿线的情景，煞是温柔可爱。

过南宿州至蚌埠，轨道两旁，雨水成湖。湖上时有小舟来往。无际的微波，映着落日，那景物美到不可描画。——自此人民的口音，渐渐地改了，我也渐渐地觉得心怯，也不知道为什么。

过金陵正是夜间，上下车之顷，只见隔江灯火灿然。我只想象着城内的秦淮莫愁，而我所能看见的，只是长桥下微击船舷的黄波浪。

五日绝早过苏州。两夜失眠，烦困已极，而窗外风景，浸入我倦乏的心中，使我悠然如醉。江水伸入田垄，远远几架水车，一簇一簇的茅亭农舍，树围水绕，自成一村。水漾轻波，树枝低桠。当几个农妇挑着担儿，荷着锄儿，从那边走过之时，真不知是诗是画！

有时远见大江，江帆点点，在晓日之下，清极秀极。我素喜北方风物，至此也不得不倾倒于江南之雅澹温柔。

晨七时半到了上海，又有小孩子来接，一声“姑姑”，予我以无限的欢喜。——到此已经四五天了，休息之后，俗事又忙个不了。今夜夜凉如水，灯下只有我自己。在此静夜极难得，许多姊妹兄弟，知道我来，多在夜间来找我乘凉闲话。我三次拿起笔来，都因门环响中止，凭栏下视，又是哥哥姊妹来看望我的。我慰悦而又惆怅，因为三次延搁了我所乐意写的通讯。

这只是沿途的经历，感想还多，不愿在忙中写过，以后再说。夜深了，容我说晚安吧！

冰心

一九二三年八月九日，上海

通讯五

小朋友：

早晨五时起来，趁着人静，我清明在躬之时，来写几个字。

这次过蚌埠，有母女二人上车，茶房直引她们到我屋里来。她们带着好几个提篮，内中一个满圈着小鸡，那时车中热极，小鸡都纷纷地伸出头来喘气，那个女儿不住地又将它们按下去。她手脚匆忙，好似弹琴一般。那女儿二十上下年纪，穿着一套麻纱的衣服，一脸的麻子，又满扑着粉，头上手上戴满了簪子、耳珥、戒指、镯子之类，说话时善能作态。

我那时也不知是因为天热，心中烦躁，还是什么别的缘故，只觉得那女孩儿太不可爱。我没有同她招呼，只望着窗外，一回头正见她们谈着话，那女孩儿不住撒娇撒痴地要汤要水；她母亲穿一套青色香云纱的衣服，五十岁上下，面目蔼然，和她谈话的态度，又似爱怜，又似斥责。我旁观忽然心里难过，趁有她们在屋，便走了出去——小朋友！我想起我的母亲，不觉凭在甬道的窗边，临风偷洒了几点酸泪。

请容我倾吐，我信世界上只有你们不笑话我！我自从去年得有远行的消息以后，我背着母亲，天天数着日子。日子一天一天地过了，我也渐渐地瘦了。大人们常常安慰我说："不要紧的，这是好事！"我何尝不知道是好事？叫我说起来，恐怕比他们说的还动听。然而我终竟是个弱者，弱者中最弱的一个。我时常暗恨我自己！临行之前，到姨母家里去，姨母一面张罗我就坐吃茶，一面笑问："你走了，舍得母亲吗？"我也从容地笑说："那没有什么，日子又短，那边还有人照应。”——等到姨母出去，小表妹忽然走到我面前，两手按在我的膝上，仰着脸说：“姊姊，是吗？你真舍得母亲吗？”我那时忽然禁制不住，看着她那智慧诚挚的脸，眼泪直奔涌了出来。我好似要堕下深崖，求她牵援一般。我紧握着她的小手，低声说：“不瞒你说，妹妹，我舍不得母亲，舍不得一切亲爱的人！”

小朋友！大人们真是可钦羡的，他们的眼泪是轻易不落下来的；他们又勇敢，又大方。在我极难过的时候，我的父亲母亲，还能从容不迫地劝我。虽不知背地里如何，那时总算体恤、坚忍，我感激至于无地！

我虽是弱者，我还有我自己的傲岸，我还不肯在不相干的大人前，披露我的弱点。行前和一切师长朋友的谈话，总是喜笑着说的。我不愿以我的至情，来受他们的讥笑。然而我却愿以此在上帝和小朋友面前乞得几点神圣的同情的眼泪！

窗外是斜风细雨，写到这时，我已经把持不住。同情的小朋友，再谈吧！

冰心

一九二三年八月十二日，上海

通讯六

小朋友：

你们读到这封信时，我已离开了可爱的海棠叶形的祖国，在太平洋舟中了。我今日心厌凄恋的言词，再不说什么话，来撩乱你们简单的意绪。

小朋友，我有一个建议：“儿童世界”栏，是为儿童辟的，原当是儿童写给儿童看的。我们正不妨得寸进寸、得尺进尺地，竭力占领这方土地。有什么可喜乐的事情，不妨说出来，让天下小孩子一同笑笑；有什么可悲哀的事情，也不妨说出来，让天下小孩子陪着哭哭。只管坦然公然的，大人前无须畏缩。——小朋友，这是我们积蓄的秘密，容我们低声匿笑地说吧！大人的思想，竟是极高深奥妙的，不是我们所能以测度的。不知道为什么，他们的是非，往往和我们的颠倒。往往我们所以为刺心刻骨的，他们却雍容谈笑地不理；我们所以为是渺小无关的，他们却以为是惊天动地的事功。比如说吧，开炮打仗，死了伤了几万几千的人，血肉模糊地卧在地上。我们不必看见，只要听人说了，就要心悸，夜里要睡不着，或是说呓语的；他们却不但不在意，而且很喜欢操纵这些事。又如我们觉得老大的中国，不拘谁做总统，只要他老老实实，治抚得大家平平安安的，不妨碍我们的游戏，我们就心满意足了；而大人们却奔走辛苦地谈论这件事，他举他，他推他，乱个不了，比我们玩耍时举“小人王”还难。总而言之，他们的事，我们不敢管，也不会管；我们的事，他们竟是不屑管。所以我们大可畅胆地谈谈笑笑，不必怕他们笑话。——我的话完了，请小朋友拍手赞成！

我这一方面呢？除了一星期后，或者能从日本寄回信来之外，往后两个月中，因为道远信件迟滞的关系，恐怕不能有什么消息。秋风渐凉，最宜书写，望你们努力！

在上海还有许多有意思的事，要报告给你们，可惜我太忙，大约要留着在船上，对着大海，慢慢地写。请等待着。

小朋友！明天午后，真个别离了！愿上帝无私照临的爱光，永远包围着我们，永远温慰着我们。

别了，别了，最后的一句话，愿大家努力做个好孩子！

冰心

一九二三年八月十六日，上海

通讯七

亲爱的小朋友：

八月十七的下午，约克逊号邮船无数的窗眼里，飞出五色飘扬的纸带，远远地抛到岸上，任凭送别的人牵住的时候，我的心是如何的飞扬而凄恻！

痴绝的无数的送别者，在最远的江岸，仅仅牵着这终于断绝的纸条儿，放这庞然大物，载着最重的离愁，飘然西去！

船上生活，是如何的清新而活泼。除了三餐外，只是随意游戏散步。海上的头三日，我竟完全回到小孩子的境地中去了，套圈子、抛沙袋，乐此不疲，过后又绝然不玩了。后来自己回想很奇怪，无他，海唤起了我童年的回忆，海波声中，童心和游伴都跳跃到我脑中来。我十分地恨这次舟中没有几个小孩子，使我童心来复的三天中，有无猜畅好的游戏！

我自少住在海滨，却没有看见过海平如镜。这次出了吴淞口，一天的航程，一望无际尽是粼粼的微波。凉风习习，舟如在冰上行。到过了高丽界，海水竟似湖光。蓝极绿极，凝成一片。斜阳的金光，长蛇般自天边直接到栏旁人立处。上自穹苍，下至船前的水，自浅红至于深翠，幻成几十色，一层层，一片片地漾开了来。……小朋友，恨我不能画，文字竟是世界上最无用的东西，写不出这空灵的妙景！

八月十八夜，正是双星渡河之夕。晚餐后独倚栏旁，凉风吹衣。银河一片星光，照到深黑的海上。远远听得楼栏下人声笑语，忽然感到家乡渐远。繁星闪烁着，海波吟啸着，凝立悄然，只有惆怅。

十九日黄昏，已近神户，两岸青山，不时有渔舟往来。日本的小山多半是圆扁的，大家说笑，便道是“馒头山”。这馒头山沿途点缀，直到夜里，远望灯光灿然，已抵神户。船徐徐停住，便有许多人上岸去。我因太晚，只自己又到最高层上，初次看见这般璀璨的世界，天上微月的光和星光，岸上的灯光，无声相映。不时的还有一串光明从山上横飞过，想是火车周行。……舟中寂然，今夜没有海潮音，静极心绪忽起："倘若此时母亲也在这里……"我极清晰地忆起北京来。小朋友，恕我，不能往下再写了。

冰心

一九二三年八月二十日，神户

朝阳下转过一碧无际的草坡，穿过深林，已觉得湖上风来，湖波不是昨夜欲睡如醉的样子了。——悄然地坐在湖岸上，伸开纸，拿起笔，抬起头来，四围红叶中，四面水声里，我要开始写信给我久违的小朋友。小朋友猜我的心情是怎样的呢?

水面闪烁着点点的银光，对岸意大利花园里亭亭层列的松树，都证明我已在万里外。小朋友，到此已逾一月了，便是在日本也未曾寄过一字。说是对不起呢，我又不愿!

我平时写作，喜在人静的时候。船上却处处是公共的地方，舱面栏边，人人可以来到。海景极好，心胸却难得清平。我只能在晨间绝早，船面无人时，随意写几个字，堆积至今，总不能整理，也不愿草草整理，便迟延到了今日。我是尊重小朋友的，想小朋友也能尊重原谅我!

许多话不知从哪里说起，而一声声打击湖岸的微波，一层层地没上杂立的潮石，直到我蔽膝的毡边来，似乎要求我将她介绍给我的小朋友。小朋友，我真不知如何地形容介绍她！她现在横在我的眼前。湖上的月明和落日，湖上的浓阴和微雨，我都见过了，真是仪态万千。小朋友，我的亲爱的人都不在这里，便只有她——海的女儿，能慰安我了。Lake Waban，谐音会意，我便唤她做"慰冰"。每日黄昏的游泛，舟轻如羽，水柔如不胜桨。岸上四围的树叶，绿的、红的、黄的、白的，一丛一丛的倒影到水中来，覆盖了半湖秋水。夕阳下极其艳冶，极其柔媚。将落的金光，到了树梢，散在湖面。我在湖上光雾中，低低地嘱咐它，带我的爱和慰安，一同和它到远东去。

小朋友！海上半月，湖上也过半月了，若问我爱哪一个更甚，这却难说。——海好像我的母亲，湖是我的朋友。我和海亲近在童年，和湖亲近是现在。海是深阔无际，不着一字，她的爱是神秘而伟大的，我对她的爱是归心低首的。湖是红叶绿枝，有许多衬托，她的爱是温和妩媚的，我对她的爱是清淡相照的。这也许太抽象，然而我没有别的话来形容了！

小朋友，两月之别，你们自己写了多少，母亲怀中的乐趣，可以说来让我听听吗？——这便算是沿途书信的小序。此后仍将那写好的信，按序寄上，日月和地方，都因其旧，“弱游”的我，如何自太平洋东岸的上海绕到大西洋东岸的波士顿来，这些信中说得很清楚，请在那里看吧！

不知这几百个字，何时方达到你们那里，世界真是太大了！

冰心

一九二三年十月十四日，慰冰湖畔，威尔斯利

通讯八

亲爱的弟弟们：

波士顿一天一天地下着秋雨，好像永没有开晴的日子。落叶红的黄的堆积在小径上，有一寸来厚，踏下去又湿又软。湖畔是少去的了，然而还是一天一遭。很长很静的道上，自己走着，听着雨点打在伞上的声音。有时自笑不知这般独往独来，冒雨迎风，是何目的！走到了，石矶上，树根上，都是湿的，没有坐处，只能站立一会儿，望着蒙蒙的雾。湖水白极淡极，四围湖岸的树，都隐没不见，看不出湖的大小，倒觉得神秘。

回来已是天晚，放下绿帘，开了灯，看中国诗词和新寄来的晨报副镌，看到亲切处，竟然忘却身在异国。听得敲门，一声“请进”，回头却是金发蓝睛的女孩子，笑颊粲然的立于明灯之下，常常使我猛觉，笑而吁气！

正不知北京怎样，中国又怎样了？怎么在国内的时候，不曾这样的关心？——前几天早晨，在湖边石上读华兹华斯（Wordsworth）的一首诗，题目是《我在不相识的人中间旅行》：

I Travelled Among Unknown Men

I travelled among unknown men,
In lands beyond the sea;
Nor, England! did I know till then
What love I bore to thee.

大意是：

直至到了海外，
在不相识的人中间旅行；
英格兰！我才知道我付与你的
是何等样的爱。

读此使我恍然如有所得，又怅然如有所失。是呵，不相识的！湖畔归来，远远几簇楼窗的灯火，繁星般的灿烂，但不曾与我以丝毫慰藉的光气！

想起北京城里此时街上正听着卖葡萄、卖枣的声音呢！我真是不堪，在家时黄昏睡起，秋风中听此，往往凄动不宁。有一次似乎是星期日的下午，你们都到安定门外泛舟去了，我自己廊上凝坐，秋风侵衣。一声声卖枣声墙外传来，觉得十分暗淡无趣。正不解为何这般寂寞，忽然你们的笑语喧哗也从墙外传来，我的惆怅，立时消散。自那时起，我承认你们是我的快乐和慰安，我也明白只要人心中有了春气，秋风是不会引人愁思的。但那时却不曾说与你们知道。今日偶然又想起来，这里虽没有卖葡萄甜枣的声响，而窗外风雨交加。——为着人生，不得不别离，却又禁不起别离，你们何以慰我？……一天两次，带着钥匙，忧喜参半地下楼到信橱前去，隔着玻璃，看不见一张白纸。又近看了看，实在没有。无精打采地挪上楼来，不止一次了！明知万里路，不能天天有信，而这两次终不肯不走，你们何以慰我？

夜渐长了，正是读书的好时候，愿隔着地球，和你们一同勉励着在晚餐后一定的时刻用功。只恐我在灯下时，你们却在课室里——回家千万常在母亲跟前！这种光阴是贵过黄金的，不要轻轻抛掷过去，要知道海外的姊姊，是如何地羡慕你们！——往常在家里，夜中写字看书，只管漫无限制，横竖到了休息时间，父亲或母亲就会来催促的，搁笔一笑，觉得乐极。如今到了夜深人倦的时候，只能无聊地自己收拾收拾，去做那还乡的梦。弟弟！想着我，更应当尽量消受你们眼前欢愉的生活！

菊花上市，父亲又忙了。今年种得多不多？我案头只有水仙花，还没有开，总是含苞，总是希望，当常引起我的喜悦。

快到晚餐的时候了。美国的女孩子，真爱打扮，尤其是夜间。第一遍钟响，就忙着穿衣敷粉，纷纷晚妆。夜夜晚餐桌上，个个花枝招展的。“巧笑倩兮，美目盼兮，彼美人兮，西方之人兮。”我曾戏译这四句诗给她们听。横三聚五地凝神向我，听罢相顾，无不欢笑。

不多说什么了，只有“珍重”二字，愿彼此牢牢守着！

冰心

一九二三年十月二十四日夜，闭壁楼

倘若你们愿意，不妨将这封信分给我们的小朋友看看。途中书信，正在整理，一两天内，不见得能写寄。将此塞责，也是慰情聊胜无呵！又书。

通讯九

这是我姊姊由病院寄给父亲的一封信，描写她病中的生活和感想，真是比日记还详。我想她病了，一定不能常写信给“儿童世界”的小读者。也一定有许多的小读者，希望得着她的消息。所以我请于父亲，将她这封信发表。父亲允许了，我就略加声明当做小引，想姊姊不至责我多事？

一九二四年一月二十二日，冰仲，北京交大

亲爱的父亲：

我不愿告诉我的恩慈的父亲，我现在是在病院里；然而尤不愿有我的任一件事，隐瞒着不叫父亲知道！横竖信到日，我一定已经痊愈，病中的经过，正不妨作记事看。

自然又是旧病了，这病是从母亲来的。我病中没有分毫不适，我只感谢上苍，使母亲和我的体质上，有这样不模糊的连结。血赤是我们的心，是我们的爱，我爱母亲，也并爱了我的病！

前两天的夜里——病院中没有日月，我也想不起来——S女士请我去晚餐。在她小小的书室里，灭了灯，燃着闪闪的烛，对着熊熊的壁炉的柴火，谈着东方人的故事。——一回头我看见一轮淡黄的月，从窗外正照着我们；上下两片轻绡似的白云，将她托住。S女士也回头惊喜赞叹，匆匆地饮了咖啡，披上外衣，一同走了出去。——原来不仅月光如水，疏星也在天河边闪烁。

她指点给我看：那边是织女，那个是牵牛，还有仙女星，猎户星，孪生的兄弟星，王后星，末后她悄然地微笑说："这些星星方位和名字，我一一牢牢记住。到我衰老不能行走的时候，我卧在床上，看着疏星从我窗外度过，那时便也和同老友相见一般的喜悦。"她说着起了微喟。月光照着她飘扬的银白的发，我已经微微地起了感触：如何的凄清又带着诗意的句子呵！

我问她如何会认得这些星辰的名字，她说是因为她的弟弟是航海家的缘故，这时父亲已横上我的心头了！

记否去年的一个冬夜，我同母亲夜坐，父亲回来得很晚。我迎着走进中门，朔风中父亲带我立在院里，也指点给我看：这边是天狗，那边是北斗，那边是箕星。那时我觉得父亲的智慧是无限的，知道天空缥缈之中，一切微妙的事——又是一年了！

月光中S女士送我回去，上下的曲径上，缓缓地走着。我心中悄然不怡——半夜便病了。

早晨还起来，早餐后又卧下。午后还上了一课，课后走了出来，天气好似早春，慰冰湖波光荡漾。我慢慢地走到湖旁，临流坐下，觉得弱又无聊。晚霞和湖波的细响，勉强振起我的精神来，黄昏时才回去。夜里九时，她们发觉了，立时送我入了病院。

医院是在小山上学校的范围之中，夜中到来看不真切。医生和看护妇在灯光下注视着我的微微的笑容，使我感到一种无名的感觉。——一夜很好，安睡到了天晓。

早晨绝早，看护妇抱着一大束黄色的雏菊，是闭璧楼同学送来的。我忽然下泪，忆起在国内病时床前的花了——这是第一次。

这一天中睡的时候最多，但是花和信，不断的来，不多时便屋里满了清香。玫瑰也有，菊花也有，还有许多不知名的。每封信都很有趣味，但信末的名字我多半不认识。因为同学多了，只认得面庞，名字实在难记！

我情愿在这里病，饮食很精良，调理得又细心。我一切不必自己劳神，连头都是人家替我梳的。我的床一日推移几次，早晨便推近窗前。外望看见礼拜堂红色的屋顶和塔尖，看见图书馆，更隐隐地看见了慰冰湖对岸秋叶落尽，楼台也露了出来。近窗有一株很高的树，不知道是什么名字。昨日早上，我看见一只红头花翎的啄木鸟，在枝上站着，好一会儿才飞走。又看见一头很小的松鼠，在上面往来跳跃。

从看护妇递给我的信中，知道许多师长同学来看我，都被医生拒绝了。我自此便闭居在这小楼里——这屋里清雅绝尘，有加无已的花，把我围将起来。我神志很清明，却又混沌，一切感想都不起，只停在“臣门如市，臣心如水”的状态之中。

何从说起呢？不时听得电话的铃声响：

“……医院……她吗？……很重要……不许接见……眠食极好，最要的是静养……书等明天送来吧……花和短信是可以的……”

差不多都是一样的话，我倚枕模糊可以听见。猛忆起今夏病的时候，电话也一样地响，冰仲弟说：

“姊姊么——好多了，谢谢！”

觉得我真是多事，到处叫人家替我忙碌——这一天在半醒半睡中度过。

第二天头一句问看护妇的话，便是：“今天许我写字吗？”她笑说：“可以的，但不要写得太长。”我喜出望外，第一封便写给家里，报告我平安。不是我想隐瞒，因不知从哪里说起。第二封便给了闭璧楼九十六个“西方之人兮”的女孩子。我说：

“感谢你们的信和花带来的爱！——我卧在床上，用悠暇的目光，远远看着湖水，看着天空。偶然也看见草地上、图书馆、礼堂门口进出的你们。我如何的幸福呢？没有那几十页的诗，当功课地读；没有晨兴钟，促我起来。我闲闲地背着诗句，看日影渐淡，夜中星辰当着我的窗户；如不是因为想你们，我真不想回去了！”

信和花仍是不断地来。黄昏时看护妇进来，四顾室中，她笑着说：“这屋里成了花窖了。”我喜悦地也报以一笑。

我素来是不大喜欢菊花的香气的，竟不知她和着玫瑰花香拂到我的脸上时，会这样的甜美而浓烈！——这时称了我的心愿了！日长昼永，万籁无声。一室之内，惟有花与我。在天然的禁令之中，杜门谢客，过我的清闲回忆的光阴。

把往事一一提起，无一不使我生美满的微笑。我感谢上苍：过去的二十年中，使我一无遗憾，只有这次的别离，忆起有些惊心！

B夫人早晨从波士顿赶来，只有她闯入这清严的禁地里。医生只许她说，不许我说。她双眼含泪，苍白无主地面颜对着我，说：“本想我们有一个最快乐的感恩节……然而不要紧的，等你好了，我们另有一个……”

我握着她的手，沉静地不说一句话。等她放好了花，频频回顾地出去之后，望着那“母爱”的后影，我潸然泪下——这是第二次。

夜中绝好，是最难忘之一夜。在众香国中，花气氤氲。我请看护妇将两盏明灯都开了，灯光下，床边四围，浅绿浓红，争妍斗媚，如低眉，如含笑。窗外严净的天空里，疏星炯炯，枯枝在微风中，颤摇有声。我凝然肃然，此时此心可朝天帝！

猛忆起两句：

消受白莲花世界，
风来四面卧中央。

这福是不能多消受的！果然，看护妇微笑地进来，开了窗，放下帘子，挪好了床，便一瓶一瓶地都抱了出去，回头含笑对我说：“太香了，于你不宜，而且夜中这屋里太冷。”——我只得笑着点首，然终留下了一瓶玫瑰，放在窗台上。在黑暗中，她似乎知道现在独有她慰藉我，便一夜的温香不断——

“花怕冷，我便不怕冷吗？”我因失望起了疑问，转念我原是不应怕冷的，便又寂然心喜。

日间多眠，夜里便十分清醒。到了连书都不许看时，才知道能背诵诗句的好处，几次听见车声隆隆走过，我忆起：

水调歌从邻院度，
雷声车是梦中过。

朋友们送来一本书，是

Student's Book of Inspiration

内中有一段恍惚说：

“世界上最难忘的是自然之美……有人能增加些美到世上去，这人便是天之骄子。”

真的，最难忘的是自然之美！今日黄昏时，窗外的慰冰湖，银海一般的闪烁，意态何等清寒？秋风中的枯枝，丛立在湖岸上，何等疏远？秋云又是如何的幻丽？这广场上忽阴忽晴，我病中的心情，又是何等的飘忽无着？

沉黑中仍是满了花香，又忆起：

到死未消兰气息，

他生宜护玉精神！

父亲！这两句我不应写了出来，或者会使你生无谓的难过。但我欲其真，当时实是这样忽然忆起来的。

没有这般的孤立过，连朋友都隔绝了，但读信又是怎样的有趣呢？

一个美国朋友写着：

“从村里回来，到你屋去，竟是空空。我几乎哭了出来！看见你相片立在桌上，我也难过。告诉我，有什么我能替你做的事情，我十分乐意听你的命令！”

又一个写着说：

“感恩节近了，快康健起来吧！大家都想你，你长在我们的心里！”

但一个日本的朋友写着：

“生命是无定的，人们有时虽觉得很近，实际上却是很远。你和我隔绝了，但我觉得你是常常近着我！”

中国朋友说：

“今天怎么样，要看什么中国书吗？”

都只寥寥数字，竟可见出国民性——一夜从杂乱的思想中度过。

清早的时候，扫除橡叶的马车声，辗破晓静。我又忆起：

马蹄隐隐声隆隆，
底下自然又连带到：
我今垂翅负天鸿，
他日不羞蛇作龙！

这时天色便大明了。

今天是感恩节，窗外的树枝都结上严霜，晨光熹微，湖波也凝而不流，做出初冬天气。——今天草场上断绝人行，个个都回家过节去了。美国的感恩节如同我们的中秋节一般，是家族聚会的日子。

父亲！我不敢说是“每逢佳节倍思亲”，因为感恩节在我心中，并没有什么甚深的观念。然而病中心情，今日是很惆怅的。花影在壁，花香在衣。濛濛的朝霭中，我默望窗外，万物无语，我不禁泪下。——这是第三次。

幸而我素来是不喜热闹的。每逢佳节，就想到幽静的地方去。今年此日避到这小楼里，也是清福。昨天偶然忆起辛幼安的《青玉案》：

众里寻她千百度，
蓦然回首，
那人却在

灯火阑珊处。

我随手便记在一本书上，并附了几个字：

“明天是感恩节，人家都寻欢乐去了，我却闭居在这小楼里。然而忆到这孤芳自赏，别有怀抱的句子，又不禁喜悦地笑了。”

花香缠绕笔端，终日寂然。我这封信时作时辍，也用了一天工夫。医生替我回绝了许多朋友，我恍惚听见她电话里说：

“她今天看着中国的诗，很平静、很喜悦！”

我便笑了，我昨天倒是看诗，今天却是拿书遮着我的信纸。父亲！我又淘气了！

看护妇的严净的白衣，忽然现在我的床前。她又送一束花来给我——同时她发觉了我写了许多，笑着便来禁止，我无法奈她何。——她走了，她实是一个最可爱的女子，当她在屋里蹀躞之顷，无端有“身长玉立”四字浮上脑海。

当父亲读到这封信时，我已生龙活虎般在雪中游戏了，不要以我置念吧！——寄我的爱与家中一切的人！我记念着他们每一个！

这回真不写了——父亲记否我少时的一夜，黑暗里跑到山上的旗台上去找父亲，一星灯火里，我们在山上山下彼此唤着。我一忆起，心中就充满了爱感。如今是隔着我们挚爱的海洋呼唤着了！亲爱的父亲，再谈吧，也许明天我又写信给你！

女儿　莹倚枕

一九二三年十一月二十九日

通讯十

亲爱的小朋友：

我常喜欢挨坐在母亲的旁边，挽住她的衣袖，央求她述说我幼年的事。

母亲凝想地，含笑地，低低地说：

“不过有三个月罢了，偏已是这般多病。听见端药杯的人的脚步声，已知道惊怕啼哭。许多人围在床前，乞怜的眼光，不望着别人，只向着我，似乎已经从人群里认识了你的母亲！”

这时眼泪已湿了我们两个人的眼角！

“你的弥月到，穿着舅母送的水红绸子的衣服，戴着青缎沿边的大红帽子，抱出到厅堂前。因看你丰满红润的面庞，使我在姊妹妯娌群中，起了骄傲。

“只有七个月，我们都在海舟上，我抱你站在栏旁。海波声中，你已会呼唤‘妈妈’和‘姊姊’。”

对于这件事，父亲和母亲还不时地起争论。父亲说世上没有七个月会说话的孩子。母亲坚执说是的。在我们家庭历史中，这事至今是件疑案。

“浓睡之中猛然听得丐妇求乞的声音，以为母亲已被她们带去了。冷汗被面地惊坐起来，脸和唇都青了，呜咽不能成声。我从后屋连忙进来，珍重地揽住，经过了无数的解释和安慰。自此后，便是睡着，我也不敢轻易地离开你的床前。”

这一节，我仿佛记得，我听时写时都重新起了呜咽！

“有一次你病得重极了。地上铺着席子，我抱着你在上面膝行。正是暑月，你父亲又不在家。你断断续续说的几句话，都不是三岁的孩子所能够说的。因着你奇异的智慧，增加了我无名的恐怖。我打电报给你父亲，说我身体和灵魂上都已不能再支持。忽然一阵大风雨，深忧的我、重病的你和你疲乏的乳母，都沉沉地睡了一大觉。这一番风雨，把你又从死神的怀抱里，接了过来。”

我不信我智慧，我又信我智慧！母亲以智慧的眼光，看万物都是智慧的，何况她的唯一挚爱的女儿？

“头发又短，又没有一刻肯安静。早晨这左右两个小辫子，总是梳不起来。没有法子，父亲就来帮忙：‘站好了，站好了，要照相了！’父亲拿着照相匣子，假作照着。又短又粗的两个小辫子，好容易天天这样地将就地编好了。”

我奇怪我竟不懂得向父亲索要我每天照的相片！

“陈妈的女儿宝姐，是你的好朋友。她来了，我就关你们两个人在屋里，我自己睡午觉。等我醒来，一切的玩具，小人小马，都当做船，漂浮在脸盆的水里，地上已是水汪汪的。”

宝姐是我一个神秘的朋友，我自始至终不记得、不认识她。然而从母亲口里，我深深地爱了她。

“已经三岁了，或者快四岁了。父亲带你到他的兵舰上去，大家匆匆地替你换上衣服，你自己不知什么时候，把一只小木鹿，放在小靴子里。到船上只要父亲抱着，自己一步也不肯走。放到地上走时，只有一跛一跛的。大家奇怪了，脱下靴子，发现了小木鹿。父亲和他的许多朋友都笑了。——傻孩子！你怎么不会说？”

母亲笑了，我也伏在她的膝上羞愧地笑了。——回想起来，她的质问和我的羞愧，都是一点理由没有的。十几年前事，提起当面前事说，真是无谓。然而那时我们中间弥漫了痴和爱！

“你最怕我凝神，我至今不知是什么缘故。每逢我凝望窗外，或是稍微地呆了一呆，你就过来呼唤我、摇撼我，说：‘妈妈，你的眼睛怎么不动了？’我有时喜欢你来抱住我，便故意地凝神不动。”

我自己也不知道是什么缘故。也许母亲凝神，多是忧愁的时候，我要搅乱她的思路，也未可知。——无论如何，这是个隐谜！

“然而你自己却也喜凝神。天天吃着饭，呆呆地望着壁上的字画，桌上的钟和花瓶，一碗饭数米粒似的，吃了好几点钟。我急了，便把一切都挪移开。”

这件事我记得，而且很清楚，因为独坐沉思的脾气至今不改。

当她说这些事的时候，我总是脸上堆着笑，眼里满了泪，听完了用她的衣袖来印我的眼角，静静地伏在她的膝上。这时宇宙已经没有了，只母亲和我，最后我也没有了，只有母亲；因为我本是她的一部分！

这是如何可惊喜的事，从母亲口中，逐渐地发现了，完成了我自己！她从最初已知道我，认识我，喜爱我，在我不知道不承认世界上有个我的时候，她已爱了我了。我从三岁上，才慢慢地在宇宙中寻到了自己，爱了自己，认识了自己；然而我所知道的自己，不过是母亲意念中的百分之一，千万分之一。

小朋友！当你寻见了世界上有一个人，认识你，知道你，爱你，都千百倍地胜过你自己的时候，你怎能不感激，不流泪，不死心塌地地爱她，而且死心塌地地容她爱你？

有一次，幼小的我，忽然走到母亲面前，仰着脸问说："妈妈，你到底为什么爱我？"母亲放下针线，用她的面颊，抵住我的前额，温柔地、不迟疑地说："不为什么，——只因你是我的女儿！"

小朋友！我不信世界上还有人能说这句话！"不为什么"这四个字，从她口里说出来，何等刚决，何等无回旋！她爱我，不是因为我是"冰心"，或是其他人世间的一切虚伪的称呼和名字！她的爱是不附带任何条件的，唯一的理由，就是我是她的女儿。总之，她的爱，是摒除一切，拂拭一切，层层地挥开我前后左右所蒙罩的，使我成为"今我"的元素，而直接地来爱我的自身！

假使我走至幕后，将我二十年的历史和一切都更交了，再走出到她面前，世界上纵没有一个人认识我，只要我仍是她的女儿，她就仍用她坚强无尽的爱来包围我。她爱我的肉体，她爱我的灵魂，她爱我前后左右，过去、将来、现在的一切！

天上的星辰，骤雨般落在大海上，嗤嗤繁响。海波如山一般的汹涌，一切楼屋都在地上旋转，天如同一张蓝纸卷了起来。树叶子满空飞舞，鸟儿归巢，走兽躲到它的洞穴。万象纷乱中，只要我能寻到她，投到她的怀里……天地一切都信她！她对于我的爱，不因着万物毁灭而更变！

她的爱不但包围我，而且普遍地包围着一切爱我的人；而且因着爱我，她也爱了天下的儿女，她更爱了天下的母亲。小朋友！告诉你一句小孩子以为是极浅显，而大人们以为是极高深的话，“世界便是这样地建造起来的！”

世界上没有两件事物是完全相同的，同在你头上的两根丝发，也不能一般长短。然而——请小朋友们和我同声赞美！只有普天下的母亲的爱，或隐或显，或出或没，不论你用斗量，用尺量，或是用心灵的度量衡来推测；我的母亲对于我，你的母亲对于你，她的和他的母亲对于她和他；她们的爱是一般的长阔高深，分毫都不差减。小朋友！我敢说，也敢信古往今来，没有一个敢来驳我这句话。当我发觉了这神圣的秘密的时候，我竟欢喜感动得伏案痛哭！

我的心潮，沸涌到最高度，我知道于我的病体是不相宜的，而且我更知道我所写的都不出乎你们的智慧范围之外。——窗外正是下着紧一阵慢一阵的秋雨，玫瑰花的香气，也正无声地赞美她们的“自然母亲”的爱！

我现在不在母亲的身畔——但我知道她的爱没有一刻离开我，她自己也如此说！——暂时无从再打听关于我的幼年的消息；然而我会写信给我的母亲。我说：“亲爱的母亲，请你将我所不知道的关于我的事，随时记下寄来给我。我现在正是考古家一般的，要从深知我的你口中，研究我神秘的自己。”

被上帝祝福的小朋友！你们正在母亲的怀里。——小朋友！我教给你，你看完了这一封信，放下报纸，就快快跑去找你的母亲——若是她出去了，就去坐在门槛上，静静地等她回来——不论在屋里或是院中，把她寻见了，你便上去攀住她，左右亲她的脸，你说：“母亲！若是你有工夫，请你将我小时候的事情，说给我听！”等她坐下了，你便坐在她的膝上，倚在她的胸前，你听得见她心脉和缓地跳动，你仰着脸，会有无数关于你的，你所不知道的美妙的故事，从她口里天乐一般地唱将出来！

然后——小朋友！我愿你告诉我，她对你所说的都是什么事。

我现在正病着，没有母亲坐在旁边，小朋友一定怜念我，然而我有说不尽的感谢！造物者将我交付给我母亲的时候，竟赋予了我以记忆的心才；现在又从忙碌的课程中替我匀出七日夜来，回想母亲的爱。我病中光阴，因着这回想，寸寸都是甜蜜的。

小朋友，再谈吧，致我的爱与你们的母亲！

你的朋友 冰心

一九二三年十二月五日晨，圣卜生疗养院，威尔斯利

通讯十一

小朋友：

从圣卜生医院寄你们一封长信之后，又是二十天了。十二月十三之晨，我心酸肠断，以为从此要尝些人生失望与悲哀的滋味，谁知却有这种柳暗花明的美景。但凡有知，能不感谢！

小朋友们知道我不幸病了，我却没有想到这病是须休息的，所以当医生缓缓地告诉我的时候，我几乎神经错乱。十三、十四两夜，凄清的新月，射到我的床上，瘦长的载霜的白杨树影，参错满窗。——我深深地觉出了宇宙间的凄楚与孤立。一年来的计划，全归泡影，连我自己一生也不知是何底止。秋风飒然，我的头垂在胸次。我竟恨了西半球的月，一次是中秋前后两夜，第二次便是现在了，我竟不知明月能伤人至此！

昏昏沉沉地过了两日，十五早起，看见遍地是雪，空中犹自飞舞，湖上凝阴，意态清绝。我肃然倚窗无语，对着慰冰纯洁的饯筵，竟麻木不知感谢。下午一乘轻车，几位师长带着心灰意懒的我，雪中驰过深林，上了青山（The Blue Hills）到了沙穰疗养院。

如今窗外不是湖了，是四围山色之中，丛密的松林，将这座楼圈将起来。清绝静绝，除了一天几次火车来往，一道很浓的白烟从两重山色中穿过，隐隐地听见轮声之外，轻易没有什么声息。单弱的我，拼着颓然地在此住下了！

一天一天地过去觉得生活很特别。十二岁以前半玩半读的时候不算外，这总是第一次抛弃一切，完全来与“自然”相对。以读书，凝想，赏明月，看朝霞为日课。有时夜半醒来，万籁俱寂，皓月中天，悠然四顾，觉得心中一片空灵。我纵欲修心养性，哪得此半年空闲，幕天席地的日子，百忙中为我求安息，造物者！我对你安能不感谢？

日夜在空旷之中，我的注意就有了更动。早晨朝霞是否相同？夜中星辰曾否转移了位置？都成了我关心的事。在月亮左侧不远，一颗很光明的星，是每夜最使我注意的。自此稍右，三星一串，闪闪照人，想来不是“牵牛”就是“织女”。此外秋星窈窕，都罗列在我的枕前。就是我闭目宁睡之中，它们仍明明在上临照我，无声地环立，直到天明，将我交付与了朝霞，才又无声地历落隐人天光云影之中。

说到朝霞，我要搁笔，只能有无言的赞美。我所能说的就是朝霞颜色的变换和晚霞恰恰相反。晚霞的颜色是自淡而浓，自金红而碧紫。朝霞的颜色是自浓而深，自青紫而深红，然后一轮朝日，从松岭捧将上来，大地上一切都从梦中醒觉。

便是不晴明的天气，夜卧听檐上夜雨，也是心宁气静。头两夜听雨的时候，忆起什么“……第一是难听夜雨！天涯倦旅，此时心事良苦……”“洒空阶更阑未休……似楚江暝宿，风灯零乱，少年羁旅……”“……可惜流年，忧愁风雨，树犹如此……”“……细雨梦回鸡塞远，小楼吹彻玉笙寒……”等句，心中很惆怅的，现在已好些了。小朋友！我笔不停挥，无意中写下这些词句。你们未必看过，也未必懂得，然而你们尽可不必研究。这些话，都在人情之中，你们长大时，自已都会写的，特意去看，反倒无益。

山中虽不大记得日月，而圣诞的观念，却充满在同院二十二个女孩的心中。二十四夜在楼前雪地中间的一棵松树上，结些灯彩，树巅一颗大星星，树下更挂着许多小的。那夜我照常卧在廊下，只有十二点钟光景，忽然柔婉的圣诞歌声，沉沉地将我从浓睡中引将出来。开眼一看，天上是月，地下是雪，中间一颗大灯星和一个猛醒的人。这一切完全成了一个透彻晶莹的世界！想起一千九百二十三年前，一个纯洁的婴孩，今夜出世，似他的完全的爱，似他的完全的牺牲，这个彻底光明柔洁的夜，原只是为他而有的。我侧耳静听，忆起旧作《天婴》中的两节：

马槽里可能睡眠？
凝注天空——
这清亮的歌声，
珍重的诏语，
催他思索，
想只有泪珠盈眼，
热血盈腔。

奔赴着十字架，
奔赴着荆棘冠，
想一生何曾安顿？
繁星在天，
夜色深深，
开始地负上罪担千钧！

此时心定如冰，神清若水，默然肃然，直至歌声渐远，隐隐的只余山下孩童奔逐欢笑祝贺之声，我渐渐又入梦中。梦见冰仲肩着四弦琴，似愁似喜地站在我面前拉着最熟的调子是“我如何能离开你”？声细如丝，如不胜清怨，我凄婉而醒。天幕沉沉，正是圣诞日！

朝阳出来的时候，四围山中松梢的雪，都映出粉霞的颜色。一身似乎拥在红云之中，几疑自己已经仙去。正在凝神，看护妇已出来将我的床从廊上慢慢推到屋里，微笑着道了“圣诞大喜”，便捧进几十个红丝缠绕、白纸包裹的礼物来，堆在我的床上。一包一包地打开，五光十色的玩具和书，足足地开了半点钟。我喜极了，一刹那顷童心来复，忽然想要跑到母亲床前去，摇醒她，请她过目。猛觉一身在万里外！……只无聊地随便拿起一本书来，颠倒地，心不在焉地看。

这座楼素来没有火，冷清清的如同北冰洋一般。难得今天开了一天的汽管，也许人坐在屋里，觉得适意一点。果点和玩具和书，都堆叠在桌上，而弟弟们以及小朋友们却不能和我同乐。一室寂然，窗外微阴，雪满山中。想到如这回不病，此时正在纽约或华盛顿，尘途热闹之中，未必能有这般的清福可享，又从失意转成喜悦。

晚上院中也有一个庆贺的会，在三层楼下。那边露天学校的小孩子们也都来了，约有二十个。——那些孩子都是居此治疗的，那学校也是为他们开的。我还未曾下楼，不得多认识他们。想再有几天，许我游山的时候，一定去看他们上课游散的光景，再告诉你们些西半球带病行乐的小朋友们的消息——厅中一棵装点得极其辉煌的圣诞树，上面系着许多的礼物。医生一包一包地带下去，上面注有各人的名字，附着滑稽诗一首，是互相取笑的句子，那礼物也是极小却极有趣味的东西。我得了一支五彩漆管的铅笔，一端有个橡皮帽子，那首诗是：

亲爱的，你天天在床上写字，写字，
必有一日犯了医院的规矩，
墨水沾污了床单。
给你这一支铅笔，还有橡皮，
好好地用吧，
可爱的孩子！

医生、看护以及病人，把那厅坐满了。集合八国的人，老的少的，唱着同调的曲，也倒灯火辉煌，歌声嘹亮地过了一个完全的圣诞节。

二十六夜大家都觉乏倦了，鸦雀无声地都早去安息。雪地上那一颗灯星，却仍是明明远射。我关上了屋里的灯，倚窗而立，灯光入户，如同月光一般。忆起昨夜那些小孩子，接过礼物攒三集五，聚精凝神，一层层打开包裹的光景，正在出神。外间敲门，进来了一个希腊女孩子，她从沉黑中笑道："好一个诗人呵！我不见灯光，以为你不在屋里呢！"我悄然一笑，才觉得自己是在山间万静之中。

自那时又起了乡愁——恕我不写了。此信到日，正是故国的新年，祝你们快乐平安！

冰心

一九二三年十二月二十六日，沙穰疗养院

通讯十二

小朋友：

满廊的雪光，开读了母亲的来信，依然不能忍地流下几滴泪。——四围山上的层层的松枝，载着白绒般的很厚的雪，沉沉下垂。不时地掉下一两片手掌大的雪块，无声地堆在雪地上。小松呵！你受造物的滋润是过重了！我这过分的被爱的心，又将何处去交卸！

小朋友，可怪我告诉过你们许多事，竟不曾将我的母亲介绍给你。——她是这么一个母亲：她的话句句使做儿女的人动心，她的字，一点一划都使做儿女的人下泪！

我每次得她的信，都不曾预想到有什么感触的，而往往读到中间，至少有一两句使我心酸泪落。这样深浓，这般诚挚，开天辟地的爱情呵！愿普天下一切有知，都来颂赞！

以下节录母亲信内的话，小朋友，试当她是你自己的母亲，你和她相离万里，你读的时候，你心中觉得怎样？

我读你《寄母亲》的一首诗，我忍不住下泪，此后你多来信，我就安慰多了！

十月十八日

我心灵是和你相连的。不论在做什么事情，心中总是想起你来……

十月二十七日

我们是相依为命的。不论你在什么地方，做什么事情，你母亲的心魂，总绕在你的身旁，保护你抚抱你，使你安安稳稳一天一天地过去。

十一月九日

我每遇晚饭的时候，一出去看见你屋中电灯未熄，就仿佛你在屋里，未来吃饭似的，就想叫你，猛忆你不在家，我就很难过！

十一月二十二日

你的来信和相片，我差不多一天看了好几次，读了好几回。到夜中睡觉的时候，自然是梦魂飞越在你的身旁，你想做母亲的人，哪个不思念她的孩子？……

十一月二十六日

经过了几次的酸楚我忽发悲愿，愿世界上自始至终就没有我，永减母亲的思念。一转念纵使没有我，她还可有别的女孩子做她的女儿，她仍是一般的牵挂，不如世界上自始至终就没有母亲。——然而世界上古往今来百千万亿的母亲，又当如何？且我的母亲已经彻底地告诉我：“做母亲的人，哪个不思念她的孩子！”

为此我透彻地觉悟，我死心塌地地肯定了我们居住的世界是极乐的。“母亲的爱”打千百转身，在世上幻出人和人，人和万物种种一切的互助和同情。这如火如荼的爱力，使这疲缓的人世，一步一步地移向光明！感谢上帝！经过了别离，我反复思寻印证，心潮几番动荡起落，自我和我的母亲，她的母亲，以及他的母亲接触之间，我深深地证实了我多年来的信仰，绝不是无意识的！

真的，小朋友！别离之前，我不曾懂得母亲的爱动人至此，使人一心一念，神魂奔赴……我不须多说，小朋友知道的比我更彻底，我只愿这一心一念，永驻永存，尽我在世的光阴，来讴歌颂扬这神圣无边的爱！圣保罗在他的书信里说过一句石破天惊的话，是：“我为这福音的奥秘，做了戴锁链的使者。”一个使者，却是戴着奥妙的爱的锁链的！小朋友，请你们监察我，催我自强不息地来奔赴这理想的最高的人格！

这封信不是专为介绍我母亲的自身，我要提醒的是“母亲”这两个字。谁无父母，谁非人子？母亲的爱，都是一般；而你们天真中的经验，却千百倍的清晰浓挚于我！母亲的爱，竟不能使我在人前有丝毫的得意和骄傲，因为普天下没有一个没有母亲的孩子。小朋友，谁道上天生人有厚薄？无贫富，无贵贱，造物者都预备一个母亲来爱他。又试问鸿梦初辟时，又哪里有贫富贵贱，这些人造的制度阶级？遂令当时人类在母亲的爱光之下，个个自由，个个平等！

你们有这个经验吗？我往往有爱世上其他物事胜过母亲的时候。为着兄弟朋友，为着花鸟虫鱼，甚至于为着一本书一件衣服，和母亲违拗争执。当时只弄娇痴，就是母亲，也未曾介意。如今病榻上寸寸回想，使我有无限的惊悔。小朋友！为着我，你们自此留心，只有母亲是真爱你的。她的劝诫，句句有天大的理由。花鸟虫鱼的爱是暂时的，母亲的爱是永远的！

时至今日，我偶然觉悟到，因着母亲，使我承认了世间一切其他的爱，又冷淡了世间一切其他的爱。

青山雪霁，意态十分清冷。廊上无人，只不时地从楼下飞来一两声笑语，真是幽静极了。造物者的意旨，何等的深沉呵！把我从岁暮的尘嚣之中，提将出来，叫我在深山万静之中，辗转思索。

说到我的病，本不是什么大症候，也就无所谓痊愈，现在只要慢慢地休息着。只是逃了几个月的学，其中也有幸有不幸。

这是一九二三年的末一日，小朋友，我祝你们的进步。

冰心

一九二三年十二月三十一日，青山沙穰

通讯十三

亲爱的母亲：

这封信母亲看到时，不知是何情绪。——曾记得母亲有一个女儿，在母亲身畔二十年，曾招母亲欢笑，也曾惹母亲烦恼。六个月前，她竟横海去了。她又病了，在沙穰休息着。这封信便是她写的。

如今她自己寂然地在灯下，听见楼下悠扬凄婉的音乐和栏旁许多女孩子的笑声，她只不出去。她刚复了几封国内朋友的信，她忽然心绪潮涌，是她到沙穰以来，第一次的惊心。人家问她功课如何？圣诞节曾到华盛顿纽约否？她不知所答。光阴从她眼前飞过，她一事无成，自己病着玩。

她如结的心，不知交给谁慰安好。——她倦弱的腕，在碎纸上纵横写了无数的“算未抵人间离别”！直到写了满纸，她自己才猛然惊觉，也不知这句从何而来！

母亲呵！我不应如此说，我生命中只有“花”和“光”和“爱”；我生命中只有祝福，没有咒诅。——但些时的怅惘，也该觉着吧！些时的悲哀而平静的思潮，永在祝福中度生活的我，已支持不住。看！小舟在怒涛中颠簸，失措的舟子，抱着樯竿，哀唤着“天妃”的慈号。我的心舟在起落万丈的思潮中震荡时，母亲！纵使你在万里外，写到“母亲”两个字在纸上时，我无主的心，已有了着落。

一月十日夜

昨夜写到此处，看护进来催我去睡。当时虽有无限的哀怨，而一面未尝不深幸有她来阻止我，否则尽着我往下写，不宁的思潮之中，不知要创造出怎样感伤的话来！

母亲！今日沙穰大风雨，天地为白，草木低头。晨五时我已觉得早霞不是一种明媚的颜色，惨绿怪红，凄厉得可怖！只有八时光景，风雨漫天而来，大家从廊上纷纷走进自己屋里，拼命地推着关上门窗。白茫茫里，群山都看不见了。急雨打进窗纱，直击着玻璃，从窗隙中溅进来。狂风循着屋脊流下，将水洞中的积雨，吹得喷泉一般地飞洒。我的烦闷，都被这惊人的风雨，吹打散了。单调的生活之中，原应有个大破坏。——我又忽然想到此时如在约克逊舟上，太平洋里定有奇景可观。

我们的生活是太单调了，只天天随着钟声起卧休息。白日的生涯，还不如梦中热闹。松树的绿意总不改，四围山景就没有变迁了。我忽然恨松柏为何要冬青，否则到底也有个红白绿黄的更换点缀。

为着止水般无聊的生活，我更想弟弟们了！这里的女孩子，只低头刺绣。静极的时候，连针穿过布帛的声音都可以听见。我有时也绣着玩，但不以此为日课；我看点书，写点字，或是倚栏看村里的小孩子，在远处林外溜冰，或推小雪车。有一天静极忽发奇想，想买几挂大炮仗来放放，震一震这寂寂的深山，叫它发空前的回响。——这里，做梦也看不见炮仗。我总想得个发响的东西玩玩。我每每幻想有一管小手枪在手里，安上子弹，抬起枪来，一扳，砰的一声，从铁窗纱内穿将出去！要不然小汽枪也好……但这至终都是潜伏在我心中的幻梦。世界不是我一个人的，我不能任意地破坏沙穰一角的柔静与和平。

母亲！我童心已完全来复了。在这里最适意的，就是静悄悄地过个性的生活。人们不能随便来看，一定的时间和风雪的长途都限制了他们。于是我连一天两小时的无谓的周旋，有时都不必做。自己在门窗洞开，阳光满照的屋子里，或一角回廊上，三岁的孩子似的，一边忙忙地玩，一边呜呜地唱，有时对自己说些极痴的话。休息时间内，偶然睡不着，就自己轻轻地为自己唱催眠的歌。一切都完全了，只没有母亲在我旁边！

一切思想，也都照着极小的孩子的径路奔放发展：每天卧在床上，看护把我从屋里推出廊外的时候，我仰视着她，心里就当她是我的乳母，这床是我的摇篮。我凝望天空。有三颗最明亮的星星。轻淡的云，隐起一切的星辰的时候，只有这三颗依然吐着光芒。其中的一颗距那两颗稍远，我当他是我的大弟弟，因为他稍大些，能够独立了。那两颗紧挨着，是我的二弟弟和小弟弟，他两个还小一点，虽然自己奔走游玩，却时时注意到其他的一个，总不敢远远跑开，他们知道自己的弱小，常常是守望相助。

这三颗星总是第一班从暮色中出来，使我最先看见；也是末一班在晨曦中隐去，在众星之后，和我道声“暂别”；因此发起了我的爱怜系恋，便白天也能忆起他们来。起先我有意在星辰的书上，寻求出他们的名字，时至今日，我不想寻求了，我已替他们起了名字，他们的总名是“兄弟星”，他们各颗的名字，就是我的三个弟弟的名字。

小弟弟呵，
我灵魂里三颗光明喜乐的星。
温柔的，
无可言说的，
灵魂深处的孩子呵！

——《繁星》四

如今重忆起来，不知是说弟弟，还是说星星！——自此推想下去，静美的月亮，自然是母亲了。我半夜醒来，开眼看见她，高高的在天上，如同俯着看我，我就欣慰，我又安稳地在她的爱光中睡去。早晨勇敢的灿烂的太阳，自然是父亲了。他从对山的树梢，雍容尔雅地上来，他又温和又严肃地对我说："又是一天了！"我就欢欢喜喜地坐起来，披衣从廊上走到屋里去。

此外满天的星宿，那是我的一切亲爱的人。这样便同时爱了星星，也爱了许多姊妹朋友。——只有小孩子的思想是智慧的，我愿永远如此想；我也愿永远如此信！

窗外仍是狂风雨，我偶然忆起一首诗：题目是《小神秘家》是 LouisUntermeyer 做的，我录译于下；不知当年母亲和我坐守风雨的时候，我也曾说过这样如痴如慧的话没有？

The Young Mystic
We sat together close and warm,
My little tired boyandI——
Watching across the evening sky
The coming of the storm.
Nor umblings rose, no thunders crashed,
The west-wind scarcely sang loud;
But from a huge and solid cloud
The summer lightning flashed,
And then he whispered "Father, watch;
I think God's going to light his moon" ——
"And when, my boy" —— "Oh very soon:
I saw him strike a match!"

大意是：

我的困倦的儿子和我，
很暖和地相挨地坐着，
凝望着薄暮天空，
风雨正要来到。

没有隆隆的雷响，
西风也不着意地吹；
只在屯积的浓云中，
有电光闪烁。

这时他低声对我说：“父亲，看看；
我想上帝要点上他的月亮了——”
“孩子，什么时候呢……”“呀，快了。
我看见他划了取灯儿！”

风雨仍不止。山上的雪，雨打风吹，完全融化了。下午我还要写点别的文字，我在此停住了。母亲，这封信我想也转给小朋友们看一看，我每忆起他们，就觉得欠他们的债。途中通讯的碎稿，都在闭璧楼的空屋里锁着呢。她们正百计防止我写字，我不敢去向她们要。我素不轻许愿，无端破了一回例，遗我以日夜耿耿的心；然而为着小孩子，对于这次的许愿，我不曾有半星儿的追悔。只恨先忙后病的我对不起他们。——无限的乡心，与此信一齐收束起，母亲，真个不写了，海外山上养病的女儿，祝你万万福！

冰心

一九二四年一月十一日，青山沙穰

通讯十四

我的小朋友：

黄昏睡起，闲走着绕到西边回廊上，看一个病的女孩子。站在她床前说着话儿的时候，抬头看见松梢上一星朗耀，她说：“这是你今晚第一颗见到的星儿，对它祝说你的愿望吧！”——同时她低低地哼着一支小曲，是：

Star light
Star bright
First star I see to night
Wish I may
Wish I might
Have the wish I wish tonight

小朋友：这是一支极柔媚的儿歌。我不想翻译出来。因为童谣完全以音韵见长，一翻成中国字，念出来就不好听，大意也就是她对我说的那两句话。——倘若你们自己能念，或是姊姊哥哥，姑姑母亲，能教给你们念，也就更好。——她说到此，我略加思索，我合掌向天说：“我愿万里外的母亲，不太为平安快乐的我忧虑！”

估计今天或明天，就是我母亲接到我报告抱病入山的信之日，不知大家如何商量谈论，长吁短叹；岂知无知无愁的我，正在此过起止水浮云的生活来了呢！

去年十二月十九日，我寄给国内朋友一封信，我说：“沙穰疗养院，冷冰冰如同雪洞一般。我又整天的必须在朔风里。你们围炉的人，怎知我正在冰天雪地中，与造化挣命！”如今想起，又觉得那话说得太无谓，太怨望了，未曾听见挣命有如今这般温柔的挣法！

生，老，病，死，是人生很重大而又不能避免的事。无论怎样高贵伟大的人，对此切己的事，也丝毫不能为力。这时节只能将自己当做第三者，旁立静听着造化的安排。小朋友，我凝神看着造化轻舒慧腕，来安排我的命运的时候，我忍不住失声赞叹他深思和玄妙。

往常一日几次匆匆走过慰冰湖，一边看晚霞，一边心里想着功课。偷闲划舟，抬头望一望滟滟的湖波，低头看滴答滴答消磨时间的手表，心灵中真是太苦了，然而万没有整天地放下正事来赏玩自然的道理。造物者明明在上，看出了我的隐情，眉头一皱，轻轻地赐与我一场病，这病乃是专以抛撇一切，游泛于自然海中为治疗的。

如今呢？过的是花的生活，生长于光天化日之下，微风细雨之中；过的是鸟的生活，游息于山巅水涯，寄身于上下左右空气环围的巢床里；过的是水的生活，自在的潺潺流走；过的是云的生活，随意的袅袅卷舒。几十页几百页绝妙的诗和诗话，拿起来流水般当功课读的时候，是没有的了。如今不再干那愚拙煞风景的事，如今便四行六行的小诗，也慢慢地拿起，反复吟诵，默然深思。

我爱听碎雪和微雨，我爱看明月和星辰，从前一切世俗的烦忧，占积了我的灵府。偶然一举目，偶然一倾耳，便忙忙又收回心来，没有一次任它奔放过。如今呢，我的心，我不知怎样形容它，它如蛾出茧，如鹰翔空……

碎雪和微雨在檐上，明月和星辰在栏旁，不看也得看，不听也得听，何况病中的我，应以它们为第二生命。病前的我，愿以它们为第二生命而不能的呢？

这故事的美妙，还不止此——“一天还应在山上走几里路”，这句话从滑稽式的医士口中道出的时候，我不知应如何地欢呼赞美他！小朋友！漫游的生涯，从今开始了！

山后是森林仄径，曲曲折折的在日影掩映中引去，不知有多少远近。我只走到一端，有大岩石处为止。登在上面眺望，我看见满山高高下下的松树。每当我要缥缈深思的时候，我就走这一条路。独自低首行来，我听见干叶枯枝，嘁嘁喳喳在树巅相语。草上的薄冰，踏着沙沙有声，这时节，林影沉荫中，我凝然黯然，如有所戚。

山前是一层层的大山地，爽阔空旷，无边无限的满地朝阳。层场的尽处，就是一个大冰湖，环以小山高树，是此间小朋友们溜冰处。我最喜在湖上如飞地走过。每逢我要活泼天机的时候，我就走这一条路。我沐着微暖的阳光，在树根下坐地，举目望着无际的耀眼生花的银海。我想天地何其大，人类何其小。当归途中冰湖在我足下溜走的时候，清风过耳，我欣然超然，如有所得。

三年前的夏日在北京西山，曾写了一段小文字，我不十分记得了，大约是：

只有早晨的深谷中
可以和自然对语。
计划定了
岩石点头
草花欢笑。
造物者！
在我们星驰的前途
路站上
再遥遥地安置下
几个早晨的深谷！

原来，造物者为我安置下的几个早晨的深谷，却在离北京数万里外的沙穰，我何其“无心”，造物者何其“有意”？——我还忆起，有“空谷足音”，和杜甫的“绝代有佳人，幽居在空谷”的一首诗，小朋友读过吗？我翻来覆去地背诵，只忆得“绝代有佳人，幽居在空谷；自云良家子，零落依草木……摘花不插发，采柏动盈掬——天寒翠袖薄，日暮倚修竹”这八句来。黄昏时又去了。那时想起的，有“前不见古人，后不见来者，念天地之悠悠，独怆然而涕下”。归途中又诵“云无心以出岫，鸟倦飞而知还。景翳翳以将入，抚孤松而盘桓。”小朋友，愿你们用心读古人书，他们常在一定的环境中，说出你心中要说的话！

春天已在云中微笑，将临到了。那时我更有温柔的消息，报告你们。我逐日远走开去，渐渐又发现了几处断桥流水。试想看，胸中无一事留滞，日日南北东西，试揭自然的帘幕，蹑足走入仙宫……

这样的病，这样的人生，小朋友，请为我感谢。我的生命中是只有祝福，没有咒诅！

安息的时候已到，卧看星辰去了。小朋友，我以无限欢喜的心，祝你们多福。

冰心

一九二四年一月十五日夜，沙穰

广厅上，四面绿帘低垂。几个女孩子，在一角窗前长椅上，低低笑语。一角话匣子里奏着轻婉的提琴。我在当中的方桌上，写这封信。一个女孩子坐在对面为我画像，她时时唤我抬头看她。我听一听提琴和人家的笑语，一面心潮缓缓流动，一面时时停笔凝神。写完时重读一遍，觉得太无次序了，前言不对后语的。然而的确是欢乐的心泉流过的痕迹，不复整理，即付晚邮。

通讯十五

仁慈的小朋友：

若是在你们天大的爱心里，还有空隙，我愿介绍几个可爱的女孩子，愿你们加以怜念！

M住在我的隔屋，是个天真漫烂又是完全神经质的女孩子。稍大的惊和喜，都能使她受极大的激刺和扰乱。她卧病已经四年半了，至今不见十分差减，往往刚觉得好些，夜间热度就又高起来，看完体温表，就听得她伏枕呜咽。她有个完全美满的家庭，却因病隔离了。——我的童心，完全是她引起的。她往往坐在床上自己喃喃地说："我父亲爱我，我母亲爱我，我爱……"我就倾耳听她底下说什么，她却是说"我爱自己"。我不觉笑了，她也笑了。她的娇憨凄苦的样子，得了许多女伴的爱怜。

R又在M的隔屋，她被一切人所爱，她也爱了一切的人。又非常的技巧，用针用笔，能做许多奇巧好玩的东西。这些日子，正跟着我学中国文字。我第一天教给她"天"、"地"、"人"三字。她说："你们中国人太玄妙了，怎么初学就念这样高大的字，我们初学，只是'猫'、'狗'之类。"我笑了，又觉得她说的有理。她学得极快，口音清楚，写的字也很方正。此外医院中天气表是她测量，星期日礼拜是她弹琴，病人阅看的报纸是她照管，图书室的钥匙也在她手里。她短发齐颈，爱好天然，她住院已经六个月了。

E只有十八岁，昨天是她的生日。她没有父母，只有哥哥。十九个月前，她病得很重，送到此处。现在可谓好一点，但还是很瘦弱。她喜欢叫人"妈妈"，或"姊姊"。她急切地想望人家的爱念和同情，却又能隐忍不露，常常在寂寞中竭力地使自己活泼欢悦。然而每次在医生注射之后，屋门开处，看见她埋首在高枕之中，宛转流涕——这样的华年！这样的人生！

D是个爱尔兰的女孩子，和我谈话之间常常问我的家庭状况，尤其常要提到我的父亲，我只是无心地问答。后来旁人告诉我，她的父亲纵酒狂放，醉后时时虐待他的儿女。她的家庭生活，非常的凄苦不幸。她因躲避父亲，和祖母住在一处，听到人家谈到亲爱时，往往流泪。昨天我得到家书，正好她在旁边，她似羡似叹地问道："这是你父亲写的么，多么厚的一封信呵！"幸而她不认得中国字，我连忙说："不是，这是我母亲写的，我父亲很忙，不常写信给我。"她脸红微笑，又似释然。其实每次我的家书，都是父母弟弟每人几张纸！

我以为人生最大的不幸，就是失爱于父母。我不能闭目揣想，也不敢闭目揣想。可怜的带病而又心灵负着重伤的孩子！

A住在院后一座小楼上，我先不常看见她。从那一次在餐室内偶然回首，无意中她顾我微微一笑，很长的睫毛之下，流着幽娴贞静的眼光，绝不是西方人的态度。出了餐室，我便访到她的名字和住处。那天晚上，在她的楼里，谈了半点钟的话，惊心于她的腼腆与温柔；谈到海景，她竟赠我一张灯塔的图画。她来院已将两年，据别人说没有什么起色。她终日卧在一角小廊上，廊前是曲径深林，廊后是小桥流水。她告诉我每遇狂风暴雨，看着凄清的环境，想到“人生”两字，辄惊动不怡。我安慰她，她也感谢，然而彼此各有泪痕！

痛苦的人，岂止这几个？限于精神，我不能多述了！

今早黎明即醒。晓星微光，万松淡雾之中，我披衣起坐。举眼望到廊的尽处，我凝注着短床相接，雪白的枕上，梦中转侧的女孩子。只觉得奇愁黯黯，横空而来。生命中何必有爱，爱正是为这些人而有！这些痛苦的心灵，需要无限的同情与怜念。我一人究竟太微小了，仰祷上天之外，只能求助于万里外的纯洁伟大的小朋友！

小朋友！为着跟你们通讯，受了许多友人严峻的责问，责我不宜只以悱恻的思想，贡献你们。小朋友不宜多看这种文字，我也不宜多写这种文字。为小朋友和我两方精神上的快乐与安平，我对于他们的忠告，只有惭愧感谢。然而人生不止欢乐滑稽一方面，病患与别离，只是带着酸汁的快乐之果。沉静的悲哀里，含有无限的庄严。伟大的人生中，是需要这种成分的。范仲淹说：“先天下之忧而忧。”佛说：“我不入地狱，谁入地狱？”何况这一切本是组成人生的元素，耳闻，眼见，身经，早晚都要了解知道的，何必要隐瞒着可爱的小朋友？我偶然这半年来先经历了这些事，和小朋友说说，想来也不是过分的不宜。

我比她们强多了，我有快乐美满的家庭，在第一步就没有摧伤思想的源路。我能自在游行，寻幽访胜，不似她们缠绵床褥，终日对着恹恹一角的青山。我横竖已是一身客寄，在校在山，都是一样；有人来看，自然欢喜，没有人来，也没有特别的失望与悲哀。她们乡关咫尺，却因病抛离父母，亲爱的人，每每因天风雨雪，山路难行，不能相见，于是怨嗟悲叹。整年整月，置身于怨望痛苦之中，这样的人生！

一而二，二而三地推想下去，世界上的幼弱病苦，又岂止沙穰一隅？小朋友，你们看见的，也许比我还多，扶持慰藉，是谁的责任？见此而不动心呵！空负了上天付与我们的一腔热烈的爱！

所以，小朋友，我们所能做到的，一朵鲜花，一张画片，一句温和的慰语，一回殷勤的访问，甚至于一瞥哀怜的眼光，在我们是不觉得用了多少心，而在单调的枯苦生活，度日如年的病者，已是受了如天之赐。访问已过，花朵已残，在我们久已忘却之后，他们在幽闲的病榻上，还有无限的感谢，回忆与低徊！

我毋庸多说，我病中曾受过几个小朋友的赠与。在你们完全而浓烈的爱心中，投书馈送，都能锦上添花，做到好处。小朋友，我无有言说，我只合掌赞美你们的纯洁与伟大。

如今我请你们纪念的这些人，虽然都在海外，但你们忆起这许多苦孩子时，或能以意会意，以心会心地体恤到眼前的病者。小朋友，莫道万里外的怜悯牵萦，没有用处，“以伟大思想养汝精神”！日后帮助你们建立大事业的同情心，便是从这零碎的怜念中练达出来的。

风雪的廊上，写这封信，不但手冷，到此心思也冻凝了。无端拆阅了波士顿中国朋友的一封书，又使我生无穷的感慨。她提醒了我！今日何日，正是故国的岁除，红灯绿酒之间，不知有多少盈盈的笑语。这里却只有寂寂风雪的空山……不写了，你们的热情忠实的朋友，在此遥祝你们有个完全欢庆的新年！

冰心

一九二四年二月四日，沙穰

通讯十六

二弟冰叔：

接到你两封冗长而恳挚的信，使我受了无限的安慰。是的！“从松树隙间穿过的阳光，就是你弟弟问安的使者；晚上清凉的风，就是骨肉手足的慰语！”好弟弟！我喜爱而又感激你的满含着诗意的慰安的话！

出乎意外地又收到你赠我的历代名人词选，我喜欢到不可言说。父亲说恐怕我已有了，我原有一部古今词选，放在闭璧楼的书架上了。可恨我一写信要中国书，她们便有百般的阻拦推托。好像凡是中国书都是充满着艰深的哲理，一看就费人无限的脑力似的。

不忍十分地违反她们的好意，我终于反复地只看些从病院中带来的短诗了。我昨夜收到词选，珍重地一页一页地看着，一面想，难得我有个知心的小弟弟。

这部词，选得似乎稍偏于纤巧方面，错字也时时发现。但大体说起来，总算很好。

你问我去国前后，环境中诗意哪处更足？我无疑地要说：“自然是去国后！”在北京城里，不能晨夕与湖山相对，这是第一条件。再一事，就是客中的心情，似乎更容易融会诗句。

离开黄浦江岸，在太平洋舟中，青天碧海，独往独来之间，我常常忆起“海水直下万里深，谁人不言此离苦”两句。因为我无意中看到同舟众人，当倚栏俯视着船头飞溅的浪花的时候，眉宇间似乎都含着轻微的凄恻的意绪。

到了威尔斯利，慰冰湖更是我的唯一的良友。或是水边，或是水上，没有一天不到的。母亲寿辰的前一日，又到湖上去了，临水起了乡思，忽然忆起左辅的“浪淘沙”词：

水软橹声柔，草绿芳洲，碧桃几树隐红楼；者是春山魂一片，招入孤舟。乡梦不曾休，惹甚闲愁？忠州过了又涪州：掷与巴江流到海，切莫回头！

觉得情景契合，随手拾起一片湖石，用小刀刻上“乡梦不曾休，惹甚闲愁”两句，远远地抛入湖心里，自己便头也不回地走转来。这片小石，自那日起，我信它永在湖心，直到天地的尽头。只要湖水不枯，湖石不烂，我的一片寄托此中的乡心，也永古不能磨灭的！

美国人家，除城市外，往往依山傍水，小巧精致，窗外篱旁，杂种着花草，真合“是处人家，绿深门户”词意。只是没有围墙，空阔有余，深邃不足。路上行人，隔窗可望见翠袖红妆，可听见琴声笑语。词中之“斜阳却照深深院”，“庭院深深深几许”，“不卷珠帘，人在深深处”，“墙内秋千墙外道”，“银汉是红墙，一带遥相隔”等句，在此都用不着了！

田野间林深树密，道路也依着山地的高下，曲折蜿蜒地修来，天趣盎然。想春来野花遍地之时，必是更幽美的。只是逾山越岭的游行，再也看不见一带城墙僧寺。“曲径通幽处，禅房草木深”，“花宫仙梵远微微，月隐高城钟漏稀”，“一片孤城万仞山”，“饮将闷酒城头睡”，“长烟落日孤城闭”，“帘卷疏星庭户悄，隐隐严城钟鼓”等句，在此又都用不着了！

总之，在此处处是“新大陆”的意味，遍地看出鸿蒙初辟的痕迹。国内一片苍古庄严，虽然有的只是颓废剥落的城垣宫殿，却都令人起一种“仰首欲攀低首拜”之思，可爱可敬的五千年的故国呵！

回忆去夏南下，晨过苏州，火车与城墙并行数里。城里湿烟漾漾，护城河里系着小舟，层塔露出城头，竟是一幅图画。那时我已想到出了国门，此景便不能再见了！

说到山中的生活，除了看书游山，与女伴谈笑之外，竟没有别的日课。我家灵运公的诗，如“寝瘵谢人徒，绝迹入云峰，岩壑寓耳目，欢爱隔音容”，以及“昔余游京华，未尝废丘壑，矧乃归山川，心迹双寂寞……卧疾丰暇豫，翰墨时间作，怀抱观古今，寝食展戏谑……万事难并欢，达生幸可托”等句，竟将我的生活描写尽了，我自己更不须多说！

又猛忆起杜甫的“思家步月清宵立，忆弟看云白日眠”和苏东坡的“因病得闲殊不恶，安心是药更无方”，对我此时生活而言，直是一字不可移易！青山满山是松，满地是雪，月下景物清幽到不可描画，晚餐后往往至楼前小立，寒光中自不免小起乡愁。又每日午后三时至五时是休息时间，白天里如何睡得着？自然只卧看天上云起，尤往往在此时复看家书，连带地忆到诸弟。——冰仲怕我病中不能多写通讯，岂知我病中较闲，心境亦较清，写的倒比平时多。又我自病后，未曾用一点药饵，真是“安心是药更无方”了。

多看古人句子，令自己少写好些。一面欣与古人契合，一面又有“恨不踊身千载上，趁古人未说吾先说”之叹。——说的已多了，都是你一部词选，引我掉了半天书袋，是谁之过呢？一笑！

青山真有美极的时候。二月七日，正是五天风雪之后，万株树上，都结上一层冰壳。早起极光明的朝阳从东方捧出，照得这些冰树玉枝，寒光激射。下楼微步雪林中曲折行来，偶然回顾，一身自冰玉丛中穿过。小楼一角，隐隐看见我的帘幕。虽然一般的高处不胜寒，而此琼楼玉宇，竟在人间，而非天上。

九日晨同女伴乘雪橇出游。双马飞驰，绕遍青山上下。一路林深处，冰枝拂衣，脆折有声。白雪压地，不见寸土，竟是洁无纤尘的世界。最美的是冰珠串结在野樱桃枝上，红白相间，晶莹向日，觉得人间珍宝，无此璀璨！

途中女伴遥指一发青山，在天末起伏。我忽然想真个离家远了，连青山一发，也不是中原了。此时忽觉悠然意远。——弟弟！我平日总想以“真”为写作的唯一条件，然而算起来，不但是去国以前的文字不“真”，就是去国以后的文字，也没有尽“真”的能事。

我深确地信不论是人情是物景，到了“尽头”处，是万万说不出来，写不出来的。纵然几番提笔，几番欲说，而语言文字之间，只是搜寻不出配得上形容这些情绪景物的字眼，结果只是搁笔，只是无言。十分不甘泯没了这些情景时，只能随意描摹几个字，稍留些印象。甚至于不妨如古人之结绳记事一般，胡乱画几条墨线在纸上。只要他日再看到这些墨迹时，能在模糊缥缈的意境之中，重现了一番往事，已经是满足有余的了。

去国以前，文字多于情绪。去国以后，情绪多于文字。环境虽常是清丽可写，而我往往写不出。辛幼安的一支“罗敷媚”说：

少年不识愁滋味，爱上层楼；爱上层楼，为赋新词强说愁。而今识得愁滋味，欲说还休；欲说还休，却道天凉好个秋。

真看得我寂然心死。他虽只说“愁”字，然已盖尽了其他种种一切！——真不知文字情绪不能互相表现的苦处，受者只有我一个人，或是人人都如此？

北京谚语说：“八月十五云遮月，正月十五雪打灯。”去年中秋，此地不曾有月。阴历十四夜，月光灿然。我正想东方谚语，不能适用于西方天象，谁知元宵夜果然雨雪霏霏。十八夜以后，夜夜梦醒见月。只觉空明的枕上，梦与月相续。最好是近两夜，醒时将近黎明，天色碧蓝，一弦金色的月，不远对着弦月凹处，悬着一颗大星。万里无云的天上，只有一星一月，光景真是奇丽。

元夜如何？——听说醉司命夜，家宴席上，母亲想我难过，你们几个兄弟倒会一人一句的笑话慰藉，真是灯草也成了拄杖了！喜笑之余，并此感谢。

纸已尽，不多谈。——此信我以为不妨转小朋友一阅。

冰心

一九二四年三月一日，青山沙穰

通讯十七

小朋友：

健康来复的路上，不幸多歧，这几十天来懒得很；雨后偶然看见几朵浓黄的蒲公英，在匀整的草坡上闪烁，不禁又忆起一件事。

一月十九日晨，是雪后浓阴的天。我早起游山，忽然在积雪中，看见了七八朵大开的蒲公英。我俯身摘下握在手里，真不知这平凡的草卉，竟与梅菊一样的耐寒。我回到楼上，用条黄丝带将这几朵缀将起来，编成王冠的形式。人家问我做什么，我说："我要为我的女王加冕。"说着就随便地给一个女孩子戴上了。

大家欢笑声中，我只无言地卧在床上——我不是为女王加冕，竟是为蒲公英加冕了。蒲公英虽是我最熟识的一种草花，但从来是被人轻忽，从来是不上美人头的。今日因着情不可却，我竟让她在美人头上，照耀了几点钟。

蒲公英是黄色，叠瓣的花，很带着菊花的神意，但我也不曾偏爱她。我对于花卉是普遍的爱怜。虽有时不免喜欢玫瑰的浓郁和桂花的清远，而在我忧来无方的时候，玫瑰和桂花也一样地成粪土。在我心情怡悦的一刹那顷，高贵清华的菊花，也不能和我手中的蒲公英来占夺位置。

世上的一切事物，只是百千万面大大小小的镜子，重叠对照，反射又反射；于是世上有了这许多璀璨辉煌，虹影般的光彩。没有蒲公英，显不出雏菊，没有平凡，显不出超绝。而且不能因为大家都爱雏菊，世上便消灭了蒲公英；不能因为大家都敬礼超人，世上便消灭了庸碌。即使这一切都能因着世人的爱憎而生灭，只恐到了满山谷都是菊花和超人的时候，菊花的价值，反不如蒲公英，超人的价值，反不及庸碌了。

所以世上一物有一物的长处，一人有一人的价值。我不能偏爱，也不肯偏憎。悟到万物相衬托的理，我只愿我心如水，处处相平。我愿菊花在我眼中，消失了她的富丽堂皇，蒲公英也解除了她的局促羞涩，博爱的极端，翻成淡漠。但这种普遍淡漠的心，除了博爱的小朋友，有谁知道？

书到此，高天萧然，楼上风紧得很，再谈了，我的小朋友！

冰心

一九二四年五月九日，沙穰疗养院

通讯十八

小朋友：

久违了，我亲爱的小朋友！记得许多日子不曾和你们通讯，这并不是我的本心。只因寄回的邮件，偶有迟滞遗失的时候。我觉得病中的我，虽能必写，而万里外的你们，不能必看。医生又劝我尽量休息，我索性就歇了下去。

自和你们通信，我的生涯中非病即忙。如今不得不趁病已去，忙未来之先，写一封长信给你们，补说从前许多的事。

愿意我从去年说起吗？我知道小朋友是不厌听旧事的。但我也不能说得十分详细，只能就模糊记忆所及，说个大概，无非要接上这条断链。否则我忽然从神户飞到威尔斯利来，小朋友一定觉得太突兀了！

一九二三年八月二十日　神户

二十日早晨就同许多人上岸去。远远地看见锚山上那个青草栽成的大锚，压在半山，青得非常的好看。

神户街市和中国的差不多。两旁的店铺，却比较的矮小。窗户间陈列的玩具和儿童的书，五光十色，极其夺目。许多小朋友围着看。日本小孩子的衣服，比我们的华灿，比较引人注意。他们的圆白的小脸，乌黑的眼珠，浓厚的黑发，衬映着十分可爱。

几个山下的人家，十分幽雅，木墙竹窗，繁花露出墙头，墙外有小桥流水。我们本想上山去看雌雄两谷——是两处瀑布。往上走的时候，遇见奔走下山的船上的同伴，说时候已近了。我们恐怕船开，只得回到船上来。

上岸时大家纷纷到邮局买邮票寄信。神户邮局被中国学生塞满了。牵不断的离情！去国刚三日，便有这许多话要同家人朋友说吗？

回来有人戏笑着说："白话有什么好处！我们同日本人言语不通，说英文有的人又不懂。写字吧，问他们'哪里最热闹'？他们瞠目莫知所答。问他们'何处最繁华'？却都恍然大悟，便指点我们以热闹的去处，你看！"我不觉笑了。

二十一日　横滨

黄昏时已近横滨。落日被白云上下遮住，竟是朱红的颜色，如同一盏日本的红纸灯笼——这原是联想的关系。

不断的山，倚栏看着也很美。此时我曾用几个盛快镜胶片的锡筒，装了几张小纸条，封了口，投下海去，任它漂浮。纸上我写着：

不论是哪个渔人捡着，都祝你幸运。我以东方人的至诚，祈神祝福你东方水上的渔人！

以及"我欲乘风归去，又恐琼楼玉宇，高处不胜寒"等等的话。

到了横滨，只算是一个过站，因为我们一直便坐电车到东京去。我们先到中国青年会，以后到一个日本饭店吃日本饭。那店名仿佛是"天香馆"，也记不清了。脱鞋进门，我最不惯，大家都笑个不住。侍女们都赤足，和她们说话又不懂，只能相视一笑。席地而坐，仰视墙壁窗户，都是木板的，光滑如拭。窗外阴沉，洁净幽雅得很。我们只吃白米饭，牛肉，干粉，小菜，很简单的。饭菜都很硬，我只吃一点就放下了。

饭后就下了很大的雨，但我们的游览，并不因此中止，却也不能从容，只汽车从雨中飞驰。如日比谷公园、博物馆等处，匆匆一过。只觉得游了六七个地方，都是上楼下楼，入门出门，一点印象也留不下。走马看花，雾里看花，都是看不清的，何况是雨中驰车，更不必说了。我又有点发热，冒雨更不可支，没有心力去浏览，只有两处，我记得很真切。

一是二重桥皇宫，隆然的小桥，白石的栏杆，一带河流之后，立着宫墙。忙中的脑筋，忽觉清醒，我走出车来拍照，远远看见警察走来，知要干涉，便连忙按一按机，又走上车去。——可惜是雨中照的，洗不出风景来，但我还将这胶片留下。听说地震后皇宫也颓坏了，我竟得于灾前一瞥眼，可怜焦土！

还有是游就馆中的中日战胜纪念品和壁上的战争的图画，周视之下，我心中军人之血，如泉怒沸。小朋友，我是个弱者，从不会抑制我自己感情之波动。我是没有主义的人，更显然的不是国家主义者，我虽那时竟血沸头昏，不由自主地坐了下去。但在同伴纷纷叹恨之中，我仍没有说一句话。

我十分歉疚，因为我对你们述说这一件事。我心中虽丰富地带着军人之血，而我常是喜爱日本人，我从来不存着什么屈辱与仇视。只是为着“正义”，我对于以人类欺压人类的事，似乎不能忍受！

我自然爱我的弟弟，我们原是同气连枝的。假如我有吃不了的一块糕饼，他和我索要时，我一定含笑地递给他。但他若逞强，不由分说地和我争夺，为着“正义”，为着要引导他走“公理”的道路，我就要奋然地，怀着满腔的热爱来抵御，并碎此饼而不惜！

请你们饶恕我，对你们说这些神经兴奋的话！让这话在你们心中旋转一周吧。说与别人我担着惊怕，说与你们，我却千放心万放心，因为你们自有最天真最圣洁的断定。

五点钟的电车，我们又回到横滨舟上。

二十三日　舟中

发烧中又冒雨，今天觉得不舒服。同船的人大半都上岸去，我自己坐着守船。甲板上独坐，无头绪地想起昨天车站上的繁杂的木屐声，和前天船上礼拜，他们唱的“上帝保佑我母亲”之曲，心绪很杂乱不宁。日光又热，下看码头上各种小小的贸易，人声嘈杂，觉得头晕。

同伴们都回来了，下午船又启行。从此渐渐地不见东方的陆地了，再到海的尽头，再见陆地时，人情风土都不同了，为之怅然。

曾在此时，匆匆地写了一封信，要寄与你们，写完匆匆地拿着走出舱来，船已徐徐离岸。“此误又是十余日了！”我黯然地将此信投在海里。

那夜梦见母亲来，摸我的前额，说：“热得很，——吃几口药吧。”她手里端着药杯叫我喝，我看那药是黄色的水，一口气地喝完了，梦中觉得是桔汁的味儿。醒来只听得圆窗外海风如吼，翻身又睡着了。第二天热便退尽。

二十四日以后　舟中

四围是海的舟岛生活，很迷糊恍惚的，不能按日记事了，只略略说些吧。

同行二等三等舱中，有许多自俄赴美的难民，男女老幼约有一百多人。俄国人是天然的音乐家，每天夜里，在最高层上，静听着他们在底下弹着琴儿。在海波声中，那琴调更是凄清错杂，如泣如诉。同是离家去国的人呵，纵使我们不同文字，不同言语，不同思想，在这凄美的快感里，恋别的情绪，已深深地交流了！

那夜月明，又听着这琴声，我迟迟不忍下舱去。披着毡子在肩上，聊御那泱泱的海风。船儿只管乘风破浪地一直走，走向那素不相识的他乡。琴声中的哀怨，已问着我们这般辛苦地载着万斛离愁同去同逝，为名？为利？为着何来？“问君何事轻离别，一年能几团圆月？”我自问已无话可答了！若不是人声笑语从最高层上下来，搅碎了我的情绪，恐怕那夜我要独立到天明！

同伴中有人发起聚敛食物果品，赠给那些难民的孩子。我们从中国学生及别的乘客之中，收聚了好些，送下二等舱去。他们中间小孩子很多，女伴们有时抱几个小的上来玩，极其可爱。但有一次，因此我又感到哀戚与不平。

有一个孩子，还不到两岁光景，最为娇小乖觉。他原不肯叫我抱，好容易用糖和饼和发响的玩具，慢慢地哄了过来。他和我熟识了，放下来在地下走，他从软椅中间，慢慢走去，又回来扑到我的膝上。我们正在嬉笑，一抬头他父亲站在广厅的门边。想他不能过五十岁，而他的白发和脸上的皱纹，历历地写出了他生命的颠顿与不幸，看去似乎不止六十岁了。他注视着他的儿子，那双慈怜的眼光中，竟若含着眼泪。小朋友，从至情中流出的眼泪，是世界上最神圣的东西。晶莹的含泪的眼，是最庄严尊贵的画图！每次看见处女或儿童，悲哀或义愤的泪眼，妇人或老人，慈祥和怜悯的泪眼，两颗莹莹欲坠的泪珠之后，竟要射出凛然的神圣的光！小朋友，我最敬畏这个，见此时往往使我不敢抬头！

这一次也不是例外，我只低头扶着这小孩子走。头等舱中的女看护——是看护晕船的人们的——忽然也在门边发现了。她冷酷的目光，看着那俄国人，说："是谁让你到头等舱里来的，走，走，快下去！"

这可怜的老人踧踖了。无主仓皇的脸，勉强含笑，从我手中接过小孩子来，以屈辱抱歉的目光，看一看那看护，便抱着孩子疲缓地从扶梯下去。

是谁让他来的？任一个慈爱的父亲，都不肯将爱子交付一个陌生人，他是上来照看他的儿子的。我抱上这孩子来，却不能护庇他的父亲！我心中忽然非常地抑塞不平。只注视着那个胖大的看护，我脸上定不是一种怡悦的表情，而她却服罪地看我一笑。我四顾这厅中还有许多人，都像不在意似的。我下舱去，晚餐桌上，我终席未曾说一句话！

中国学生开了两次的游艺会，都曾向船主商量要请这些俄国人上来和我们同乐，都被船主拒绝了。可敬的中国青年，不愿以金钱为享受快乐的界限，动机是神圣的。结果虽毫不似预想，而大同的世界，原是从无数的尝试和奋斗中来的！

约克逊船中的侍者，完全是中国广东人。这次船中头等乘客十分之九是中国青年，给予他们以很大的喜悦。最可敬的是他们很关心于船上美国人对于中国学生的舆论。船抵西雅图之前一两天，他们曾用全体名义，写一篇勉励中国学生为国家争气的话，揭贴在甲板上。文字不十分通顺，而词意真挚异常，我只记得一句，是什么“漂洋过海广东佬”，是诉说他们自己的漂流和西人的轻视。中国青年自然也很恳挚地回了他们一封信。

海上看不见什么，看落日其实也够有趣的了，不过这很难描写。我看见飞鱼，背上两只蝗虫似的翅膀。我看见两只大鲸鱼，看不见鱼身，只远远看见它们喷水。

此外还有什么可说的呢？船上生活，只像聚什么冬令会、夏令会一般，许多同伴在一起，走来走去，总走不出船的范围。除了几个游艺会演说会之外，谈谈话，看看海，写写信，一天一天地渐渐过尽了。

横渡太平洋之间，平空多出一日，就是有两个八月二十八日。自此以后，我们所度的白日，和故国的不同了！乡梦中的乡魂，飞回故国的时候，我们的家人骨肉，正在光天化日之下，忙忙碌碌。别离的人！连魂来魂往，都不能相遇吗？

九月一日以后

早晨抵维多利亚（Victoria)，又看见陆地了。感想纷起！那日早晨的海上日出，美到极处。沙鸥群飞，自小岛边，绿波之上，轻轻地荡出小舟来。一夜不曾睡好，海风一吹，觉得微微怅惘。船上已来了摄影的人，逼我们在烈日下坐了许久，又是国旗，又是国歌地闹了半日。到了大陆上，就又有这许多世事！

船徐徐泛入西雅图（Seattle)。码头上许多金发的人，来回奔走，和登舟之日，真是不同了！大家匆匆地下得船来，到扶桥边，回头一望，约克逊号邮船凝默地泊在岸旁。我无端黯然！从此一百六十几个青年男女，都成了漂泊的风萍。也是一番小小的酒阑人散！

西雅图是三山两湖围绕点缀的城市。连街衢的首尾，都起伏不平，而景物极清幽。这城五十年前还是荒野，如今竟修整得美好异常，可觇国民元气之充足。

匆匆地游览了湖山，赴了几个欢迎会，三号的夜车，便向芝加哥进发。

这串车是专为中国学生预备的，车上没有一个外人，只听得处处乡音。

九月三日以后

最有意思的是火车经过落基山，走了一日。四面高耸的乱山，火车如同一条长蛇，在山半徐徐蜿蜒。这时车后挂着一辆敞车，供我们坐眺。看着巍然的四围青郁的崖石，使人感到自己的渺小。我总觉得看山比看水滞涩些，情绪很抑郁的。

途中无可记，一站一站风驰电掣地过去，更留不下印象。只是过密西西比（Mississippi）河桥时，微月下觉得很玲珑伟大。

七日早到芝加哥（Chicago），从车站上就乘车出游。那天阴雨，只觉得满街汽油的气味。街市繁盛处多见黑人。经过几个公园和花屋，是较清雅之处，绿意迎人。我终觉得芝加哥不如西雅图。而芝加哥的空旷处，比北京还多些青草！

夜住女青年会干事舍。夜中微雨，落叶打窗，令我抚然，寄家一片，我说：

“几片落叶，报告我以芝加哥城里的秋风！今夜曾到电影场去，灯光骤明时，大家纷纷立起。我也想回家去，猛觉一身万里，家还在东流的太平洋水之外呢！”

八日晨又匆匆登车，往波士顿进发。这时才感到离群。这辆车上除了我们三个中国女学生外，都是美国人了。

仍是一站一站匆匆地过去，不过此时窗外多平原，有时看见山畔的流泉，穿过山石野树之间，其声潺潺。

九日近午，到了春野（Spring Field）时，连那两个女伴也握手下车去。小朋友，从太平洋西岸，绕到大西洋西岸的路程之末。女伴中只剩我一人了。

九月九日以后

九日午到了所谓美国文化中心的波士顿（Boston）。半个多月的旅行，才略告休息。

在威尔斯利大学（Wellesley College）开学以前，我还旅行了三天，到了绿野（Green Field）春野等处，参观了几个男女大学，如侯立欧女子大学（Holyoke College），斯密司女子大学（Smith College），依默和司德大学（Amherst College）等，假期中看不见什么，只看了几座伟大的学校建筑。

途中我赞美了美国繁密的树林和平坦的道路。

麻撒出色省（Massachusetts）（即马萨诸塞州——编者注）多湖，我尤喜在湖畔驰车。树影中湖光掩映，极其明媚。又有一天到了大西洋岸，看见了沙滩上游戏的孩子和海鸥，回来做了一夜的童年的梦。的确的，上海登舟，不见沙岸，神户横滨停泊，不见沙岸，西雅图终止，也不见沙岸。这次的海上，对我终是陌生的。反不如大西洋岸旁之一瞬，层层卷荡的海波，予我以最深的回忆与伤神！

九月十七日以后　威尔斯利

从此过起了异乡的学校生活。虽只过了两个多月，而慰冰湖及新的环境和我静中常起的乡愁，将我两个多月的生涯，装点得十分浪漫。

说也凑巧，我住在闭璧楼（Beebe Hall），闭璧楼和海竟有因缘！这座楼是闭璧约翰船主（Captain John Beebe）捐款所筑。因此厅中，及招待室甬道等处，都悬挂的是海的图画。初到时久不得家书，上下楼之顷，往往呆立平时堆积信件的桌旁，望了无风起浪的画中的海波，聊以慰安自已。

学校如同一座花园，一个个学生便是花朵。美国女生的打扮，确比中国的美丽。衣服颜色异常的鲜艳，在我这是很新颖的。她们的性情也活泼好交，不过交情更浮泛一些，这些天然是“西方的”！

功课的事，对你们说很无味。其余的以前都说过了。

小朋友，忽忽又已将周年，光阴过得何等的飞速？明知追写这些事时，要引起我的惆怅，但为着小朋友，我是十分情愿。而且不久要离此，在重受功课的束缚以前，我想到别处山陬海角，过一过漫游流转的生涯，以慰我半年闭居的闷损。趁此宁静的山中，只凭回忆，理清了欠你们的信债。叙事也许不真不详，望你们体谅我是初愈时的心思和精神，没有轻描淡写的力量。

此外曾寄《山中杂记》十则，与我的弟弟，想他们不久就转给你们。再见了，故国故乡的小朋友！再给你们写信的时候，我想已不在青山了。

愿你们平安！

冰心

一九二四年六月二十八日，沙穰

通讯十九

小朋友：

离青山已将十日了，过了这些天湖海的生涯，但与青山别离之情，不容不告诉你。

美国的佳节，被我在病院中过尽了！七月四号的国庆日，我还想在山中来过。山中自然没有什么，只儿童院中的小朋友，于黄昏时节，曾插着红蓝白三色的花，戴着彩色的纸帽子，举着国旗，整队出到山上游行，口里唱着国歌，从我们楼前走过的时候，我们曾鼓掌欢迎他们。

那夜大家都在我楼上话别，只是黯然中的欢笑。——睡下的时候，我忽然觉得上下的衾单上，满了石子似的多刺的东西，拿出一看，却是无数新生的松子，幸而针刺还软，未曾伤我，我不觉失笑。我们平时，戏弄惯了，在我行前之末一夜，她们自然要尽量地使一下促狭。

大家笑着都奔散了。我已觉倦，也不追逐她们，只笑着将松子纷纷地都掠在地下。衾枕上有了松枝的香气！怪不得她们促我早歇，原来还有这一出喜剧！我卧下，只不曾睡，看着沙穰村中喷起一丛一丛的烟火，红光烛天。今天可听见鞭炮了，我为之怡然。

第二天早起，天气微阴。我绝早起来，悄然地在山中周行。每一棵树，每一丛花，每一个地方，有我埋存手泽之处，都予以极诚恳爱怜之一瞥。山亭及小桥流水之侧，和万松参天的林中，我曾在此流过乡愁之泪，曾在此有清晨之默坐与诵读，有夫人履——（Lady Slipper）和露之采撷，曾在此写过文章与书函。沙穰在我，只觉得弥漫了闲散天真的空气。

黄昏时之一走，又赚得许多眼泪。我自己虽然未曾十分悲惨，也不免黯然。女伴们雁行站在门边，一一握手，纷纷飞扬的白巾之中，听得她们摇铃送我，我看得见她们依稀的泪眼，人生奈何到处是离别?

车走到山顶，我攀窗回望，绿丛中白色的楼屋，我的雪宫，渐从斜阳中隐过。病因缘从今斩断，我倏忽地生了感谢与些些“来日大难”的悲哀!

我曾对朋友说，沙穰如有一片水，我对她的留恋，必不止此。而她是单纯真朴，她和我又结的是护持调理的因缘，仿佛说来，如同我的乳母。我对她之情，深不及母亲，柔不及朋友，但也有另一种自然的感念。

沙穰还彻底地予我以几种从前未有的经验如下：

第一是“弱”。绝对的静养之中，眠食稍一反常，心理上稍有刺激，就觉得精神全隳，温度和脉跃都起变化。我素来不十分信“健康之精神寓于健康之身体”，尤往往从心所欲，过度劳乏了我的身躯。如今理会得身心相关的密切，和病弱扰乱了心灵的安全，我便心悦诚服地听从了医士的指挥。结果我觉得心力之来复，如水徐升。小朋友中有偏重心灵方面之发展与快意的吗？望你听我，不蹈此覆辙!

第二是“冷”。冷得真有趣！更有趣的是我自己毫不觉得，只看来访的朋友们的瑟缩寒战，和他们对于我们风雪中户外生活之惊奇，才知道自己的“冷”。冷到时只觉得一阵麻木，眼珠也似乎在冻着，双手互握，也似乎没有感觉。然而我愿小朋友听得见我们在风雪中的欢笑！冻凝的眼珠，还是看书，没有感觉的手，还在写字。此外雪中的拖雪橇，逆风的游行，松树都弯曲着俯在地下，我们的脸上也戴上一层雪面具；自膝以下，埋在雪里。四望白茫茫之中，我要骄傲地说："好的呀！三个月绝冷的风雪中的驱驰，我比你们温炉暖屋，'雪深三尺不知寒'的人，多练出一些勇敢！"

夜中月明，寒光浸骨，双颊如抵冰块。月下的景物都如凝住，不能转移。天上的冷月冻云，真冷得璀璨！重衾如铁，除自己骨和肉有暖意外，天上人间四围一切都是冷的。我何等地愿在这种光景之中呵，我以为惟有鱼在水里可以比拟。睡到天明，衾单近呼吸呵气处都凝成薄冰。掀衾起坐，雪纷纷坠，薄冰也迸折有声。真有趣呵，我了解"红泪成冰"的词句了。

第三是"闲"。闲得却有时无趣，但最难得的是永远不预想明日如何。我们的生活如印版文字，全然相同的一日一日地悠然过去。病前的苦处，是"预定"，往往半个月后的日程，早已安排就。生命中，岂容有这许多预定，乱人心曲？西方人都永远在预定中过生活，终日匆匆忙忙的，从容宴笑之间，往往有"心焉不属"的光景。我不幸也曾陷入这种漩涡！沙穰的半年，把"预定"两字，轻轻地从我的字典中删去，觉得有说不出的愉快。

"闲"又予我以写作的自由，想提笔就提笔，想搁笔就搁笔。这种流水行云的写作态度，是我一生所未经，沙穰最可纪念处也在此！

第四是"爱"与"同情"。我要以最庄肃的态度来叙述此段。同情和爱，在疾病忧苦之中，原来是这般的重大而慰藉！我从来以为同情是应得的，爱是必得的，便有一种轻藐与忽视。然而此应得与必得，只限于家人骨肉之间。因为家人骨肉之爱，是无条件的，换一句话说，是以血统为条件的。至于朋友同学之间，同情是难得的，爱是不可必得的，幸而得到，那是施者自己人格之伟大！此次久病客居，我的友人的馈送慰问，风雪中殷勤的来访，显然地看出不是敷衍，不是勉强。至于泛泛一面的老夫人们，手抱着花束，和我谈到病情，谈到离家万里，我还无言，她已坠泪。这是人类之所以为人类，世界之所以成世界呵！我一病何足惜？病中看到人所施于我，病后我知何以施于人。一病换得了“施于人”之道，我一病真何足惜！

“同病相怜”这一句话何等真切？院中女伴的互相怜惜，互相爱护的光景，都使人有无限之赞叹！一个女孩子体温之增高，或其他病情上之变化，都能使全院女伴起了吁嗟。病榻旁默默的握手，慰言已尽，而哀怜的眼里，盈盈的含着同情悲悯的泪光！来从四海，有何亲眷？只一缕病中爱人爱己，知人知己之哀情，将这些异国异族的女孩儿亲密地连在一起。谁道爱和同情，在生命中是可轻藐的呢？

爱在右，同情在左，走在生命路的两旁，随时撒种，随时开花，将这一径长途，点缀得香花弥漫，使穿枝拂叶的行人，踏着荆棘，不觉得痛苦，有泪可落，也不是悲凉。

初病时曾戏对友人说：“假如我的死能演一出悲剧，那我的不死，我愿能演一出喜剧！”在众生的生命上，撒下爱和同情的种子，这是否演出喜剧呢，我将于此下深思了！

总之，生命路愈走愈远，所得的也愈多。我以为领略人生，要如滚针毡，用血肉之躯去遍挨遍尝，要它针针见血！离合悲欢，不尽其致时，觉不出生命的神秘和伟大。我所经历真不足道！且喜此关一过，来日方长，我所能告诉小朋友的，将来或不止此。

屋中有书三千卷，琴五六具，弹的拨的都有，但我至今未曾动它一动。与水久别，此十日中我自然尽量地过湖畔海边的生活。水上归来，只低头学绣，将在沙穰时淘气的精神，全部收起。我原说过，只有无人的山中，容得童心的再现呵！

大西洋之游，还有许多可记。写的已多了，留着下次说吧。祝你们安乐！

冰心

一九二四年七月十四日，默特佛

通讯二十

小朋友：

水畔驰车，看斜阳在水上泼散出的闪烁的金光，晚风吹来，春衫嫌薄。这种生涯，是何等的宜于病后呵！

在这里，出游稍远便可看见水。曲折行来，道滑如拭。重重的树荫之外，不时倏忽地掩映着水光。我最爱的是玷池（Spot pond），称她为池真委屈了，她比小的湖还大呢！——有三四个小岛在水中央，上面随意地长着小树。池四围是丛林，绿意浓极。每日晚餐后我便出来游散，缓驰的车上，湖光中看遍了美人芳草！——真是“水边多丽人”。看三三两两成群携手的人儿，男孩子都去领卷袖，女孩子穿着颜色极明艳的夏衣，短发飘拂，轻柔的笑声，从水面，从晚风中传来，非常的浪漫而潇洒。到此猛忆及曾皙对孔子言志，在“暮春者”之后，“浴乎沂风乎舞雩”之前，加上一句“春服既成”，遂有无限的飘扬态度，真是千古隽语！

此外的如玄妙湖（Mystic Lake），侦池（Spy pond），角池（Horn pond）等处，都是很秀丽的地方。大概湖的美在“明媚”。水上的轻风，皱起万叠微波，湖畔再有芊芊的芳草，再有青青的树林，有平坦的道路，有曲折的白色栏杆，黄昏时便是天然的临眺乘凉的所在。湖上落日，更是绝妙的画图。夜中归去，长桥上两串徐徐互相往来移动的灯星，颗颗含着凉意。若是明月中天，不必说，光景尤其宜人了！

前几天游大西洋滨岸（Revere Beach），沙滩上游人如蚁。或坐或立，或弄潮为戏，大家都是穿着泅水衣服。沿岸两三里的游艺场，乐声沨沨，人声嘈杂。小孩子们都在铁马铁车上，也有空中旋转车，也有小飞艇，五光十色的。机关一动，都纷纷奔驰，高举凌空。我看那些小朋友们都很欢喜得意的！

这里成了“人海”，如蚁的游人，盖没了浪花。我觉得无味。我们捩转车来，直到娜罕（Nahant）去。

渐渐地静了下来。还在树林子里，我已迎到了冷意侵人的海风。再三四转，大海和岩石都横到了眼前，这是海的真面目呵！浩浩万里的蔚蓝无底的洪涛，壮厉的海风，蓬蓬地吹来，带着腥咸的气味。在闻到腥咸的海味之时，我往往忆及童年拾卵石贝壳的光景，而惊叹海之伟大。在我抱肩迎着吹人欲折的海风之时，才了解海之所以为海，全在乎这不可御的凛然的冷意！

在嶙峋的大海石之间，岩隙的树荫之下，我望着卵岩（Egg Rock），也看见上面白色的灯塔。此时静极，只几处很精致的避暑别墅，悄然地立在断岩之上。悲壮的海风，穿过丛林，似乎在奏“天风海涛”之曲。支颐凝坐，想海波尽处，是群龙见首的欧洲，我和平的故乡，比这可望不可即的海天还遥远呢！

故乡没有这明媚的湖光，故乡没有汪洋的大海，故乡没有葱绿的树林，故乡没有连阡的芳草。北京只是尘土飞扬的街道，泥泞的小胡同，灰色的城墙，流汗的人力车夫的奔走，我的故乡，我的北京，是一无所有！

小朋友，我不是一个乐而忘返的人，此间纵是地上的乐园，我却仍是“在客”。我寄母亲信中曾说：

> ……北京似乎是一无所有！——北京纵是一无所有，然已有了我的爱。有了我的爱，便是有了一切！灰色的城围里，住着我最宝爱的一切的人。飞扬的尘土呵，何时容我再嗅着我故乡的香气……

易卜生曾说过：“海上的人，心潮往往和海波一般的起伏动荡。”而那一瞬间静坐在岩上的我的思想，比海波尤加一倍的起伏。海上的黄昏星已出，海风似在催我归去。归途中很怅惘。只是还买了一筐新从海里拾出的蛤蜊。当我和车边赤足捧筐的孩子问价时，他仰着通红的小脸笑向着我。他岂知我正默默地为他祝福，祝福他终身享乐此海上拾贝的生涯！

谈到水，又忆起慰冰来。那天送一位日本朋友回南那铁（South Natick）去，道经威尔斯利。车驰穿校址，我先看见圣卜生疗养院，门窗掩闭地凝立在山上。想起此中三星期的小住，虽仍能微笑，我心实凄然不乐。再走已见了慰冰湖上闪烁的银光，我只向她一瞥眼。闭璧楼塔院等等也都从眼前飞过。年前的旧梦重寻，中间隔以一段病缘，小朋友当可推知我黯然的心理！

又是在行色匆匆里，一两天要到新汉寿（NewHampshire）去。似乎又是在山风松涛之中，到时方可知梗概。晚风中先草此，暑天宜习静，愿你们多写作！

冰心

一九二四年七月二十二日，默特佛

通讯二十一

冰仲弟：

到自由（Freedom）又五六日了，高处于白岭（The White Mountains）之上，华盛顿（Mount Washington），戚叩落亚（Chocorua）诸岭都在几席之间。这回真是入山深了！此地高出海面一千尺，在北纬四十四度，与吉林同其方位。早晚都是凉飙袭人，只是树枝摇动，不见人影。

K 教授邀我来此之时，她信上说："我愿你知道真正新英格兰的农家生活。"果然的，此老屋中处处看出十八世纪的田家风味。古朴砌砖的壁炉，立在地上的油灯，粗糙的陶器，桌上供养着野花，黄昏时自提着罐儿去取牛乳，采葚果佐餐。这些情景与我们童年在芝罘所见无异。所不同的就是夜间灯下，大家拿着报纸，纵谈共和党和民主党的总统选举竞争。我觉得中国国民最大的幸福，就是能居然脱离政府而独立。不但农村，便是去年的北京，四十日没有总统，而万民乐业。言之欲笑，思之欲哭！

屋主人是两个姊妹，是 K 教授的好友，只夏日来居在山上。听说山后只有一处酿私酒的相与为邻，足见此地之深僻了。屋前后怪石嶙峋。黑压压的长着丛树的层岭，一望无际。林影中隐着深谷。我总不敢太远走开去，似乎此山有藏匿虎豹的可能。千山草动，猎猎风生的时候，真恐自暗黑的林中，跳出些猛兽。虽然屋主人告诉我说，山中只有一只箭猪和一只小鹿，而我终是心怯。

于此可见白岭与青山之别了。白岭妩媚处、雄伟处都较胜青山，而山中还处处有湖，如银湖（Silver Lake），戚叩落亚湖（Lake Chocorua），洁湖（Purity Lake）等，湖山相衬，十分幽丽。那天到戚叩落亚湖畔野餐，小桥之外，是十里如镜的湖波，波外是突起矗立的戚叩落亚山。湖畔徘徊，山风吹面，情景竟是皈依而不是赏玩！

除了屋主人和 K 教授外，轻易看不见别一个人，我真是寂寞。只有阿历 (Alex) 是我唯一的游伴了！他才五岁，是纽芬兰的孩子。他母亲在这里佣工。当我初到之夜，他睡时忽然对他母亲说："看那个姑娘多可怜呵，没有她母亲相伴，自己睡在大树下的小屋里！"第二天早起，屋主人笑着对我述说的时候，我默默相感，微笑中几乎落下泪来。我离开母亲将一年了，这般彻底的怜悯体恤的言词，是第一次从人家口里说出来的呵！

我常常笑对他说："阿历，我要我的母亲。"他凝然地听着，想着，过了一会儿说："我没有看见过你的母亲，也不知道她在哪里——也许她迷了路走在树林中。"我便说："如此我找她去。"自此后每每逢我出到林中散步，他便遥遥地唤着问："你找你的母亲去吗？"

这老屋中仍是有琴有书，原不至太闷，而我终感着寂寞，感着缺少一种生活，这生活是去国以后就丢失了的。你要知道吗？就是我们每日一两小时傻顽痴笑的生活！

漂浮着铁片做的战舰在水缸里，和小狗捉迷藏，听小弟弟说着从学校听来的童稚的笑话，围炉说些"乱谈"，敲着竹片和铜茶盘，唱"数了一个一，道了一个一"的山歌，居然大家沉酣地过一两点钟。这种生活，似乎是痴顽，其实是绝对的需要。这种完全释放身心自由的一两小时，我信对于正经的工作有极大的辅益，使我解愠忘忧，使我活泼，使我快乐。去国后在学校中，病院里，与同伴谈笑，也有极不拘之时，只是终不能痴傻到绝不用点思想的地步。何况我如今多居于教授，长者之间，往往是终日矜持呢！

真是说不尽怎样地想念你们！幻想山野是你们奔走的好所在，有了伴侣，我也便不怯野游。我何等的追羡往事！"当时语笑浑闲事，过后思量尽可怜。"这两语真说到入骨。但愿经过两三载的别离之后，大家重见，都不失了童心，傻顽痴笑，还有再现之时，我便万分满足了。

山中空气极好，朝阳晚霞都美到极处。身心均舒适，只昨夜有人问我：

"听说泰戈尔到中国北京，学生们对他很无礼，他躲到西山去了。"她说着一笑。我淡淡地说："不见得吧。"往下我不再说什么——泰戈尔只是一个诗人，迎送两方，都太把他看重了。……

于此收住了。此信转小朋友一阅。

冰心

一九二四年七月二十日，自由，新汉寿

通讯二十二

亲爱的小读者：

每天黄昏独自走到山顶看日落，便看见戚叩落亚（Chocorua）的最高峰。全山葱绿，而峰上却稍赤裸，露出山骨。似乎太高了，天风劲厉，不容易生长树木。天边总统山脉（Presidential Range）中诸岭蜿蜒，华盛顿（Washington）、麦迪生（Madison）众山重叠相映。不知为何，我只爱看戚叩落亚。

餐桌上谈起来了，C 夫人告诉我戚叩落亚是个美洲红人酋长，因情不遂，登最高峰上坠崖自杀。戚叩落亚山便因他命名。她说着又说她记忆不真，最好找一找书看看。我也以山势"英雄"而戚叩落亚死的太"儿女"为恨。今天从书架上取下一本书叫做《白岭》（*The White Mountains*）的，看了一遍。关于戚叩落亚的死因，与 C 夫人说的不同，我觉得这故事不妨说给小朋友听听！

书上说："戚叩落亚可称为新英格兰一带最秀丽最堪入画之高山。"——新英格兰系包括美东 Maine，NH，Mass，RI，VT，CT.，六省而言，是英国殖民初登岸处，故名。"高三千五百四十尺，山上有泉，山间有河，山下有湖。"新汉寿诸山之中，没有比它再含有美术的和诗的意味的了。

"戚叩落亚山是从一个红人酋长得名。这个酋长被白人杀死于山的最高峰下。传说不一，一说在罗敷窝（Love well）一战之后，红人都向坎拿大退走，只有戚叩落亚留恋故乡和他祖宗的坟墓，不肯与族人同去。他和白人友善，特别的与一个名叫康璧（Campbell）的交好。戚叩落亚只有一个儿子，他一生的爱恋和希望，都倾注在这儿子身上。偶然有一次因着族人会议的事，他须到坎拿大去。他不忍使这儿子受长途风霜之苦，便将他交托给康璧，自己走了。他的儿子在康璧家中，备受款待。只一天，这孩子无意中寻到一瓶毒狐的药，他好奇心盛，一口气喝了下去。等到戚叩落亚回来，只得到他儿子死了葬了的消息！这误会的心碎的酋长，在他负伤的灵魂上，深深刻下了复仇的誓愿。这一天康璧从田间归来，看见他妻和子的尸身，纵横地倒在帐篷的内外。康璧狂奔出去寻觅戚叩落亚，在山巅将他寻见了。正在他发狂似的向白人诅咒的时候，康璧将他射死于最高峰下。

“又一说，戚叩落亚是红人族中的神觋。他的儿子与康璧相好，不幸以意外之灾死在康璧家里。以下的便与上文相同。

“又一说，戚叩落亚是个无罪无猜的红酋，对白人尤其和蔼。只因那时麻撒出色（Massachusetts）百姓，憎恶红人，在波士顿征求红人之首，每头颁报以百金。于是有一群猎者，贪图巨利，追逐这无辜的红酋，将他乱枪射死于最高峰下！

“英雄的戚叩落亚，在他将死未绝之时，张目扬齿，狂呼地诅咒说：‘灾祸临到你们了，白人呵！我愿巨灵在云间发声，其言如火，重重地降罚给你们。我戚叩落亚有一个儿子，而你们在光天化日之下，将他杀死！我愿闪电焚灼你们的肉体，愿暴风与烈火扫荡你们的居民！愿恶魔吹死气在你们的牛羊身上！愿你们的坟墓沦为红人的战场！愿虎豹狼虫吞噬你们的骨殖！我戚叩落亚如今到巨灵那里去，而我的诅咒却永远地追随着你们！’”

这故事于此终止了。书上说：“此后续来的移民，都不能安生居住，天灾人祸，相继而来；暴风雨，瘟疫，牛羊的死亡，红人的侵袭，岁岁不绝。然而在事实上，近山一带的居民，并未曾受红人之侵迫，只在此数十年中不能牧养牲畜，牛羊死亡相继。大家都归咎于戚叩落亚的诅词。后经科学者的试验，乃是他们饮用的水中，含有石灰质的缘故。

“戚叩落亚的坟墓，传说是在东南山脚下，但还没有确实寻到。”

每天黄昏独自走到山顶看日落，看夕阳自戚叩落亚的最高峰尖下坠，其红如火！连那十八世纪的老屋都隐在丛林之中时，大地上只山岭纵横，看不出一点文化文明之踪迹！这时我往往神游于数百年前，想此山正是束额插羽，奔走如飞的红人的世界。我微微地起了悲哀。红人身躯壮硕，容貌黝红而伟丽，与中国人种相似，只是不讲智力，受制被驱于白人，便沦于万劫不复之地！……

那天到康卫（Conway）去，在村店中买了一个小红泥人，金冠散发，首插绿羽，头上围着五色丝绦，腰间束带。我放他在桌上，给他起名叫戚叩落亚，纪念我对于戚叩落亚之追慕，及此次白岭之游。等到年终时节，我拟请他到中国一行，代我贺我母亲新春之喜。——匆此。

冰心

一九二四年八月六日，白岭

通讯二十三

冰季小弟：

这是清晨绝早的时候，朝日未出，朝露犹零，早餐后便又须离此而去。我以黯然的眼光望着白岭，却又不能不偷这匆匆言别的一早晨，写几个字给你。

只因昨夜在迢迢银河之侧，看见了织女星，猛忆起今天是故国的七月七夕，无数最甜柔的故事，最凄然轻婉的诗歌，以及应景的赏心乐事，都随此佳节而生。我远客他乡，把这些都睽违了，这且不必管他。

我所要写的，是我们大家太缺少娱乐了。无精打采的娱乐，绝不能使人生润泽，事业进步。娱乐至少与工作有同等的价值，或者说娱乐是工作之一部分！

娱乐不是“消遣”。“消遣”两字的背后，隐隐地站着“无聊”。百无聊赖的时候，才有消遣；镑傺疾病的时候，才有消遣！对于国事，对于人生，灰心丧志的时候，才有消遣！试看如今一般人所谓的娱乐，是如何的昏乱，如何的无精打采？我绝不以这等的娱乐为娱乐！真正的娱乐是应着真正的工作的要求而发生的，换言之，打起精神做真正的工作的人，才热烈地想望，或预备真正的娱乐！

当然的，中国人要有中国人的娱乐，我们有四千多年的故事，传说和历史。我们娱乐的时地和依据，至少比人家多出一倍。从新年说起吧，新年之后，有元宵。这千千万万的繁灯，做树下廊前的点缀，何等灿烂？舞龙灯更是小孩子最热狂最活泼的游戏。三月三日是古人修禊节，也便是我们绝好的野餐时期，流觞曲水，不但仿古人余韵，而且有趣。清明扫墓，虽不焚化纸钱，也可训练小孩子一种恭肃静默的对先人的敬礼；假如清明植树能名实相副，每人每年在祖墓旁边，种一棵小树，不到十年，我们中国也到处有了葱蔚的山林。五月五是特别为小孩子的节期，花花绿绿的香囊，五色丝，大家打扮小孩子。一年中只是这几天，觉得街头巷尾的小孩子，加倍喜欢！这天又是龙舟节，出去泛舟，或是两个学校间的竞渡，也是极好的日子。七月七，是女儿节，只这名字已有无限的温柔！凉夜风静，秋星灿然。庭中陈设着小几瓜果，遍延女伴，轻悄谈笑，仰看双星缓缓渡桥。小孩子满握着煮熟的蚕豆，大家互赠，小手相握，谓之“结缘”。这两字又何其美妙？我每以为“缘”之意想，十分精微，“缘”之一字，十分难译，有天意，有人情，有死生流转，有地久天长。苏子瞻赠他的弟弟子由诗，有“与君世世为兄弟，更结来生未了因”。小弟弟，我今天以这两语从万里外遥赠你了！

八月十五中秋节，满月的银光之下，说着蟾蜍玉兔的故事，何其清切？九月九重阳节，古人登高的日子，我们正好有远足旅行，游览名胜。国庆日不必说，尤须庆祝一下子，只因我觉得除却政治机关及商店悬旗外，家庭中纪念这节期的，似乎没有！

往下不再细说了。翻开古书看一看，如《帝京景物志》之类，还可找出许多有意思可纪念的娱乐的日子来。我觉得中国的节期，都比人家的清雅，每一节期都附以温柔、高洁的故事，惊才绝艳的诗歌，甚至于集会时的食品用器，如五月五的龙舟、粽子，七月七的蚕豆，八月十五的月饼，以及各节期的说不尽的等等一切……我们是一点不必创造。招集小孩子，故事现成，食品现成，玩具现成，要编制歌曲，供小孩的戏唱，也有数不尽的古诗、古文、古词为蓝本。古人供给我们这许多美好的材料，叫我们有最高尚的娱乐，如我们仍不知领略享受，真是太对不起了！

破除迷信，是件极好的事。最可惜的是迷信破除以后，这些美好的节期，也随着被大家冷淡了下去。我当然不是提倡迷信，偶像崇拜和小孩子扮演神仙故事，截然的是两件事！

不能多写了。朝日已出，厨娘已忙着预备早餐。在今晚日落之前，我便可在一个小海岛之上，你可猜想我是如何的喜欢！我看《诗经》，最爱的是："蒹葭苍苍，白露为霜，所谓伊人，在水一方……溯回从之，宛在水中央。"我最喜在"水中央"三字，觉得有说不出的漂荡与萦回！——自我开始旅行，除了日记及纸笔之外，半本书也没有带，引用各诗，也许错误，请你找找看。

预算在海上住到月圆时节。"海上生明月"的光景，我已预备下全副心情，供它动荡，那时如写得出，再写些信寄你。

你的姊姊

一九二四年八月七日，白岭

通讯二十四

我的双亲：

窗外涛声微撼，是我到伍岛（Five Islands）之第一夜。我已睡下，B 女士进来坐在我的床前，说了许多别后的话。她又说："可惜我不能将你母亲的微笑带来呵！"夜深她出去。我辗转不寐。一年中隔着海洋，我们两地的经过，在生命的波澜又归平静之后，忽忽追思，竟有无限的感慨！

在新汉寿之末一夜，竟在白岭上过了瓜果节。说起也真有意思。那天白日偶然和众人谈起，黄昏时节，已自忘怀。午睡起后，C 夫人忽请我换了新衣。K 教授也穿上由中国绣衣改制的西服出来。其余众人，或挂中国的玉佩，或着中国的绸衣。在四山暮色之中，团团坐在屋前一棵大榆树下，端出茶果来，告诉我今夜要过中国的瓜果节。我不禁怡然一笑。我知道她们一来自己寻乐，二来与我送别。我是在家十年未过此节，却在离家数万里外，孤身做客，在绵亘雄伟的白岭之巅，与几位教授长者，过起软款温柔的女儿节来，真是突兀！

那夜是阴历初六，双星还未相迩，银汉间薄雾迷蒙。我竟成了这小会的中心！大家替我斟上蒲公英酒，K 教授举杯起立，说："我为全中国的女儿饮福!”我也起来笑答:“我代全中国的女儿致谢你们!”大家笑着起立饮尽。

第二巡递过茶果,C夫人忽又起立举杯说:“我饮此酒,祝你康健!”于是大家又纷然离座。K教授和E女士又祝福我的将来,杂以雅谑。一时杯声铿然相触,大家欢呼,我笑了,然而也只好引满——

谈至夜阑,谈锋渐趋于诗歌方面。席散后,我忽忆未效穿针乞巧故事,否则也在黑暗中撮弄她们一下子,增些欢笑!

如今到伍岛已逾九日,思想顿然地沉肃了下来。我大错了!十年不近海,追证于童年之乐,以为如今又晨夕与海相处,我的思想,至少是活泼飞扬的。不想她只时时与我以惊跃与凄动!……

九日之中,荡小舟不算外,泛大船出海,已有三次。十三日泛舟至海上聚餐,共载者十六人。乘风扯起三面大帆来,我起初只坐近栏旁,听着水手们扯帆时的歌声,真切地忆起海上风光来。正自凝神,一回头,B博士笑着招我到舟尾去,让我去把舵,他说:“试试看,你身中曾否带着航海家之血!”舱面大家都笑着看我。我竟接过舵轮来,一面坐下,凝眸前望,俯视罗盘正在我脚前。这船较小些,管轮和驾驶,只须一人。我握着轮齿,觉得桅杆与水平纵横之距离,只凭左右手之转动而推移。此时我心神倾注,海风过耳而不闻。渐渐驶到叔本葛大河(Sheepcult River)人海之口。两岸较逼,波流汹涌。我扶轮屏息,偶然侧首看见栏旁士女,容色暇豫,言笑宴宴,始恍然知自己一身责任之重大,说起来不值父亲之一笑!比起父亲在万船如蚁之中,将载着数百军士的战舰,驶进广州湾,自然不可同日语,而在无情的波流上,我初次尝试的心,已有无限的惶恐。说来惭愧,我觉得我两腕之一移动,关系着男女老幼十六人性命的安全!

B博士不离我座旁,却不多指示,只凭我旋转自如。停舟后,大家过来笑着举手致敬,称我为船主,称我为航海家的女儿。

这只是玩笑的事,没有说的价值。而我因此忽忆起我所未想见的父亲二十年海上的生涯。我深深地承认直接觉着负责任的,无过于舟中的把舵者。一舟是一世界,双手轮转着顷刻间人们的生死,操纵着众生的欢笑与悲号。几百个乘客在舟上,优游谈笑,说着乘风破浪,以为人人都过着最闲适的光阴。不知舱面小室之中，独有一个凝眸望远的船主，以他倾注如痴的辛苦的心目，保持佑护着这一段数百人闲适欢笑的旅途！

我自此深思了！海岛上的生涯，使我心思昏忽。伍岛后有断涧两处，通以小桥。涧深数丈，海波冲击，声如巨雷。穿过松林，立在磐石上东望，西班牙与我之间，已无寸土之隔。岛的四岸，在清晨，在月夜，我都坐过，凄清得很。——每每夜醒，正是潮满时候，海波直到窗下。淡雾中，灯塔里的雾钟续续地敲着。有时竟还听得见驾驶的银钟，在水面清切四闻。雪鸥的鸣声，比孤雁还哀切，偶一惊醒，即不复寐……

实在写不尽，我已决意离此。我自己明白知道，工作在前，还不是我回肠荡气的时候！

明天八月十七，邮船便佳城号（City of Bangor）自泊斯（Bath）开往波士顿。我不妨以去年渡太平洋之日，再来横渡大西洋之一角。我真是弱者呵，还是愿意从海道走！

你海上的女儿

一九二四年八月十六日夜，伍岛

通讯二十五

亲爱的小朋友：

海滨归来，又到了湖上。中间虽游了些地方，但都如过眼云烟。半年来的生活，如同缓流的水，无有声响；又如同带上衔勒的小马，负重地、目不旁视地走向前途。童心再也不能唤醒，几番提笔，都觉出了隐微的悲哀。这样一次一次的消停，不觉又将五个月了！

小朋友！饶是如此，还有许多人劝我省了和小孩子通信之力，来写些更重大、更建设的文字。我有何话可说，我爱小孩子。我写儿童通讯的时节，我似乎看得见那天真纯洁的对象，我行云流水似的，不造作、不矜持，说我心中所要说的话。纵使这一切都是虚无呵，也容我年来感着劳顿的心灵，不时地有自由的寄托！

昨夜梦见堆雪人，今晨想起要和你们通信。我梦见那个雪人，在我刚刚完工之后，她忽然翩跹起舞。我待要追随，霎时间雪花乱飞。我旁立掩目，似乎听得小孩子清脆的声音，在云中说：“她走了——完了！”醒来看见半圆的冷月，从云隙中窥人，叶上的余雪，洒上窗台，沾着我的头面。我惘然地忆起了一篇匆草的旧稿，题目是《赞美所见》，没有什么意思，只是充一充篇幅。课忙思涩，再写信又不知是何日了！愿你们安好！

冰心

一九二五年二月一日，娜安辟迦楼

赞美所见

湖上晚晴，落霞艳极。与秀在湖旁并坐，谈到我生平宗教的思想，完全从自然之美感中得来。不但山水，看见美人也不是例外！看见了全美的血肉之躯，往往使我肃然地赞叹造物。一样的眼、眉、腰，在万千形质中，偏她生得那般软美！湖山千古依然，而佳人难再得。眼波樱唇，瞬归尘土。归途中落叶萧箫，感叹无尽，忽然作此。

假如古人曾为全美的体模，
赞美造物，
我就愿为你的容光膜拜。

你——
樱唇上含蕴着天下的温柔，
眼波中凝聚着人间的智慧。
倘若是那夜我在星光中独泛，
你羽衣翩跹，

飞到我的身旁——
倘若是那晚我在枫林中独步，
你神光离合
临到我的身畔！

我只有合掌低头，
不能惊叹，
因你本是个女神
本是个天人……

……

如今哪堪你以神仙的丰姿，
寄托在一般的血肉之躯。
俨然的，
和我对坐在银灯之下！

我默然瞻仰，
隐然生慕，
慨然兴嗟，
嗟呼，粲者！
我因你赞美了万能的上帝，
嗟呼，粲者！
你引导我步步归向于信仰的天家。

我默然瞻仰，
隐然生慕，
慨然兴嗟，

嗟呼，粲者！
你只须转那双深澈智慧的眼光下望，
看萧萧落叶遍天涯，明年春至，
还有新绿在故枝上萌芽，
嗟呼，粲者！
青春过了，
你知道你不如他！

……

樱唇眼波，终是梦痕，
温柔智慧中，愿你永存，
阿门！

一九二四年十一月一日，娜安辟迦楼

通讯二十六

小朋友：

病中，静中，雨中，是我最易动笔的时候；病中心绪惆怅，静中心绪清新，雨中心绪沉潜，随便地拿起笔来，都能写出好些话。

一夏的“云游”，刚告休息。此时窗外微雨，坐守着一炉微火。看书看到心烦，索性将立在椅旁的电灯也捻灭了下去。炉里的木柴，爆裂得息息地响着，火花飞上裙缘。——小朋友！就是这百无聊赖，雨中静中的情绪，勉强了久不修书的我，又来在纸上和你们相见。

暑前六月十八晨，阴，匆匆地将屋里几盆花草，移栽在树下。殷勤拜托了自然的风雨，替我将护着这一年来案旁伴读的花儿。安顿了惜花心事之后，一天一夜的火车，便将我送到银湾（Silver Bay）去。

银湾之名甚韵！往往使我忆起纳兰成德“盈盈从此隔银湾，便无风雪也摧残”之句。入湾之顷，舟上看乔治湖（Lake George）两岸青山，层层转翠。小岛上立着丛树，绿意将倦人唤醒起来。银湾渐渐来到了眼前！黑岭（Black Mountains）高得很，乔治湖又极浩大，山脚下涛声如吼之中，银湾竟有芝罘的风味。

到后寄友人书，曾有“盛名之下，其实难副，人犹如此，地何以堪？你们将银湾比了乐园，周游之下，我只觉索然”之语。致她来信说我“诗人结习未除，幻想太高”。实则我曾经沧海，银湾似芝罘，而伟大不足，反不如慰冰及绮色佳（Ithaca），深幽妩媚，别具风格，能以动我之爱悦与恋慕。

且将“成见”撇在一边，来叙述银湾的美景。河亭（Brook Pavilion）建在湖岸远伸处，三面是水。早起在那里读诗，水声似乎和着诗韵。山雨欲来，湖上漫漫飞卷的白云，亭中尤其看得真切。大雨初过，湖净如镜，山青如洗。云隙中霞光灿然四射，穿入水里，天光水影，一片融化在彩虹里，看不分明。光景的奇丽，是诗人画工，都不能描写得到的！

在不系舟上作书，我最喜爱，可惜并没有工夫作。只二十六日下午，在白浪推拥中，独自泛舟到对岸，写了几行。湖水泱泱，往返十里。回来风势大得很，舟儿起落之顷，竟将写好的一张纸，吹没在湖中。迎潮上下时，因着能力的反应，自己觉得很得意，而运桨的两臂，回来后隐隐作痛。

十天之后，又到了绮色佳。

绮色佳真美！美处在深幽。喻人如隐士，喻季候如秋，喻花如菊。与泉相近，是生平第一次，新颖得很！林中行来，处处傍深涧。睡梦里也听着泉声！六十日的寄居，无时不有“百感都随流水去，一身还被浮名束”这两句，萦回于我的脑海！

在曲折跃下层岩的泉水旁读子书。会心处，悦意处，不是人世言语所能传达。——此外替美国人上了一夏天的坟，绮色佳四五处坟园我都游遍了！这种地方，深沉幽邃，是哲学的，是使人勘破生死观的。我一星期中至少去三次，抚着碑碣，摘去残花，我觉得墓中人很安适的，不知墓中人以我为如何？

刻尤佳湖（Lake Cauaga）为绮色佳名胜之一，我也常常在那里泛舟。湖大得很，明媚处较慰冰不如，从略。

八月二十八日，游尼革拉大瀑布（Niagara Falls）。三姊妹岩旁，银涛卷地而来，奔下马蹄岩，直向涡池而去。汹涌的泉涛，藏在微波缓流之下。我乘着小船雾姝号（The Maidof Mist）直到瀑底。仰望美利坚坎拿大两片大泉，坠云搓絮般地奔注！夕阳下水影深蓝，岩石碎迸，水珠打击着头面。泉雷声中，心神悸动！绮色佳之深邃温柔，幸受此万丈冰泉，洗涤冲荡。月下夜归，恍然若失！

九月二日，雨中到雪拉鸠斯（Syracuse），赴美东中国学生年会。本年会题是“国家主义与中国”，大家很鼓吹了一下。

年会中忙过十天，又回到波士顿来。十四夜心随车驰，看见了波士顿南站灿然的灯光，九十日的幻梦，恍然惊觉……

夜已深，楼上主人促眠。窗外雨仍不止。异乡的虫声在凄凄地叫着。万里外我敬与小朋友道晚安！

冰心

一九二五年九月十七日夜，默特佛

通讯二十七

小读者：

无端应了惠登大学（Wheaton College）之招，前天下午到梦野（Mansfield）去。

到了车站，看了车表，才知从波士顿到梦野是要经过沙穰的，我忽然起了无名的怅惘！

我离院后回到沙穰去看病友已有两次。每次都是很惘然，心中很怯，静默中强作微笑。看见道旁的落叶与枯枝，似乎一枝一叶都予我以“转战”的回忆！这次不直到沙穰去，态度似乎较客观些，而感喟仍是不免！我记得以前从医院的廊上，遥遥地能看见从林隙中穿过的白烟一线的火车。我记住地点，凝神远望，果然看见雪白的楼瓦，斜阳中映衬得如同琼宫玉宇一般……

清晨七时从梦野回来，车上又瞥见了！早春的天气，朝阳正暖，候鸟初来。我记得前年此日，山路上我的飘扬的春衣！那时是怎样的止水停云般的心情呵！

小朋友！一病算得什么？便值得这样的惊心？我常常这般地问着自己。然而我的多年不见的朋友，都说我改了。虽说不出不同处在哪里，而病前病后却是迥若两人。假如这是真的呢？是幸还是不幸，似乎还值得低回吧！

昨天回来后，休息之余，心中只怅怅的，念不下书去。夜中灯下翻出病中和你们通讯来看。小朋友，我以一身兼作了得胜者与失败者，两重悲哀之中，我觉得我禁不住有许多欲说的话！

看见过力士搏狮吗？当他屏息负隅，张空拳于狰狞的爪牙之下的时候，他虽有震恐，虽有狂傲，但他绝不暇有萧瑟与悲哀。等到一阵神力用过，倏忽中掷此百兽之王于死的铁门之内以后，他神志昏聩地抱头颓坐。在春雷般的欢呼声中，他无力地抬起眼来，看见了在他身旁鬣毛森张，似余残喘的巨物。我信他必忽然起了一阵难禁的战栗，他的全身没在微弱与寂寞的海里！

一败涂地的拿破仑，重过滑铁卢，不必说他有无限的忿激，太息与激昂！然而他的激感，是狂涌而不是深微，是一个人都可抵挡得住。而建了不世之功，退老闲居的惠灵顿，日暮出游，驱车到此战争旧地，他也有一番激感！他仿佛中起了苍茫的怅惘，无主的伤神。斜阳下独立，这白发盈头的老将，在百番转战之后，竟受不住这闲却健儿身手的无边萧瑟！悲哀，得胜者的悲哀呵！

小朋友，与病魔奋战期中的我，是怎样的勇敢与喜乐！我做小孩子，我做Eskimo，我“足踏枯枝，静听着树叶微语”，我“试揭自然的帘幕，蹑足走入仙宫”。如今呢，往事都成陈迹！我“终日矜持”，我“低头学绣”，我“如同缓流的水，半年来无有声响”。是的呵，“一回到健康道上，世事已接踵而来”！虽然我曾应许“我至爱的母亲”说：“我既绝对地认识了生命，我便愿低首去领略。我便愿遍尝了人生中之各趣；人生中之各趣，我便愿遍尝！——我甘心乐意以别的泪与病的血为贽，推开了生命的宫门。”我又应许小朋友说：“领略人生，要如滚针毡，用血肉之躯去遍挨遍尝，要它针针见血！……来日方长，我所能告诉小朋友的，将来或不止此。”而针针见血的生命中之各趣，是须用一片一片天真的童心去换来的。互相垒积传递之间，我还不知要预备下多少怯弱与惊惶的代价！我改了，为了小朋友与我至爱的母亲，我十分情愿屈服于生命的权威之下。然而我愿小朋友倾耳听一听这弱者，失败者的悲哀！

在我热情忠实的小朋友面前，略消了我胸中块垒之后，我愿报告小朋友一个大家欢喜的消息。这时我的母亲正在东半球数着月亮呢！再经过四次月圆，我又可在母亲怀里，便是小朋友也不必耐心地读我一月前，明日黄花的手书了！我是如何地喜欢呵！

小朋友，我觉得对不起！我又以悱恻的思想，贡献给你们。然而我的“诗的女神”只是一个“满蕴着温柔，微带着忧愁”的，就让她这样地抒写也好。

敬祝你们的喜乐与健康！

冰心

一九二六年三月十二日，娜安辟迦楼

通讯二十八

亲爱的娘：

今晨得到冰仲弟自京寄来的《寄小读者》，匆匆地翻了一过，我止水般的热情，重复荡漾了起来！亲爱的母亲！我的脚已踏着了祖国的田野，我心中复杂地蕴结着欢慰与悲凉！念七日的黄昏，三年前携我远游的约克逊号，徐徐地驶进吴淞口岸的时候，我抱柱而立。迎着江上吹面不寒的和风，我心中只掩映着母亲的慈颜。三年之别，我并不曾改，我仍是三年前母亲的娇儿，仍是念余年前母亲怀抱中的娇儿！

上海苦热，回忆船上海风中看明月的情景，真是往事都成陈迹！念六夜海波如吼，水影深黑，只在明月与我之间，在水上铺成一条闪烁碎光的道路。看着船旁烨然飞溅的浪花，这一星星都迸碎了我远游之梦！母亲，你是大海，我只是刹那间溅跃的浪花。虽暂时在最低的空间上，幻出种种的闪光，而在最短的时间中，即又飞进母亲的怀里。母亲！我美游之梦，已在欠伸将觉之中。祖国的海波，一声声地洗淡了我心中各个的梦中人影。母亲！梦中人只是梦中人，除了你，谁是我永久灵魂之归宿？

念七晨我未明即起，望见了江上片片祖国的帆影之后，我已不能再睡觉！我俯在圆窗上看满月西落，紫光欲退，而东方天际的明霞，又已报我以天光的消息！母亲，为了你，万里归来的女儿，都觉得这些国外也常常看见的残月朝晖，这时却都予我以极浓热的慕恋的情意。

母亲，我只是一个山陬海隅的孩子，一个北方乡野的孩子。上海实在住不了！长裙短衫，蝶翅般的袖子，油光的头，额上不自然地剪下三四缕短发。这般千人一律，不个性的打扮，我觉得心烦而又畏怯。这里热得很，哥哥姊姊们又喜欢灌我酒。前晚喝的是“大宛香”，还容易下咽，今夜是“白玫瑰露”，真把我吃醉了。匆匆地走上楼来和衣而卧。酒醒已是中夜，明月正当着我的窗户。朦胧中记得是离家已近，才免去那“杨柳岸晓风残月”的悲哀。

母亲！你看我写的歪斜的字，嫂嫂笑说我仍在病酒！我定八月二夜北上了。我爱母亲！我怕热，我不会吃酒，还是回家好！

这封信转小朋友看看不妨事吧？

还家的女儿

七月卅日，上海

通讯二十九

最亲爱的小读者：

我回家了！这“回家”二字中我迸出了感谢与欢欣之泪！三年在外的光阴，回想起来，曾不如流波之一瞥。我写这信的时候，小弟冰季守在旁边。窗外，红的是夹竹桃，绿的是杨柳枝，衬以北京的蔚蓝透彻的天。故乡的景物，一一回到眼前来了！

小朋友！你若是不曾离开中国北方，不曾离开到三年之久，你不会赞叹欣赏北方蔚蓝的天！清晨起来，揭帘外望，这一片海波似的青空，有一两堆洁白的云，疏疏的来往着，柳叶儿在晓风中摇曳，整个的送给你一丝丝凉意。你觉得这一种“冷处浓”的幽幽的乡情，是异国他乡所万尝不到的！假如你是一个情感较重的人，你会兴起一种似欢喜非欢喜，似怅惘非怅惘的情绪。站着痴望了一会子，你也许会流下无主，皈依之泪！

在异国，我只遇见了两次这种的云影天光。一次是前年夏日在新汉寿（New Hampshire）白岭之巅。我午睡乍醒，得了英伦朋友的一封书，是一封充满了友情别意，并描写牛津景物写到引人入梦的书。我心中杂糅着怅惘与欢悦，带着这信走上山巅去，猛然见了那异国的蓝海似的天！四围山色之中，这油然一碧的天空，充满了一切。漫天匝地的斜阳，酿出西边天际一两抹的绛红深紫。这颜色须臾万变，而银灰，而鱼肚白，倏然间又转成灿然的黄金。万山沉寂，因着这奇丽的天末的变幻，似乎太空有声！如波涌，如鸟鸣，如风啸，我似乎听到了那夕阳下落的声音。这时我骤然间觉得弱小的心灵被这伟大的印象，升举到高空，又倏然间被压落在海底！我觉出了造化的庄严，一身之幼稚，病后的我，在这四周艳射的景象中，竟伏于纤草之上，呜咽不止！

还有一次是今年春天，在华盛顿（Washington D. C.）之一晚。我从枯冷的纽约城南行，在华盛顿把“春”寻到！在和风中我坐近窗户，那时已是傍晚，这国家妇女会（National Women's Party）舍，正对着国会的白楼。半日倦旅的眼睛，被这楼后的青天唤醒！海外的小朋友！请你们饶恕我，在我倏忽的惊叹了国会的白楼之前，两年半美国之寄居，我不曾觉出她是一个庄严的国度！

这白楼在半天矗立着，如同一座玲珑洞开的仙阁。被楼旁的强力灯逼射着，更显得出那楼后的青空。两旁也是伟大的白石楼舍。楼前是极宽阔的白石街道。雪白的球灯，整齐地映照着。路上行人，都在那伟大的景物中，寂然无声。这种天国似的静默，是我到美国以来第一次寻到的。我寻到了华京与北京相同之点了！

我突起的乡思，如同一个波澜怒翻的海！把椅子推开，走下这一座万静的高楼，直向大图书馆走去。路上我觉得有说不出的愉快与自由。杨柳的新绿，摇曳着初春的晚风。熟客似的，我走入大阅书室，在那里写着日记。写着忽然忆起陆放翁的“唤作主人原是客，知非吾土强登楼”的两句诗来。细细咀嚼这“唤”字和“强”字的意思，我的意兴渐渐地萧索了起来！

我合上书，又洋洋地走了出去。出门来一天星斗。我长吁一口气。——看见路旁一辆手推的篷车，一个黑人在叫卖炒花生栗子。我从病后是不吃零食的，那时忽然走上前去，买了两包。那灯下黝黑的脸，向我很和气地一笑，又把我强寻的乡梦搅断！我何尝要吃花生栗子？无非要强以华京作北京而已！

写到此我腕弱了，小朋友，我觉得不好意思告诉你们，我回来后又一病逾旬，今晨是第一次写长信。我行程中本已憔悴困顿，到家后心里一松，病魔便乘机而起。我原不算是十分多病的人，不知为何，自和你们通讯，我生涯中便病忙相杂，这是怎么说的呢！

故国的新秋来了。新愈的我，觉得有喜悦的萧瑟！还有许多话，留着以后说吧，好在如今我离着你们近了！

你热情忠实的朋友，在此祝你们的喜乐！

冰心

一九二六年八月三十一日，圆恩寺

山中杂记

——遥寄小朋友

大夫说是养病，我自已说是休息，只觉得在拘管而又浪漫的禁令下，过了半年多。这半年中有许多在童心中可惊可笑的事，不足为大人道。只盼他们看到这几篇的时候，唇角下垂，鄙夷地一笑，随手地扔下。而有两三个孩子，拾起这一张纸，渐渐地感起兴味，看完又彼此嬉笑、讲说、传递；我就已经有说不出的喜欢！本来我这两天有无限的无聊。天下许多事都没有道理，比如今天早起那样的烈日，我出去散步的时候，热得头昏。此时近午，却又阴云密布，大风狂起。廊上独坐，除了胡写，还有什么事可做呢？

一九二四年六月二十三日，沙穰

（一）我怯弱的心灵

我小的时候，也和别的孩子一样，非常的胆小。大人们又爱逗我，我的小舅舅说什么《聊斋》，什么《夜谈随录》，都是些僵尸、白面的女鬼等等。在他还说着的时候，我就不自然地惴惴地四顾，塞坐在大人中间，故意地咳嗽。睡觉的时候，看着帐门外，似乎出其不意地也许伸进一只鬼手来。我只这样想着，便用被将自已的头蒙得严严的，结果是睡得周身是汗！

十三四岁以后，什么都不怕了。在山上独自中夜走过丛冢，风吹草动，我只回头凝视。满立着狰狞的神像的大殿，也敢在阴暗中小立。母亲屡屡说我胆大，因为她像我这般年纪的时候，还是怯弱得很。

我白日里的心，总是很宁静、很坚强，不怕那些看不见的鬼怪。只是近来常常在梦中，或是在将醒未醒之顷，一阵悚然，从前所怕的牛头马面，都积压了来，都聚围了来。我呼唤不出，只觉得怕得很，手足都麻木，灵魂似乎蜷曲着。挣扎到醒来，只见满山的青松，一天的明月。洒然自笑，——这样怯弱的梦，十年来已绝不做了，做这梦时，又有些悲哀！童年的事都是有趣的，怯弱的心情，有时也极其可爱。

(二) 埋存与发掘

山中的生活，是没有人理的。只要不误了三餐和试验体温的时间，你爱做什么就做什么，医生和看护都不来拘管你。正是童心乘时再现的时候，从前的爱好，都拿来重温一遍。

美国不是我的国，沙穰不是我的家。偶以病因缘，在这里游戏半年，离此后也许此生不再来。不留些纪念，觉得有点过意不去，于是我几乎每日做埋存与发掘的事。

我小的时候，最爱做这些事：墨鱼脊骨雕成的小船，五色纸粘成的小人等等，无论什么东西，玩够了就埋起来。树叶上写上字，掩在土里。石头上刻上字，投在水里。想起来时就去发掘看看，想不起来，也就让它悄悄地永久埋存在那里。

病中不必装大人，自然不妨重做小孩子！游山多半是独行，于是随时随地留下许多纪念，名片，西湖风景画，用过的纱巾等等，几乎满山中星罗棋布。经过芍药花下，流泉边，山亭里，都使我微笑，这其中都有我的手泽！兴之所至，又往往去掘开看看。

有时也遇见人，我便挓挲着泥污的手，不好意思地站了起来。本来这些事很难解说。人家问时，说又不好，不说又不好，迫不得已只有一笑。因此女伴们更喜欢追问，我只有躲着她们。

那一次一位旧朋友来，她笑说我近来更孩子气，更爱脸红了。童心的再现，有时使我不好意思是真的，半年的休养，自然血气旺盛，脸红那有什么爱不爱的可言呢？

(三) 古国的音乐

去冬多有风雪。风雪的时候，便都坐在广厅里，大家随便谈笑，开话匣子、弹琴、编绒织物等等，只是消磨时间。

荣是希腊的女孩子，年纪比我小一点，我们常在一处玩。她以古国国民自居，拉我做伴，常常和美国的女孩子嬉笑口角。

我不会弹琴，她不会唱，但闷来无事，也就走到琴边胡闹。翻来覆去的只是那几个简单的熟调子。于是大家都笑道："趁早停了吧，这是什么音乐?"她傲然地叉手站在琴旁说："你们懂得什么？这是东西两古国合奏的古乐，你们哪里配领略!"琴声仍旧不断，歌声愈高，别人的对话，都不相闻。于是大家急了，将她的口掩住，推到屋角去，从后面连椅子连我，一齐拉开，屋里已笑成一团!

最妙的是连"印第阿那的月"等等的美国调子，一经我们用过，以后无论何时，一听得琴声起，大家都互相点头笑说："听古国的音乐呵!"

（四）雨雪时候的星辰

寒暑表降到冰点下十八度的时候，我们也是在廊下睡觉。每夜最熟识的就是天上的星辰了。也不过只是点点闪烁的光明，而相看惯了，偶然不见，也有些想望与无聊。

连夜雨雪，一点星光都看不见。荷和我拥衾对坐，在廊子的两角，遥遥谈话。

荷指着说："你看维纳司（Venus）升起了!"我抬头望时，却是山路转折处的路灯。我怡然一笑，也指着对山的一星灯火说："那边是周彼得(Jupiter）呢!"

愈指愈多，松林中射来零乱的风灯，都成了满天星宿。真的，雪花隙里，看不出天空和山林的界限，将繁灯当做繁星，简直是抵得过。

一念至诚地将假作真，灯光似乎都从地上飘起。这幻成的星光，都不移动，不必半夜梦醒时，再去追寻它们的位置。

于是雨雪寂寞之夜，也有了慰安了!

（五）她得了刑罚了

休息的时间，是万事不许做的。每天午后的这两点钟，乏倦时觉得需要，睡不着的时候，觉得白天强卧在床上，真是无聊。

我常常偷着带书在床上看，等到看护妇来巡视的时候，就赶紧将书压在枕头底下，闭目装睡。——我无论如何淘气，也不敢大犯规矩，只到看书为止，而璧这个女孩子，往往悄悄地起来，抱膝坐在床上，逗引着别人谈笑。这一天她又坐起来，看看无人，便指手画脚地学起医生来。大家正卧着看着她笑，看护妇已远远地来了。她的床正对着甬道，卧下已来不及，只得仍旧皱眉地坐着。

看妇护走到廊上。我们都默然，不敢言语。她问璧说："你怎么不躺下？"

璧笑说："我胃不好，不住地打呃，躺下就难受。"看护妇道："你今天饭吃得怎样？"璧惴惴地忍笑地说："还好！"看护妇沉吟了一会儿便走出去。璧回首看着我们，抱头笑说："你们等着，这一下子我完了！"

果然看见看护妇端着一杯药进来，杯中噗噗作声。璧只得接过，皱眉四顾。我们都用毡子藏着脸，暗暗地笑得喘不过气来。

看护妇看着她一口气喝完了，才又慢慢地出去。璧颓然地两手捧着胸口卧了下去，似哭似笑地说："天呵！好酸！"

她以后不再胡说了，无病吃药是怎样难堪的事。大家谈起，都快意，拍手笑说："她得了刑罚了！"

（六）Eskimo

沙穰的小朋友替我上的 Eskimo 的徽号，是我所喜爱的，觉得比以前的别的称呼都有趣！

Eskimo 是北美森林中的蛮族。黑发披裘，以雪为屋。过的是冰天雪地的渔猎生涯。我哪能像他们那样的勇敢？

只因去冬风雪无阻地在林中游戏行走。林下冰湖正是沙穰村中小朋友的溜冰处。我经过，虽然我们屡次相逢，却没有说话。我只觉得他们往往停了游走，注视着我，互相耳语。

以后医生的甥女告诉我，沙穰的孩子传说林中来了一个 Eskimo。问他们是怎样说法，他们以黑发披裘为证。医生告诉他们说不是 Eskimo，是院中一个养病的人，他们才不再惊说了。

假如我是真的 Eskimo 呢，我的思想至少要简单了好些，这是第一件可羡的事。曾看过一本书上说："近代人五分钟的思想，够原始人或野蛮人想一年的。"人类在生理上，五十万年来没有进步，而劳心劳力的事，一年一年地增加，这是疾病的源泉，人生的不幸！

我愿终身在森林之中，我足踏枯枝，我静听树叶微语。清风从林外吹来，带着松枝的香气。白茫茫的雪中，除我外没有行人。我所见所闻，不出青松白雪之外，我就似可满意了！

出院之期不远，女伴戏对我说："出去到了车水马龙的波士顿街上，千万不要惊倒，这半年的闭居，足可使你成个痴子！"

不必说，我已自惊悚，一回到健康道上，世事已接踵而来……我倒愿做 Eskimo 呢。黑发披裘，只是外面的事！

（七）说几句爱海的孩气的话

白发的老医生对我说："可喜你已大好了，城市与你不宜，今夏海滨之行，也是取消了为妙。"

这句话如同平地起了一个焦雷！

学问未必都在书本上。纽约、康桥、芝加哥这些人烟稠密的地方，终身不去也没有什么，只是说不许我到海边去，这却太使我伤心了。

我抬头张目地说："不，你没有阻止我到海边去的意思！"

他笑道："是的，我不愿意你到海边去，太潮湿了，于你新愈的身体没有好处。”

我们争执了半点钟，至终他说：“那么你去一个礼拜吧！”他又笑说：“其实秋后的湖上，也够你玩的了！”

我爱慰冰，无非也是海的关系。若完全地叫湖光代替了海色，我似乎不大甘心。

可怜，沙穰的六个多月，除了小小的流泉外，连慰冰都看不见！山也是可爱的，但和海比，的确比不起，我有我的理由！

人常常说：“海阔天空。”只有在海上的时候，才觉得天空阔远到了尽量处。在山上的时候，走到岩壁中间，有时只见一线天光。即或是到了山顶，而因着天末是山，天与地的界线便起伏不平，不如水平线的齐整。

海是蓝色灰色的。山是黄色绿色的。拿颜色来比，山也比海不过，蓝色灰色含着庄严淡远的意味，黄色绿色却未免浅显小方一些。固然我们常以黄色为至尊，皇帝的龙袍是黄色的，但皇帝称为“天子”，天比皇帝还尊贵，而天却是蓝色的。

海是动的，山是静的；海是活泼的，山是呆板的。昼长人静的时候，天气又热，凝神望着青山，一片黑郁郁的连绵不动，如同病牛一般。而海呢，你看她没有一刻静止！从天边微波粼粼地直卷到岸边，触着崖石，更欣然地溅跃了起来，开了灿然万朵的银花！

四周是大海，与四周是乱山，两者相较，是如何滋味，看古诗便可知道。比如说海上山上看月出，古诗说：“南山塞天地，日月石上生。”细细咀嚼，这两句形容乱山，形容得极好，而光景何等臃肿、崎岖、僵冷，读了不使人生快感。而“海上生明月，天涯共此时”，也是月出，光景却何等妩媚、遥远、璀璨！

原也是的，海上没有红白紫黄的野花，没有蓝雀红襟等等美丽的小鸟。然而野花到秋冬之间，便都萎谢，反予人以凋落的凄凉。海上的朝霞晚霞，天上水里反映到不止红白紫黄这几个颜色。这一片花，却是四时不断的。说到飞鸟，蓝雀红襟自然也可爱，而海上的沙鸥，白胸翠羽，轻盈地漂浮在浪花之上，“凌波微步，罗袜生尘”。看见蓝雀红襟，只使我联忆到“山禽自唤名”，而见海鸥，却使我联忆到千古颂赞美人，颂赞到绝顶的句子，是“婉若游龙，翩若惊鸿”！

在海上又使人有透视的能力，这句话天然是真的！你倚栏俯视，你不由自主地要想起这万顷碧琉璃之下，有什么明珠，什么珊瑚，什么龙女，什么鲛鲨。在山上呢，很少使人想到山石黄泉以下，有什么金银铜铁。因为海水透明，天然的有引人们思想往深里去的趋向。

简直越说越没有完了，总而言之，统而言之，我以为海比山强得多。说句极端的话，假如我犯了天条，赐我自杀，我也愿投海，不愿坠崖！

争论真有意思！我对于山和海的品评，小朋友们愈和我辩驳愈好。“人心之不同，各如其面”，这样世界上才有个不同和变换。假如世界上的人都是一样的脸，我必不愿见人；假如天下人都是一样的嗜好，穿衣服的颜色式样都是一般的，则世界成了一个大学校，男女老幼都穿一样的制服。想至此不但好笑，而且无味！再一说，如大家都爱海呢，大家都搬到海上去，我又不得清静了！

（八）他们说我幸运

山做了围墙，草场成了庭院，这一带山林是我游戏的地方。早晨朝露还颗颗闪烁的时候，我就出去奔走，鞋袜往往都被露水淋湿了。黄昏睡起，短裙卷袖，微风吹衣，晚霞中我又游云似的在山路上徘徊。

固然的，如词中所说：“落日解鞍芳草岸，花无人戴，酒无人劝，醉也无人管！”不是什么好滋味；而“无人管”的情景，有时却真难得。你要以山中踯躅的态度，移在别处，可就不行。在学校中，在城市里，是不容你有行云流水的神意的。只因管你的人太多了！

我们楼后的儿童院，那天早晨我去参观了。正值院里的小朋友们在上课，有的在默写生字，有的在做算学。大家都有点事牵住精神，而忙中偷闲，还暗地传递小纸条，偷说偷玩，小手小脚，没有安静的时候。这些孩子我都认得，只因他们在上课，我只在后面悄悄地坐着，不敢和他们谈话。

不见黑板六个月了，这倒不觉得怎样。只是看见教员桌上那个又大又圆的地球仪，满屋里矮小的桌子椅子，字迹很大的卷角的书：倏时将我唤回到十五年前去。而黑板上写着的

$$\begin{array}{r}35\\-15\\\hline\end{array}\quad\begin{array}{r}21\\+10\\\hline\end{array}\quad\begin{array}{r}18\\-\ 9\\\hline\end{array}\quad\begin{array}{r}64\\\times 69\\\hline\end{array}$$

方程式。以及站在黑板前扶头思索，将粉笔在手掌上乱画的小朋友，我看着更觉得有一种说不出的怅惘。窗外日影徐移，虽不是我在上课，而我呆呆地看着壁上的大钟，竟有急盼放学的意思！

放学了，我正和教员谈话，小朋友们围拢来将我拉开了。保罗笑问我说："你们那楼里也有功课吗？"我说："没有，我们天天只是玩！"彼得笑叹道："你真是幸运！"

他们也是休养着，却每天仍有四点钟的功课。我出游的工夫，只在一定的时间里，才能见着他们。

唤起我十五年前的事，惭愧"三七二十一，四七二十八"的背乘数表等等，我已算熬过去，打过这一关来了！而回想半年前，厚而大的笔记本，满屋满架的参考书，教授们流水般的口讲……如今病好了，这生活还必须去过，又是怃然。

这生活还必须去过。不但人管，我也自管。"哀莫大于心死"，被人管的时候，传递小纸条偷说偷玩等事，还有工夫做。而自管的时候，这种动机竟绝然没有。十几年的训练，使人绝对地被书本征服了！

小朋友，"幸运"这两字又岂易言？

(九) 机器与人类幸福

小朋友一定知道机器的用处和好处，就是省人力，能在很短的时间内做很重大的工作。

在山中闲居，没有看见别的机器的机会，而山右附近的农园中的机器，已足使我赞叹。

他们用机器耕地，用机器撒种，以至于收割等等，都是机器一手经理。那天我特地走到山前去，望见农人坐在汽机上，开足马力，在田地上突突爬走。很坚实的地土，汽机过处，都水浪似的，分开两边，不到半点钟工夫，很宽阔一片地，都已耕松了。

农人从衣袋里掏出表来一看，便缓缓地捩转汽机，回到园里去。我也自转身。不知为何，竟然微笑。农人运用大机器，而小机器的表，又指挥了农人。我觉得很滑稽！

我小的时候，家园墙外，一望都是麦地。耕种收割的事，是最熟见不过的了。农夫农妇，汗流浃背地蹲在田里，一锄一锄地掘，一镰刀一镰刀地割。我在旁边看着，往往替他们吃力，又觉得迟缓得可怜！

两下里比起来，我确信机器是增进人类幸福的工具。但昨天我对于此事又有点怀疑。

昨天一下午，楼上楼下几十个病人都没有睡好！休息的时间内，山前耕地的汽机，轧轧的声满天地。酷暑的檐下，蒸炉一般热的床上，听着这单调而枯燥，震耳欲聋的铁器声，连续不断，脑筋完全跟着它颠簸了。焦躁加上震动，真使人有疯狂的倾向！

楼上下一片喃喃怨望声，却无法使这机器止住。结果我自己头痛欲裂。楼下那几个日夜发烧到一百零三、一百零四度的女孩子，我真替她们可怜，更不知她们烦恼到什么地步！农人所节省的一天半天的工夫和这几十个病人，这半日精神上所受的痛苦和损失，比较起来，相差远了！机器又似乎未必能增益人类的幸福。

想起幼年我的书斋只和麦地隔一道墙。假如那时的农人也用机器，简直我的书不用念了！

这声音直到黄昏才止息。我因头痛，要出去走走，顺便也去看看那害我半日不得休息的汽机。——走到田边，看见三四个农人正站着踌躇，手臂都叉在腰上，摇头叹息。原来机器坏了。这座东西笨重得很，十个人也休想搬得动，只得明天再开一座汽机来拉它。

我一笑就回来了——

（十）鸟兽不可与同群

女伴都笑茀玲是个傻子。而她并没有傻子的头脑，她的话有的我很喜欢。她说："和人谈话真拘束，不如同小鸟小猫去谈。它们不扰乱你，而且温柔地静默地听你说。"

我常常看见她坐在樱花下，对着小鸟，自说自笑。有时坐在廊上，抚着小猫，半天不动。这种行径，我并不觉得讨厌，也许就是因此，女伴才赠她以傻子的徽号，也未可知。

和人谈话未必真拘束，但如同生人、大人先生等等，正襟危坐地谈起来，却真不能说是乐事。十年来正襟危坐谈话的时候，一天比一天的多。我虽也做惯了，但偶有机会，我仍想释放我自己。这半年我就也常常做傻子了！

第一乐事，就是拔草喂马。看着这庞然大物，温驯地嚅动它的松软的大口和齐整的大牙，在你手中吃嚼青草的时候，你觉得它有说不尽的妩媚。

每日山后牛棚，拉着满车的牛乳罐的那匹斑白大马，我每日喂它。乳车停住了，驾车人往厨房里搬运牛乳，我便慢慢地过去。在我跪伏在樱花底下，拔那十样锦的叶子的时候，它便倒转那狭长而良善的脸来看我，表示它的欢迎与等待。我们渐渐熟识了，远远地看见我，它便抬起头来。我相信我离开之后，它虽不会说话，但必每日地怀念我。

还有就是小狗了。那只棕色的，在和我生分的时候，曾经吓过我。那一天雪中游山，出其不意在山顶遇见它，它追着我狂吠不止，我吓得走不动。它看我吓怔了，才住了吠，得了胜利似的，垂尾下山而去。我看它走了，一口气跑了回来。一夜没有睡好，心脉每分钟跳到一百十五下。

女伴告诉我，它是最可爱的狗，从来不咬人的。以后再遇见它，我先呼唤它的名字，它竟摇尾走了过来。自后每次我游山，它总是前前后后地跟着走。山林中雪深的时候，光景很冷静。它总算助了我不少的胆子。

此外还有一只小黑狗，尤其跳荡可爱。一只小白狗，也很驯良。

我从来不十分爱猫。因为小猫很带狡猾的样子，又喜欢抓人。医院中有一只小黑猫，在我进院的第二天早起刚开了门，它已从门隙塞进来，一跃到我床上，悄悄地便伏在我的怀前，眼睛慢慢地闭上，很安稳地便要睡着。我最怕小猫睡时呼吸的声音！我想推它，又怕它抓我。那几天我心里又难过，因此愈加焦躁。幸而看护妇不久便进来！我皱眉叫她抱出这小猫去。

以后我渐渐地也爱它了。它并不抓人。当它仰卧在草地上，用前面两只小爪，拨弄着玫瑰花叶，自惊自跳的时候，我觉得它充满了活泼和欢悦。

小鸟是怎样的玲珑娇小呵！在北京城里，我只看见老鸦和麻雀。有时也看见啄木鸟。在此却是雪未化尽，鸟儿已成群地来了。最先的便是青鸟。西方人以青鸟为快乐的象征，我看最恰当不过。因为青鸟的鸣声中，婉转地报着春的消息。

知更雀的红胸，在雪地上，草地上站着，都极其鲜明。小蜂雀更小到无可苗条，从花梢飞过的时候，竟要比花还小。我在山亭中有时抬头瞥见，只屏息静立，连眼珠都不敢动，我似乎恐怕将这弱不禁风的小仙子惊走了。

此外还有许多毛羽鲜丽的小鸟，我因找不出它们的中国名字，只得阙疑。早起朝日未出，已满山满谷地起了轻美的歌声。在朦胧的晓风之中，欹枕倾听，使人心魂俱静。春是鸟的世界，“以鸟鸣春”和“春眠不觉晓，处处闻啼鸟”，这两句话，我如今彻底地领略过了！

我们幕天席地的生涯之中和小鸟最相亲爱。玫瑰和丁香丛中更有青鸟和知更雀的巢，那巢都是筑得极低，一伸手便可触到。我常常去探望小鸟的家庭，而我却从不做偷卵捉雏等等破坏它们家庭幸福的事。我想到我自己不过是暂时离家，我的母亲和父亲已这样的牵挂。假如我被人捉去，关在笼里，永远不得回来呢，我的父亲母亲岂不心碎？我爱自己，也爱雏鸟，我爱我的双亲，我也爱雏鸟的双亲！

而且是怎样有趣的事，你看小鸟破壳出来，很黄的小口，毛羽也很稀疏，觉得很丑。它们又极其贪吃，终日张口在巢里啾啾地叫！累得它们的母亲飞去飞回地忙碌。渐渐地长大了，它母亲领它们飞到地上。它们的毛羽很蓬松，两只小腿蹒跚地走，看去比它们的母亲还肥大。它们很傻的样子，茫然地跟着母亲乱跳。母亲偶然啄得了一条小虫，它们便纷然地过去，啾啾地争着吃。早起母亲教给它们歌唱，母亲的声音极婉转，它们的声音，却很憨涩。这几天来，它们已完全地会飞了、会唱了，也知道自己觅食，不再累它们的母亲了。前天我去探望它们时，这些雏鸟已不在巢里，它们已筑起新的巢了，在离它们的父母的巢不远的枝上，它们常常来看它们的父母的。

还有虫儿也是可爱的。藕荷色的小蝴蝶，背着圆壳的蜗牛，嗡嗡的蜜蜂，甚至于水里每夜乱唱的青蛙，在花丛中闪烁的萤虫，都是极温柔，极其孩子气的。你若爱它，它也爱你们。因为它们太喜爱小孩子。大人们太忙，没有工夫和它们玩。

（原载 1924 年 8 月 8 日—10 日《晨报副镌》）

往事（一）（节选）

——生命历史中的几页图画

一

将我短小的生命的树，一节一节的斩断了，圆片般堆在童年的草地上。我要一片一片地拾起来看：含泪的看，微笑的看，口里吹着短歌的看。

难为他装点得一节一节，这般丰满而清丽！

我有一个朋友，常常说，“来生来生！”——但我却如此说：“假如生命是乏味的，我怕有来生。假如生命是有趣的，今生已是满足的了！”

第一个厚的圆片是大海；海的西边，山的东边，我的生命树在那里萌芽生长，吸收着山风海涛。每一根小草，每一粒沙砾，都是我最初的恋慕，最初拥护我的安琪儿。

这圆片里重叠着无数快乐的图画，憨嬉的图画，寂寞的图画，和泛泛无着的图画。

放下罢，不堪回忆！

第二个厚的圆片是绿荫；这一片里许多生命表现的幽花，都是这绿荫烘托出来的。有浓红的，有淡白的，有不可名色的……

晚晴的绿荫，朝雾的绿荫，繁星下指点着的绿荫，月夜花棚秋千架下的绿荫！

感谢这曲曲屏山！它圈住了我许多思想。

第三个厚的圆片，不是大海，不是绿荫，是什么？我不知道！

假如生命是无味的，我不要来生。假如生命是有趣的，今生已是满足的了。

二

黑暗不是阴霾，我恨阴霾，我却爱黑暗。

在光明中，一切都显着了。黑是黑白是白的，也有了树，也有了花，也有了红墙，也有了蓝瓦：便一切崭然，便有人，有我，有世界。

颂美黑暗！讴歌黑暗！只有黑暗能将这一切都消灭调和于虚空混沌之中；没有了人，没有了我，更没有了世界！

黑暗的园里，和华同坐。看不见她，也更看不见我，我们只深深地谈着。说到同心处，竟不知是我说的，还是她说的，入耳都是天乐一般——只在一阵风过，槐花坠落如雨的时候，我因着衣上的感觉和感觉的界限，才觉得“我”不是“她”，才觉得黑暗中仍有“我”的存在。

华在黑暗中递过一朵茉莉，说：“你戴上吧，随着花香，你纵然起立徘徊，我也知道你在何处。”——我无言地接了过来。

华妹呵，你终竟是个小孩子。槐花、茉莉，都是黑暗中最着迹的东西，在无人我的世界里，要拒绝这个！

三

“只是等着，等着，母亲还不回来呵！”

乳母在灯下睁着疲倦下垂的眼睛，说：“莹哥儿！不要尽着问我，你自己上楼去，在栏边望一望，山门内露出两盏红灯时，母亲便快来到了。”

我无疑地开了门出去，黑暗中上了楼——望着，望着，无有消息。

绕过那边栏旁，正对着深黑的大海和闪烁的灯塔。

幼稚的心，也和成人一般，一时的光明朗澈——我深思，我数着灯光明灭的数儿，数到第十八次。我对着未曾想见的命运，自己假定地起了怀疑。

“人生！灯一般的明灭，漂浮在大海之中。”——我起了无知的长太息。

生命之灯燃着了，爱的光从山门边两盏红灯中燃着了！

四

在堂里忘了有雪，并不知有月。

匆匆地走出来，捻灭了灯，原来月光如水！

只深深的雪，微微的月呵！地下很清楚地现出扫除了的小径。我一步一步地走，走到墙边，还觉得脚下踏着雪中沙沙的枯叶。墙的黑影覆住我，我在影中抬头望月。

雪中的故宫，云中的月，甍瓦上的兽头——我回家去，在车上，我觉得这些熟见的东西，是第一次这样明澈生动地入到我的眼中、心中。

五

场厅里四隅都黑暗了，只整齐的椅子，一行行地在阴沉沉的影儿里平列着。

我坐在尽头上近门的那一边，抚着锦衣，抚着绣带和缨冠凝想——心情复杂得很。

晚霞在窗外的天边，一刹浓红，一刹深紫，回光到屋顶上——

台上琴声作了。一圈的灯影里，从台侧的小门，走出十几个白衣彩饰，散着头发的安琪儿，慢慢地相随进来，无声地在台上练习着第一场里的跳舞。

我凝然地看着，潇洒极了，温柔极了，上下的轻纱的衣袖，和着锹铮的琴声，合拍地和着我心弦跳动，怎样的感人呵！

灯灭了，她们又都下去了，台上台下只我一人了。

原是叫我出来疏散休息着的，我却哪里能休息？我想……一会儿这场里便充满了灯彩，充满了人声和笑语，怎知道剧前只为我一人的思考室呢？

在宇宙之始，也只有一个造物者，万有都整齐平列着。他凭在高栏，看那些光明使者，歌颂——跳舞。

到了宇宙之中，人类都来了，悲剧也好，喜剧也好，佯悲诡笑地演了几场。剧完了，人散了，灯灭了，……一时沉黑，只有无穷无尽的寂寞！

一会儿要到台上，要说许多的话；憨稚的话，激昂的话，恋别的话……何尝是我要说的？但我既这样地上了台，就必须这样地说。我千辛万苦，冒进了阴惨的夜宫，经过了光明的天国，结果在剧中还是做了一场大梦。

印证到真的——比较的真的——生命道上，或者只是时间上久暂的分别罢了：但在无限之生里，真的生命的几十年，又何异于台上之一瞬？

我思路沉沉，我觉悟而又惆怅，场里更黑了。

台侧的门开了，射出一道灯光来——我也须下去了，上帝！这也是“为一大事出世”！

我走着台上几小时的生命的道路……

又乏倦地倚着台后的琴站着——幕外的人声，渐渐地远了，人们都来过了；悲剧也罢，喜剧也罢，我的事完了；从宇宙之始，到宇宙之终，也是如此，生命的道路走尽了！

看她们洗去铅华，卸去妆饰，无声地忙乱着。

满地的衣裳狼藉，金戈和珠冠杂置着。台上的仇敌，现在也拉着手说话；台上的亲爱的人，却东一个西一个地各忙自己的事。

我只看着——终竟是弱者呵！我爱这几小时如梦的生命！我抚着头发，抚着锦衣……“生命只这般的虚幻么？”

六

涵在廊上吹箫，我也走了出去。

天上只微微的月光，我撩起垂拂的白纱帐子来，坐在廊上的床边。

我的手触了一件蠕动的东西，细看时是一条很长的蜈蚣。我连忙用手绢拂到地上去，又唤涵踩死它。

涵放了箫，只默然地看着。

我又说：“你还不踩死它！”

他抬起头来，严重而温和的目光，使我退缩。他慢慢地说：“姊姊，这也是一个生命呵！”

霎时间，使我有无穷的惭愧和悲感。

七

父亲的朋友送给我们两缸莲花，一缸是红的，一缸是白的，都摆在院子里。

八年之久，我没有在院子里看莲花了——但故乡的园院里，却有许多；不但有并蒂的，还有三蒂的、四蒂的，都是红莲。

九年前的一个月夜，祖父和我在园里乘凉。祖父笑着和我说："我们园里最初开三蒂莲的时候，正好我们大家庭中添了你们三个姊妹。大家都欢喜，说是应了花瑞。"

半夜里听见繁杂的雨声，早起是浓阴的天，我觉得有些烦闷。从窗内往外看时，那一朵白莲已经谢了，白瓣儿小船般散漂在水面。梗上只留下小小的莲蓬和几根淡黄色的花须，那一朵红莲，昨夜还是菡萏的，今晨却开满了，亭亭地在绿叶中间立着。

仍是不适意！——徘徊了一会儿，窗外雷声作了，大雨接着就来，愈下愈大。那朵红莲，被那繁密的雨点，打得左右攲斜。在无遮蔽的天空之下，我不敢下阶去，也无法可想。

对屋里母亲唤着，我连忙走过去，坐在母亲旁边——一回头忽然看见红莲旁边的一个大荷叶，慢慢地倾侧了来，正覆盖在红莲上面……我不宁的心绪散尽了！

雨势并不减退，红莲却不摇动了。雨点不住地打着，只能在那勇敢慈怜的荷叶上面，聚了些流转无力的水珠。

我心中深深地受了感动——

母亲呵！你是荷叶，我是红莲。心中的雨点来了，除了你，谁是我在无遮拦天空下的荫蔽？

一九二二年七月二十一日

八

原是儿时的海，但再来时却又不同。

倾斜的土道，缓缓地走了下去——下了几天的大雨，溪水已涨抵桥板下了。再下去，沙上软得很，拣块石头坐下，伸手轻轻地拍着海水……儿时的朋友呵，又和你相见了！

一切都无改：灯塔还是远立着，海波还是粘天地进退着，坡上的花生园子，还是有人在耕种着。——只是我改了，膝上放着书，手里拿着笔，对着从前绝不起问题的四围的环境思索了。

居然低头写了几个字，又停止了，看了看海，坐得太近了，凝神的时候，似乎海波要将我漂起来。

年光真是一件奇怪的东西！一次来心境已变了，再往后时如何？也许是海借此要拒绝我这失了童心的人，不让我再来了。

天色不早了。采了些野花，也有黄的，也有紫的，夹在书里，无聊地走上坡去——华和杰他们却从远远的沙滩上，拾了许多美丽的贝壳和卵石，都收在篮里，我只站在桥边等着……

他们原和我当日一般，再来时，他们也有像我今日的感想吗？

九

只在夜半忽然醒了的时候，半意识的状态之中，那种心情，我相信是和初生的婴儿一样的。——每一种东西，每一件事情，都渐渐地、清澈地，侵入光明的意识界里。

一个冬夜，只觉得心灵从渺冥黑暗中渐渐地清醒了来。

雪白的墙上，哪来些粉霞的颜色，那光辉还不住地跳动——是月夜吗？比它清明。是朝阳吗？比它稳定。欠身看时，却是薄帘外熊熊的炉火。是谁临睡时将它添得这样旺！

这时忽然了解是一夜的正中。我另到一个世界里去了，澄澈清明，不可描画，白日的事，一些儿也想不起来了，我只静静的……

回过头来，床边小几上的那盆牡丹，在微光中晕红着脸，好像浅笑着对我说："睡人呵！我守着你多时了。"水仙却在光影外，自领略她凌波微步的仙趣，又好像和倚在她旁边的梅花对语。

看守我的安琪儿呵！在我无知的浓睡之中，都将你们辜负了！

火光仍是漾着，我仍是静着——我意识的界限，却不只牡丹，不只梅花，渐渐地扩大起来了。但那时神清若水，一切的事，都像剔透玲珑的石子般，浸在水里，历历可数。

一会儿渐渐地又沉到无意识界中去了——我感谢睡神，他用梦的帘儿，将光雾般的一夜和尘嚣的白日分开了，使我能完全地留一个清绝的记忆！

一〇

晚餐的时候。灯光之下，母亲看着我半天，忽然想起笑着说："从前在海边住的时候，我闷极了，午后睡了一觉，醒来遍处找不见你。"

我知道母亲要说什么——我只不言语，我忆起我五岁时的事情了。

弟弟们都问："往后呢？"

母亲笑着看着我说："找到大门前，她正呆呆地自己坐在石阶上，对着大海呢！我睡了三点钟，她也坐了三点钟了。可怜的寂寞的小人儿呵！你们看她小时已经是这样的沉默了——我连忙上前去，珍重地将她揽在怀里……"母亲眼里满了欢喜慈怜的珠泪。

父亲也微笑了。——弟弟们更是笑着看我。

母亲的爱和寂寞的悲哀，以及海的深远，都在我的心中，又起了一回不可言说的惆怅！

一一

忘记了是哪一个春天的早晨——

手里拿着几朵玫瑰，站在廊上——马莲遍地地开着，玫瑰更是繁星般在绿叶中颤动。

她们两个在院子里缓步，微微地互视地谈着。

这一切都与我无关涉——朝阳照着她们，和风吹着她们；她们的友情在朝阳下酝酿，她们的衣裙在和风中整齐地飘扬。

春浸透了这一切——浸透了花儿和青草……

上帝呵！独立的人不知道自己也浸在春光中。

一四

每次拿起笔来，头一件事忆起的就是海。我嫌太单调了，常常因此搁笔。

每次和朋友们谈话，谈到风景，海波又侵进谈话的岸线里，我嫌太单调了，常常因此默然，终于无语。

一次和弟弟们在院子里乘凉，仰望天河，又谈到海。我想索性今夜彻底的谈一谈海，看词锋到何时为止，联想至何处为极。

我们说着海潮，海风，海舟……最后便谈到海的女神。

涵说："假如有位海的女神，她一定是'艳如桃李，冷若冰霜'的。"我不觉笑问，"这话怎讲?"

涵也笑道，"你看云霞的海上，何等明媚；风雨的海上，又是何等的阴沉!"

杰两手抱膝凝听着，这时便运用他最丰富的想象力，指点着说："她……她住在灯塔的岛上，海霞是她的扇旗，海鸟是她的侍从；夜里她曳着白衣蓝裳,头上插着新月的梳子，胸前挂着明星的璎珞；翩翩地飞行于海波之上……"

楫忙问："大风的时候呢?"杰道："她驾着风车，狂飙疾转的在怒涛上驱走；她的长袖拂没了许多帆舟。下雨的时候，便是她忧愁了，落泪了，大海上一切都低头静默着。黄昏的时候，霞光灿然，便是她回波电笑，云发飘扬，丰神轻柔而潇洒……”

这一番话，带着画意，又是诗情，使我神往，使我微笑。

楫只在小椅子上，挨着我坐着，我抚着他，问：“你的话必是更好了，说出来让我们听听！”他本静静地听着，至此便抱着我的臂儿，笑道，“海太大了，我太小了，我不会说。”

我肃然——涵用折扇轻轻的击他的手，笑说，“好一个小哲学家！”

涵道：“姊姊，该你说一说了。”我道，“好的都让你们说尽了——我只希望我们都像海！”

杰笑道，“我们不配做女神，也不要‘艳如桃李，冷若冰霜’的。”

他们都笑了——我也笑说，“不是说做女神，我希望我们都做个‘海化’的青年。像涵说的，海是温柔而沉静。杰说的，海是超绝而威严。楫说的更好了，海是神秘而有容，也是虚怀，也是广博……”

我的话太乏味了，楫的头渐渐的从我臂上垂下去，我扶住了，回身轻轻地将他放在竹榻上。

涵忽然说：“也许是我看的书太少了，中国的诗里，咏海的真是不多；可惜这么一个古国，上下数千年，竟没有一个‘海化’的诗人！”

从诗人上，他们的谈锋便转移到别处去了——我只默默的守着楫坐着，刚才的那些话，只在我心中，反复地寻味——思想。

二〇

精神上的朋友宛因，和我的通讯里，曾一度提到死后，她说：“我只要一个白石的坟墓，四面矮矮的石阑，墓上一个十字架，再有一个仰天沉思的石像。……这墓要在山间幽静处，丛树荫中，有溪水徐流，你一日在世，有什么新开的花朵，替我放上一两束，其余的人，就不必到那里去。”

我看完这一段，立时觉得眼前涌现了一幅清幽的图画。但是我想来想去……宛因呵，你还未免太“人间化”了！

何如脚儿赤着，发儿松松的绾着，躯壳用缟白的轻绡裹着，放在一个空明莹澈的水晶棺里，用纱灯和细乐，一叶扁舟，月白风清之夜，将这棺儿送到海上，在一片挽歌声中，轻轻的系下，葬在海波深处。

想象吊者白衣如雪，几只大舟，首尾相接，耀以红灯，绕以清乐，一簇的停在波心。何等凄清，何等苍凉，又是何等豪迈！

以万顷沧波作墓田，又岂是人迹可到？即使专诚要来瞻礼，也只能下俯清波，遥遥凭吊。

更何必以人间暂时的花朵，来娱悦海中永久的灵魂！看天上的乱星孤月，水面的晚烟朝霞，听海风夜奔，海波夜啸。比新开的花，徐流的水，其壮美的程度相去又如何？

从此穆然，超然，在神灵上下，鱼龙竞逐，珊瑚玉树交枝回绕的渊底，垂目长眠：那真是数千万年来人类所未享过的奇福！

至此搁笔，神志洒然，忽然忆起少作走韵的“集龚”中有“少年哀乐过于人，消息都妨父老惊，一事避君君匿笑，欲求缥缈反幽深。”——不觉一笑！

往事（二）（节选）

三

今夜林中月下的青山，无可比拟！仿佛万一，只能说是似娟娟的静女，虽是照人的明艳，却不飞扬妖冶；是低眉垂袖，璎珞矜严。

流动的光辉之中，一切都失了正色：松林是一片浓黑的，天空是莹白的，无边的雪地，竟是浅蓝色的了。这三色衬成的宇宙，充满了凝静，超逸与庄严；中间流溢着满空幽哀的神意，一切言词文字都丧失了，几乎不容凝视，不容把握！

今夜的林中，决不宜于将军夜猎——那从骑杂沓，传叫风生，会踏毁了这平整匀纤的雪地；朵朵的火燎，和生寒的铁甲，会缭乱了静冷的月光。

今夜的林中，也不宜于燃枝野餐——火光中的喧哗欢笑，杯盘狼藉，会惊起树上隐栖的禽鸟；踏月归去，数里相和的歌声，会叫破了这如怨如慕的诗的世界。

今夜的林中，也不宜于爱友话别，叮咛细语——凄意已足，语音已微；而抑郁缠绵，作茧自缚的情绪，总是太“人间的”了，对不上这晶莹的雪月，空阔的山林。

今夜的林中，也不宜于高士徘徊，美人掩映——纵使林中月下，有佳句可寻，有佳音可赏，而一片光雾凄迷之中，只容意念回旋，不容人物点缀。

我倚枕百般回肠凝想，忽然一念回转，黯然神伤……

今夜的青山只宜于这些女孩子，这些病中倚枕看月的女孩子！

假如我能飞身月中下视，依山上下曲折的长廊，雪色侵围阑外，月光浸着雪净的衾裯，逼着玲珑的眉宇。这一带长廊之中，万籁俱绝，万缘俱断，有如水的客愁，有如丝的乡梦，有幽感，有彻悟，有祈祷，有忏悔，有万千种话……

山中的千百日，山光松影重叠到千百回，世事从头减去，感悟逐渐侵来，已滤就了水晶般清澈的襟怀。这时纵是顽石钝根，也要思量万事，何况这些思深善怀的女子？

往者如观流水——月下的乡魂旅思，或在罗马故宫，颓垣废柱之旁；或在万里长城，缺堞断阶之上；或在约旦河边，或在麦加城里；或超渡莱因河，或飞越落玑山；有多少魂销目断，是耶非耶？只她知道！

来者如仰高山——久久的徘徊在困弱道途之上，也许明日，也许今年，就揭卸病的细网，轻轻的试叩死的铁门！

天国泥犁，任她幻拟：是泛入七宝莲池？是参谒白玉帝座？是欢悦？是惊怯？有天上的重逢，有人间的留恋，有未成而可成的事功，有将实而仍虚的愿望；岂但为我？牵及众生，大哉生命！

这一切，融合着无限之生一刹那顷，此时此地的，宇宙中流动的光辉，是幽忧，是彻悟，都已宛宛氤氲，超凡入圣——

万能的上帝，我诚何福？我又何辜？……

一九二四年二月三十日夜，沙穰

六

从来未曾感到的，这三夜来感到了，尤其是今夜！——与其说“感”不如说“刺”——今夜感到的，我恳颤的希望这一生再也不感到！

阴历八月十四夜，晚餐后同一位朋友上楼来，从塔窗中，她忽然赞赏的唤我看月。撩开幔子，我看见一轮明月，高悬在远远的塔尖。地上是水银泻地般的月光。我心上如同着了一鞭，但感觉还散漫模糊，只惘然的也赞美了一句，便回到屋里，放下两重帘子来睡了。

早起一边理发，忽又惘惘的忆起昨夜的印象。我想起“……看月多归思，晓起开笼放白鹇”这两句来。如有白鹇可放，我昨夜一定开笼了，然而她纵有双飞翼，也怎生飞渡这浩浩万里的太平洋？我连替白鹇设想的希望都绝了的时候，我觉得到了最无可奈何的境界！

中秋日，居然晴明，我已是心慑，仪又欢笑的告诉我，今夜定在湖上泛舟，我尤其黯然！但这是沿例，旧同学年年此夜请新同学荡舟赏月，我如何敢言语？

黄昏良来召唤我时，天竟阴了，我一边和她走着，说不出心里的感谢。

我们七人，坐了三只小舟，一篙儿点开，缓缓从桥下穿过，已到湖上。

四顾廓然，湖光满眼。环湖的山黯青着，湖水也翠得很凄然。水底看见黑云浮动，湖岸上的秋叶，一丛丛的红意迎人，几座楼台在远处，旋转的次第入望。

我们荡到湖心，又转入水枝低椏处，错落的谈着，不时的仰望云翳的天空。云彩只严遮着，月意杳然。——“千金也买不了她这一刻的隐藏！”我说不出的心里的感谢。

云影只严遮着，月意杳然，夜色渐渐逼人，湖光渐隐。几片黑云，又横曳过湖东的丛树上，大家都怅惘，说：“无望了！我们回去罢！”

归棹中我看见舟尾的秋。她在桨声里，似吟似叹的说：“月呵！怎么不做美呵！”她很轻巧的又笑了，我也报她一笑。——这是“释然”，她哪儿知道我的心绪？

到岸后，还在堤边流连仰望了片晌。——我想：“真可怜——中秋夜居然逃过了！”人人怅惘的归途中，我有说不尽的心里的感谢。

十六夜便不防备，心中很坦然，似乎忘却了。

不知如何，偶然敲了楼东一个朋友的室门，她正灭了灯在窗前坐着。月光满室！我一惊，要缩回也来不及了，只能听她起身拉着我的手，到窗前来。

没有一点缺憾！月儿圆满光明到十二分。我默然，我咬起唇儿，我几乎要迸出一两句诅咒的话！

假如她知道我这时心中的感伤是到了如何程度，她也必不忍这般的用双臂围住我，逼我站在窗前。我惨默无声，我已拼着股勇气去领略。正如立近万丈的悬崖，下临无际的酸水的海。与其徘徊着惊悸亡魂，不如索性纵身一跃，死心的去感觉那没顶切肤的辛酸的感觉。

我神摇目夺的凝望着：近如方院，远如天文台，以及周围的高高下下的树，都逼射得看出了红，蓝，黄的颜色。三个绿半球针竿高指的圆顶下，不断的白圆穹门，一圈一圈的在地的月影，如墨线画的一般的清晰。十字道四角的青草，青得四片绿绒似的，光天化日之下，也没有这样的分明呵，何况这一切都浸透在这万里迷濛的光影里……

我开始的诅咒了！

乡愁麻痹到全身，我掠着头发，发上掠到了乡愁；我捏着指尖，指上捏着了乡愁。是实实在在的躯壳上感着的苦痛，不是灵魂上浮泛流动的悲哀！

我一翻身匆匆的辞了她，回到屋里来。匆匆的用手绢蒙起了桌上嵌着父亲和母亲相片的银框。匆匆的拿起一本很厚的书来，扶着头苦读——茫然的翻了几十页，我实在没有气力再敷衍了，推开书，退到床上，万念俱灰的起了呜咽。

我病了——

那夜的惊和感，如夏空的急电，奔腾闪掣到了最高尖。过后回思，使我怃然叹异，而且不自信！如今反复的感着乡愁的心，已不能再飙起。无数的月夜都过去了，有时竟是整夜的看着，情感方面，却至多也不过“惘然”。

痛定思痛，我觉悟了明月为何千万年来，伤了无数的客心！静夜的无限光明之中，将四围衬映得清晰浮动，使她彻底的知道，一身不是梦，是明明白白的去国客游。一切离愁别恨，都不是淡荡的，犹疑的；是分明的，真切的，急如束湿的。

对于这事，我守了半年的缄默；只在今春与友人通讯之间，引了古人月夜的名句之后，我写：“呜呼！鉴赏好文学，领略人生，竟须付若大代价耶？”

至于代价如何，“呜呼”两字之后，藏有若干的伤感，我竟没有提，我的朋友因而也不曾问起。

一九二三年九月二十六日夜，闭壁楼

八

是除夜的酒后，在父亲的书室里。父亲看书，我也坐近书几，已是久久的沉默——

我站起，双手支颐，半倚在几上，我唤："爹爹！"父亲抬起头来。"我想看守灯塔去。"

父亲笑了一笑，说："也好，整年整月的守着海——只是太冷寂一些。"说完仍看他的书。

我又说："我不怕冷寂，真的，爹爹！"

父亲放下书说："真的便怎样？"

这时我反无从说起了！我耸一耸肩，我说："看灯塔是一种最伟大，最高尚，而又最有诗意的生活……"

父亲点头说："这个自然！"他往后靠着椅背，是预备长谈的姿势。这时我们都感着兴味了。

我仍旧站着，我说："只要是一样的为人群服务，不是独善其身；我们固然不必避世，而因着性之相近，我们也不必避'避世'！"

父亲笑着点头。

我接着："避世而出家，是我所不屑做的，奈何以青年有为之身，受十方供养？"

父亲只笑着。

我勇敢的说："灯台守的别名，便是'光明的使者'。他抛离田里，牺牲了家人骨肉的团聚，一切种种世上耳目纷华的娱乐，来整年整月的对着渺茫无际的海天。除却海上的飞鸥片帆，天上的云涌风起，不能有新的接触。除了骀荡的海风，和岛上崖旁转青的小草，他不知春至。我抛却'乐群'，只知'敬业'……"

父亲说："和人群大陆隔绝，是怎样的一种牺牲，这情绪，我们航海人真是透彻中边的了！”言次，他微叹。

我连忙说：“否，这在我并不是牺牲！我晚上举着火炬，登上天梯，我觉得有无上的倨傲与光荣。几多好男子，轻侮别离，弄潮破浪，狎习了海上的腥风，驱使着如意的桅帆，自以为不可一世，而在狂飙浓雾，海水山立之顷，他们却蹙眉低首，捧盘屏息，凝注着这一点高悬闪烁的光明！这一点是警觉，是慰安，是导引，然而这一点是由我燃着！”

父亲沉静的眼光中，似乎忽忽的起了回忆。

“晴明之日，海不扬波，我抱膝沙上，悠然看潮落星生。风雨之日，我倚窗观涛，听浪花怒撼崖石。我闭门读书，以海洋为师，以星月为友，这一切都是不变与永久。

“三五日一来的小艇上，我不断的得着世外的消息，和家人朋友的书函；似暂离又似永别的景况，使我们永驻在‘的的如水’的情谊之中。我可读一切的新书籍，我可写作，在文化上，我并不曾与世界隔绝。”

父亲笑说：“灯塔生活，固然极其超脱，而你的幻象，也未免过于美丽。倘若病起来，海水拍天之间，你可怎么办？”

我也笑道：“这个容易——一时虑不到这些！”

父亲道：“病只关你一身，误了燃灯，却是关于众生的光明……”

我连忙说：“所以我说这生活是伟大的！”

父亲看我一笑，笑我词支，说：“我知道你会登梯燃灯；但倘若有大风浓雾，触石沉舟的事，你须鸣枪，你须放艇……”

我郑重地说：“这一切，尤其是我所深爱的。为着自己，为着众生，我都愿学！”

父亲无言，久久，笑道：“你若是男儿，是我的好儿子！”

我走近一步，说：“假如我要得这种位置，东南沿海一带，爹爹总可为力？”

父亲看着我说：“或者……但你为何说得这般的郑重？”

我肃然道：“我处心积虑已经三年了！”

父亲敛容，沉思的抚着书角，半天，说：“我无有不赞成，我无有不为力。为着去国离家，吸受海上腥风的航海者，我忍心舍遣我惟一的弱女，到岛山上点起光明。但是，惟一的条件，灯台守不要女孩子！”

我木然勉强一笑，退坐了下去。

又是久久的沉默——

父亲站起来，慰安我似的：“清静伟大，照射光明的生活，原不止灯台守，人生宽广得很！”

我不言语。坐了一会，便掀开帘子出去。

弟弟们站在院子的四隅，燃着了小爆竹。彼此抛掷，欢呼声中，偶然有一两支掷到我身上来，我只笑避——实在没有同他们追逐的心绪。

回到卧室，黑沉沉的歪在床上。除夕的梦纵使不灵验，万一能梦见，也是慰情聊胜无。我一念至诚的要入梦，幻想中画出环境，暗灰色的波涛，岿然的白塔……

一夜寂然——奈何连个梦都不能做！

这是两年前的事了，我自此后，禁绝思虑，又十年不见灯塔，我心不乱。

这半个月来，海上瞥见了六七次，过眼时只悄然微叹。失望的心情，不愿它再兴起。而今夜浓雾中的独立，我竟极奋迅的起了悲哀！

丝雨濛濛里，我走上最高层，倚着船阑，忽然见天幕下，四塞的雾点之中，夹岸两嶂淡墨画成似的岛山上，各有一点星光闪烁——

船身微微的左右欹斜，这两点星光，也徐徐的在两旁隐约起伏。光线穿过雾层，莹然，灿然，直射到我的心上来，如招呼，如接引，我无言，久——久，悲哀的心弦，开始策策而动！

有多少无情有恨之泪，趁今夜都向这两点星光挥洒！凭吟啸的海风，带这两年前已死的密愿，直到塔前的光下——

从此了结！拈得起，放得下，愿不再为灯塔动心，也永不做灯塔的梦，无希望的永古不失望，不希冀那不可希冀的，永古无悲哀！

愿上帝祝福这两个塔中的燃灯者！——愿上帝祝福有海水处，无数塔中的燃灯者！愿海水向他长绿，愿海山向他长青！愿他们知道自己是这一隅岛国上无冠的帝王，只对他们，我愿致无上的颂扬与羡慕！

一九二三年八月二十八日，太平洋舟中

我所见到的蒋夫人[①]

主妇之友社约我写一篇有关蒋介石夫人的稿子。和蒋夫人并不那么熟悉的我能有机会向日本女性介绍她真是非常荣幸，因为夫人才是中国真正伟大的主妇之一。

一九二四年，我在美国威尔斯利女子大学留学时，我的美国老师们经常自豪地和我说，本校有一位中国留学生，即一九一七年毕业的宋美龄小姐，她非常聪明、漂亮。我回国后，一九二七年宋小姐与蒋介石将军结婚。我经常在新闻和杂志上拜见夫人的照片和讲话，但始终没有机会和她见面。

一九三七年，抗日战争爆发。一九三八年，我们全家从北平搬到云南省的昆明。当时我丈夫吴文藻因英国和中国间的特殊讲座被派遣到云南大学当人类学教授，不久被任命为社会系的系主任。我们便在云南过起了昔日的教师生活。

一九四〇年秋天，我突然收到重庆的友人的来信。信上写道，他与蒋介石见了面，在和蒋夫人的谈话中，蒋夫人说她主导的新生活运动妇女指导委员会现在需要一名文化事业部部长，当我的朋友向蒋夫人提起我的名字时，夫人十分高兴，希望我能坐飞机到重庆与她见面。当时我不知道自己是否能离开昆明，也不知道这个工作的性质，但是读了许多有关蒋夫人的中外传记，从朋友那儿也听到许多有关蒋夫人的情况。我真的很想见夫人，想接近她那不同寻常的人格。正巧吴文藻因学术会议也要去重庆，于是我们便一起出发了。

从飞机上往下看，我们越过了云南陡峭的山脉，在被称为“天府之国”的四川省的田野中降落了。重庆是一个位于山间的细长形的城市，在薄雾中耸立于长江和嘉陵江之间。飞机渐渐地下降，在城市的上空回旋时，我看到重庆遍

---

① 日译文的原题为《私の见た蒋夫人》（谢冰心著、武田泰淳译《主妇之友》第31卷第4号，1947年4月）。

地都是空袭后的痕迹。墙壁倾斜、栅栏倒塌、大桥陷落、道路绝尽。但完好无损的政府的建筑物上却四处飘扬着青天白日旗，新建的小木屋宛如雨后春笋般地排列在道路的两旁。“这就是抗战时发出一切军事政治命令的重庆!”我内心紧张，无法控制兴奋的心情。

蒋夫人派自己的秘书钱用和女士来接我们。这天晚上，我们在重庆的朋友家住了一宿。第二天早上，钱女士来接我们和妇女指导委员会的总干事、部长等人一同前往郊外蒋夫人的官邸。

这个官邸说是在重庆，却坐落于长江对岸的黄山。我们坐小蒸汽船渡过滔滔流滚的长江，然后坐山轿上了山。这天，凝聚在雨中的浓雾随风飘动，到处都能听到溪流声，雄伟陡峭的山壁上郁郁葱葱、树木丛生，一个又一个的山峰在我们眼前滑过。我不禁由衷感慨道：“如果不来中国的西南部，一定无法知晓古画中的逸趣，也不能观赏它啊!”

到了半山腰，进入官邸用地，门口站着持枪的卫兵，里面是整洁的弯路和草地。绕了好多圈后，轿子在小楼前落下。那是蒋夫人的秘书们工作的地方，中国和美国女秘书们正用打字机打着字。

过了一会儿，钱女士把我带到了对面一座特别大的楼里。那是蒋委员(长)夫妇的住处。

我独自坐在客厅里，周围的墙上挂着贵重的书画，另外还有一套满漂亮的家具，但房间里除了有一个花瓶以外，其余只在窗边挂着一张张自忠将军的照片。

这时我突然听到隔墙用英语打电话的十分清晰的声音。根据听到的“美国国务院”等词可以大致地判断电话的对方是美国人。放电话的咔嚓声一响，蒋夫人就倏然从外面走了进来。我俩握手后面对面坐下，我不知是惊还是喜。

在我至今为止见到的妇女中，确实从未有过像夫人那样敏锐聪颖的人。她身材苗条、精神饱满，特别是那双澄清的眼睛美丽动人。

一开始夫人用汉语和我交谈，当谈到美国的母校时，我俩情不自禁地说起了英语。和中文相比，夫人好像更能轻松地用英语交谈。

夫人希望我也能参加她领导的妇女指导委员会，并且劝我来重庆和她一起工作一个月。夫人这样对我说，“谢女士，国难当头，我们必须一个不漏地动员所有的国民。你应该利用自己的影响力指导青年团体。不能再闲居在昆明郊外的小地方了。”

我笑着说，“即使住在昆明郊外的小地方，也不是说就抗战不了了。”这时，夫人也笑了。夫人没有任何掩饰的态度，非常的自然、温和，使人深深地感到她是一位热情的主妇。

我和蒋夫人以及妇女指导委员会的成员们一起吃了午饭。蒋夫人亲自在桌上烧了咖啡，还给我们吃了她做的点心和糖。重务在身的夫人怎能有时间去厨房呢？我感到难以想象。

因为下午有约，所以我先告辞了。对于夫人的规劝，我表示考虑之后再做答复。三天后，因为夫人派人来询问结果，所以我再次去了黄山。

我说了一些实际问题。孩子们都还小；战争时期由于交通不方便，所以搬家很困难；再加上最重要的是我丈夫的工作。文藻和自己的学生们在云南开始了农村社会的各种研究，而且进行得非常顺利。我不想离开那儿，除此之外，我自己身体也不太好，办公室的工作做不长，所以想和原先一样住在云南，然后做点儿……说到这儿，夫人突然打断了我的话，“交通问题再多也能为你解决。我很清楚你有一个幸福的家庭。我并不想让你们家人分开什么的。战时的政府非常需要像吴先生那样做研究的教授。你的工作是一时的还是怎样我们以后商量，归根结底还是希望你们两位能来。”

然后，夫人兴致勃勃地谈起了她的著作，还给我看了二三篇她刚写完的有关中国抗战的文章。这些都是用英文写的，将要向美国和英国的新闻杂志投稿。夫人还带我去了二楼，给我看了她的书斋。墙上塞满了书，令人眼花缭乱，我俩谈了许多有关近代文学的作品。无论是中国的书还是外国的书，夫人看过的书不计其数，其见解也非常缜密、广阔。“我也真的想过以写作为生。

但很遗憾，这还无法得以实现。我在大学时所学的主要科目是文学。你知道吗?”夫人这样问我。

这天我第一次见到蒋委员长。和我们的想象不同，委员长的态度非常和蔼。最显眼的是他那双炯炯有神的眼睛和曲线分明的嘴形。喝完茶后，我们在客厅看了战争时期的新闻电影。他们两位也和文藻约好让我俩一同去黄山。第三次是我与文藻同行，和蒋委员长夫妇以及二三位友人共进午餐。我们从昆明到重庆的搬家计划便在那天定了下来。

到了重庆，出于健康的关系，我在妇女指导委员会只帮了四个月的忙就搬到了郊外。这些都和本题无关，但我觉得值得向读者介绍一下我到重庆后所接触到的所有有关蒋夫人自身的情况，所以我就简列如下：

蒋夫人，宋美龄女士，出生于广东省，祖先是海南岛人，有两个姐姐，一个哥哥和两个弟弟。大姐①是孙中山先生的夫人。他们小时候随父母去了美国。因此，蒋夫人在美国上完大学以后才回国。一九二一年十二月一日②蒋主席在结婚之际在新闻上发表了感想③。

“余今日得与余最敬最爱之宋美龄女士结婚了、实为余有生以来最光荣之一日、自亦为余有生以来最愉快之一日、余奔走革命以来、常于积极进行之中、忽萌消极退隐之念、昔日前辈领袖问余、汝何日始能专心致志于革命、其他厚爱余之同志、亦常讨论如何而能使介石安心尽革命之责任、凡此疑问、本易解答、惟当时不能明言、至今日乃有圆满之答案、余确信余自今日与宋女士结婚以后、余之革命工作、必有进步、余能安心尽革命之责任、即自今日始也、余平时研究人生哲学及社会问题、深信人生无美满之婚姻、则做人一切皆

---

① 应为二姐。宋美龄的大姐是宋霭龄（孔祥熙的夫人）。

② 应为一九二七年十二月一日。

③ 蒋介石《我们的今天》《申报》1927 年 12 月 1 日。文中的标点符号全部使用“、”，原文照抄。

无意义、社会无安乐之家庭、则名（民）族根本无从进步、为革命事业者、若不注意于社会之改革、必非真正之革命、其革命必不能彻底、家庭为社会之基础、欲改造中国之社会、应先改造中国之家庭、余与宋女士讨论中国革命问题、对于此点实有同一之信心、余二人此次结婚、尚能于旧社会有若何之影响、新社会有若何之贡献、实所大愿、余二人今日、不仅自庆个人婚姻之美满、且愿促进中国社会之改造、余必本此志愿、努力不懈、务完成中国之革命而后已、故余二人今日之结婚、实为建筑余二人革命事业之基础、余第一次遇见宋女士时、即发生此为余理想中之佳偶之感想、而宋女士亦曾矢言、非得蒋某为夫、宁终身不嫁、余二人神圣之结合、实非寻常可比、今日之日、诚足使余二人欣喜莫名、认为毕生最有价值之纪念日、故亲友之祝贺、亦敬受而不敢辞也。”

确实，他俩的结合给中国的抗战带来了莫大的帮助。蒋夫人是虔诚的基督教教徒，她非常民主而且是一位很有正义感的人。她行动敏捷、态度活泼而温和，尤其是具有出色的判断能力和勇气。两人结婚以后，每当蒋主席外出，夫人几乎都一同前往。这不单单是出于礼节的同行，夫人确实是蒋主席最有力的助手。尤其是战争时期，她的这种活动能力得到了充分的发挥。她组织妇女、慰问伤兵、养育儿童，此外还帮助蒋主席接待各国来宾，担任翻译。在战火纷飞、军马嘶鸣中，夫人在战场、防空洞、国内、国外东奔西走。不正是她才能称得上是抗战中中国最辛苦最努力的女性吗?!

来自美国的女记者在采访夫人之际曾经这样热忱地表示：“您是我最崇拜的女英雄。”当时夫人笑着说：“我不是故事里出现的那种女英雄。我只是一个女人，一个普通、平凡的女人。”是的，夫人是集各种特点于一身的女人。她着装得体，衣服的色调总是那么的协调。她爱好整齐、清洁，并亲手插桌子上的花。她喜欢孩子并且喜欢干厨房的家务。她还爱好文学和艺术。这一切使两个人的家庭生活美满充实。

由于篇幅的关系我不做详细说明了。欧美人写的有关蒋夫人的英文文章不计其数。以下摘抄的是蒋夫人本人描写的在战场上的光景，这些文章显示了夫人的各种性格①。

“我和我丈夫一起去了福建。圣诞节那天我们旅行了一千多里，一半是坐飞机，一半是坐汽车走军用路。我们沿着高原的悬崖开，一不小心的话车子就会落入深渊。……此后我丈夫后悔不该带我冒这个险。但是，自己在遇到危险时并没有像人们的追忆那么可怕。”

…………

“除夕的晚上，我和我丈夫去周围的山（口）散了步。我们看到了一棵开满花的白梅树。这是吉祥的预兆。在中国文学中，梅花的五个花瓣有福、禄、寿、喜以及（我们最期盼的）平安的意思。他小心翼翼地摘了二三棵树枝拿回家。这天夜里红烛点燃时，他把梅花作为新年礼物插入小竹笼送给了我。……梅花被插在竹笼里，在烛光的照射下别提有多美了。稀疏的树枝的影子映照在白色的墙壁上显出它那清秀有力的笔势，似乎也要感受明朝八大山人的画趣。这样，你们知道我为什么乐意在前线和我丈夫同甘共苦了吧！我丈夫不但具有军人的胆识，还有文人的温柔……”

我回东京前，夫人托我把几本书交给她的日本朋友。从夫人和我当时的谈话可以看出，夫人对中日国交亲善的前途非常感兴趣。我希望我们大家不要辜负夫人的期待。

（虞萍　译注）

① 目前译者未能找到宋美龄女士的原文。以下这些段落是根据日译文翻译而成的。

默庐试笔

一

我为什么潜意识的苦恋着北平？我现在真不必苦恋着北平，呈贡山居的环境，实在比我北平西郊的住处，还静，还美。我的寓楼，前廊朝东，正对着城墙，雉堞蜿蜒，松影深青，霁天空阔。最好是在廊上看风雨，从天边几阵白烟，白雾，雨脚如绳，斜飞着直洒到楼前，越过远山，越过近塔，在瓦檐上散落出错落清脆的繁音。还有清晨黄昏看月出，日上。晚霞，朝霭，变幻万端，莫可名状，使人每一早晚，都有新的企望，新的喜悦。下楼出门转向东北，松林下参差的长着荇菜，菜穗正红，而红穗颜色，又分深浅，在灰墙，黄土，绿树之间，带映得十分悦目。出荆门北上斜坡，便到川台寺东首，栗树成林，林外隐见湖影和山光，林间有一片广场，这时已在城墙之上，登墙，外望，高岗起伏，远村隐约。我最爱早起在林中携书独坐，淡云来往，秋阳暖背，爽风拂面，这里清极静极，绝无人迹，只两个小女儿，穿着桔黄水红的绒衣，在广场上游戏奔走，使眼前宇宙，显得十分流动，鲜明。

我的寓楼，后窗朝西，书案便设在窗下，只在窗下，呈贡八景，已可见其三，北望是“凤岭松峦”，前望是“海潮夕照”，南望是“渔浦星灯”。窗前景物在第一段已经描写过，一百二十日夜之中，变化无穷，使人忘倦。出门南向，出正面荆门，西边是昆明西山。北边山上是三台寺。走到山坡尽处，有个平台，松柏丛绕，上有石礅和石块，可以坐立，登此下望，可见城内居舍，在树影中，错落参差。南望城外又可见三景，是龙街子山上之“龙山花坞”，罗藏山之“梁峰兆雨”；和城南印心亭下之“河洲月渚”。其余两景是白龙潭之“彩洞亭鱼”，和黑龙潭之“碧潭异石”，这两景非走到潭边是看不见的，所以我对于默庐周围的眼界，觉得爽然没有遗憾。

平台的石礅上，客来常在那边坐地，四顾风景全收。年轻些的朋友来，就喜欢在台前松柏阴下的草坡上，纵横坐卧，不到饭时，不肯进来。平台上四无屏障，山风稍劲。入秋以来，我独在时，常走出后门北上，到寺侧林中，一来较静，二来较暖。

回溯生平郊外的住宅，无论是长居短居，恐怕是默庐最惬心意。国外的如伍岛（Five Islands）白岭（White Mountain）山水不能两全，而且都是异国风光，没有亲切的意味。国内如山东之芝罘，如北平之海甸，芝罘山太高，海太深，自己那时也太小，时常迷茫消失于旷大寥阔之中，觉得一身是客，是奴，凄然怔忡，不能自主。海甸楼窗，只能看见西山，玉泉山塔，和西苑兵营整齐的灰瓦，以及颐和园内之排云殿和佛香阁。湖水是被围墙全遮，不能望见。论山之青翠，湖之涟漪，风物之醇永亲切，没有一处赶得上默庐。我已经说过，这里整个是一首华兹华斯的诗！

二

在这里住得妥帖，快乐，安稳，而旧友来到，欣赏默庐之外，谈锋又往往引到北平。

人家说想北平大觉寺的杏花，香山的红叶，我说我也想；人家说想北平的笔墨笺纸，我说我也想；人家说想北平的故宫北海，我说我也想；人家说想北平的烧鸭子涮羊肉，我说我也想；人家说想北平的火神庙隆福寺，我说我也想；人家说想北平的糖葫芦，炒栗子，我说我也想。而在谈话之时，我的心灵时刻的在自警说："不，你不能想，你是不能回去的，除非有那样的一天！"

我口说在想，心里不想，但看我离开北平以后，从未梦见过北平，足见我控制得相当之决绝——

而且我试笔之顷，意马奔驰，在我自己惊觉之先，我已在纸上写出我是在苦恋着北平。

我如今镇静下来，细细分析：我的一生，至今日止在北平居住的时光，占了一生之半，从十一二岁，到三十几岁，这二十年是生平最关键，最难忘的发育，模塑的年光，印象最深，情感最浓，关系最切。一提到北平，后面立刻涌现了一副一副的面庞，一幅一幅的图画：我死去的母亲，健在的父亲，弟，侄，师，友，车夫，用人，报童，店伙……剪子巷的庭院，佟府堂前的玫瑰，天安门的华表，“五四”的游行，“九一八”黄昏时的卖报声，“国难至矣”的大标题，……我思潮奔放，眼前的图画和人面，也突兀变换，不可制止，最后我看见了景山最高顶，“明思宗殉国处”的方亭阑干上，有灯彩扎成的六个大字，是“庆祝徐州陷落！”

北平死去了！我至爱苦恋的北平，在不挣扎不抵抗之后，断续呻吟了几声，便恹然死去了！

二十六年七月二十八日早晨，十六架日机，是晓光熹微中悠悠的低飞而来；投了三十二颗炸弹，只炸得西苑一座空营。——但这一声巨响，震得一切都变了色。海甸被砍死了九个警察，第二天警察都换了黑色的制服，因为穿黄制服的人，都当做了散兵，游击队，有砍死刺死的危险。

四野的炮声枪声，由繁而稀，由近而远，声音也死去了！

五光十色的旗帜都高高的悬起了：日本旗，意大利旗，美国旗，英国旗，黄卍字旗，红十字旗，……只看不见了青天白日旗。

西直门楼上，深黄色军服的日兵，箕踞在雉堞上，倚着枪，咧着厚厚的嘴唇，露着不整齐的牙齿，下视狂笑。

街道上死一般的静寂，只三三两两褴褛趑趄的人，在仰首围读着“香月入城司令”的通告。

晴空下的天安门，饱看过千万青年摇旗呐喊，高呼“打倒日本帝国主义”的，如今只镇定的在看着一队一队零落的中小学生的行列，拖着太阳旗，五色旗，红着眼，低着头，来“庆祝”保定陷落，南京陷落……后面有日本的机关枪队紧紧地监视跟随着。

日本的游历团一船一船一车一车的从神户横滨运来，挂着旗号的大汽车，在景山路东长安街横冲直撞的飞走。东兴楼，东来顺挂起日文的招牌，欢迎远客。

故宫北海颐和园看不见一个穿长褂和西服的中国人，只听橐橐的军靴声，木屐声。穿长褂和西服的中国人都羞的藏起了，恨的溜走了。

街市忽然繁荣起来了，尤其是米市大街，王府井大街。店面上安起木门，挂上布帘，无线电机在广播着友邦的音乐。

我想起东京神户，想起大连沈阳，……北平也跟着大连沈阳死去了，一个女神王后般美丽尊严的城市，在蹂躏侮辱之下，恹然地死去了。

我恨了这美丽尊严的皮囊，躯壳！我走，我回顾这尊严美丽，瞠目瞪视的皮囊，没有一星留恋。在那高山丛林中，我仰首看到了一面飘扬的旗帜，我站在旗影下，我走，我要走到天之涯，地之角，抖拂身上的怨尘恨土，深深的呼吸一下兴奋新鲜的朝气；我再走，我要掮着这方旗帜，来招集一星星的尊严美丽的灵魂，杀入那美丽尊严的躯壳！

力构小窗随笔

力构小窗

“力构小窗”是潜庐里一间屋子的向东的窗户。这间屋子就算是书房罢，因为里面有几只书架，两张书桌，架上有些书籍报章，桌上也有些笔墨纸砚。不过西墙下还放着一张床，床下还有书籍，床边还有衣架。这床常常是不空着，周末回家的学生，游山而不能回去的客人，都在那里睡下，因此这书房常常变成客室，可用的时候，也不算多。

在北平的时候，曾给我们的书房起了一个名字，是“难为春室”，那时正是“九一八”之后，满目风云，取“四海皆秋气，一室难为春”之意。还请我们的朋友容希白先生，用甲骨文写了一张小横披。南下之后，那小横披也不知去向。前年在迁入潜庐之先，曾另请一位朋友再写这四个字的横额，这位先生嫌“难为春”三个字太衰飒，他再三迁延推托，至终这间书房兼客室的屋子，还没有名字。

中国人喜欢给亭台楼阁，屋子，房子，起些名字，这些名字，不但象形，而且会意，往往将主人的心胸寄托，完全呈露——当然用滥了之后，也往往不能代表——这种例子俯拾即是，不须多说。

潜庐只是歌乐山腰，向东的一座土房，大小只有六间屋子，外面看去四四方方的，毫无风趣可言！倒是屋子四围那几十棵松树，三年来拔高了四五尺，把房子完全遮起，无冬无夏，都是浓阴逼人。房子左右，有云顶兔子二山当窗对峙，无论从哪一处外望，都有峰峦起伏之胜。房子东面松树下便是山坡，有小小的一块空地，站在那里看下去，便如同在飞机里下视一般，嘉陵江蜿蜒如带，沙磁区各学校建筑，都排列在眼前。隔江是重庆，重庆山外是南岸的山，真是“蜀江水碧蜀山青”，重庆又常常阴雨，淡雾之中，碧的更碧，青的更青，比起北方山水，又另是一番景色。

潜庐不曾挂牌，也不曾悬匾，只有主人同客人提过这名字，客人写信来的时候，只要把主人名字写对了，房子的名字，也似乎起了效用。四川歌乐山的潜庐和云南三台山的默庐一样，都是主人静伏的意思。因此这房子里常常很静，孩子们一上学，连笑声都听不见。只主人自己悄悄的忙，有时写信，有时记账，有时淘米，洗菜，缝衣裳，补袜子……却难得写写文章！

如今再回到“力构小窗”——这间书客室既是废名，而且环顾室中，也实在不配什么高雅的名字，只有这个窗子，窗前的一张书桌，两张藤椅，窗外一片浓阴，当松树抽枝的时候，桌上落下一层黄粉，山中浓雾，云气飞涌入帘，这些光景，都颇有点诗意。夜中一灯如豆，也有过亲戚的情话，朋友的清谈，有时雨声从窗外透入，月色从窗外浸来，都可以为日后追忆留恋的资料。尤其在当编辑的朋友，苦苦索稿的时候，自己一赌气拉过椅子坐下，提笔构思，这面窗子便横在眼前，排除不掉。

一个朋友说：“你知道不？写作是一分靠天才，九分靠逼迫……”，如今这一分天才，已消磨殆尽，而逼迫却从九分加到十分，我向来所坚持的“须其自来，不以力构”的写作条件，已不能存在了。忙病相连，忙中病中所偶得的一点文思，都在过眼云烟中消逝，人生几何？还是靠逼迫来乱写吧，于是乎名吾窗曰“力构小窗”，也是老牛破车，在鞭策下勉强前进的意思！

探　病

因为自己常常生病，也常常伺候生病的人，冷静旁观，觉得探病实在是一种艺术！

探病有几种条件：第一，这病人是否你所十分关怀的人？第二，这病人是否会因为你的探视，而觉得愉快，欢喜？第三，探病时的谈话；第四，探病时所携带赠送病人的物品，如书籍，花朵，糖果，及其他的用具和食物。

探病不是一件“面子事”，譬如某人病了，某人某人都已去看过，我同他也还算是朋友，不好意思不去走走，而你探望时的态度往往拘束，谈话往往勉强，比平常寒暄，更不自然，结果使病人也拘束，也勉强，因此而使他生出乏倦和厌烦，这种探病，于病人实在是有损无益。假如你觉得他会因你之不去而见怪，则不妨写一封小启，纸短情长，轻描淡写，自此而止。或者送一束鲜花，一本闲书，一袋糖果，附以小小的卡片，心到神知，也还不俗。

假如这病人是你的至友，他无时无刻不在悬盼你的来临，你准知道你推门进去，立刻会遇到他惊奇的笑容；但你也要防备到他会因着你的探视，而过度兴奋，谈话太多，休息不足。在这种情况下，你最好有时送花，有时赠果，有时介绍一两本装潢轻巧的书本或闲书，然后特别在风雨之日，别人不大出门的时候，去看他一看，那时你会发现病室很冷清，病人很寂寞，正在他转侧无聊的时候，你轻轻进去，和他独对，这样，病人既无左右酬应之烦，又有静坐谈心之乐。如中间又有别人来看，你坐坐就走，既予别人以慰问的机会，又减少病人的困慵，这种探病，往往是病人所最欢迎的。

有的人是自己闲着没事，又找不着闲人来共同消磨时间，忽然想到某人正在养病，何不去找他谈谈？这种探病的人，最是可怕！他会因着你的肠炎，而提到他自己的回归热，他的太太的斑疹伤寒，他的孩子的破伤风，缕缕不倦，如数家珍，直闹到病人头昏脑热，觉得屋角床头，尽是病鬼！或则对病人感世忧时，大发牢骚，怀家念乡，聊抒抑郁，结果使病人也抑郁牢骚，不能自制，这种探病的人，最为医生及侍疾者所厌恶。所以对病人宜用轻松愉快的谈话，报告以亲友间可喜可笑的消息，使他喜悦，使他发笑。假如他是喜好文艺的人，不妨告诉他，你最近看到的诗文中的警句。假如他是关心音乐或体育的人，你也可报告他以时下什么精彩的音乐演奏，或球类比赛。临走时你还可以给他点喜悦的希望，比如你说“下次我再来时，可以陪你散散步了”。或者说：“下星期日晚上，我可以陪你去听听音乐了。”这都使他在幽闲的病榻上，有许多快乐的希冀与憧憬。最要紧的还是想法子减轻病人心中的负担，例如你可以替他写几封信，办几件事，看几个人，这些负担，都可以从谈话里探问出来的。

至于礼物的赠送，花朵当然最为适宜，鲜花是病人最大的安慰和喜乐。但花的种类，颜色和香味，都应当有个拣选。最好要知道病人平时所喜爱的花草和颜色，而且合他的欢心。有的人不喜欢浓郁的花香，气息太微的人，香花也会引起他的头痛。花的香要甜而清，如兰花，桂花，莲花，玫瑰花，香豆花，都是属于清甜一路。否则有色无香的花，如海棠，杜鹃，山茶，石竹，都是艳而不香，最合于病人的观赏。假如可能，花瓶也要送者配置，妥帖古雅，捧供床侧，不但受者欢欣，送者也会高兴。还有一件，送花要在病者床侧无花的时候，否则和许多别的花束，参在一起，不但显得喧闹，颜色也许还有不调和之处。

书籍的性质要轻松，文章要简短，使病人可以随时拿起放下，不费脑力，书的装潢要小而轻，不费病人的臂力腕力，字体要大而清楚，不费病人的眼力，画册也要适宜，如美术画，风景画等，使病人可以时常卧游。至于购送食品，要先得医生的许可，再适合病人的嗜好，果品常是有益无害的，如橙桔，苹果之类。自己烹调的菜肴，会引起病人的食欲，清淡整洁，而在医生许可之列者，也不妨随时致送。

生病是件苦事，但如有知心着意的人，来侍疾探病，生病不但变成件乐事，并且还是个福气。因病得闲，心境最清，文思诗情，都由此起，“维摩一室常多病，赖有天花作道场”。等到病室变成道场的时候，生病真是最甜柔最幸福的一件事了。

做　梦

重庆是个山城，台阶特别的多，有时高至数百级。在市内走路，走平地的时候就很少，在层阶中腰歇下，往上看是高不可攀，往下看是下临无地，因此自从到了重庆以后，就常常梦见登山或上梯。

去年的一个春夜，我梦见在一条白石层阶上慢慢地往上走，两旁是白松和翠竹，梦中自己觉得是在爬北平西山碧云寺的台阶，走到台阶转折处，忽然天崩地陷的一声巨响，四周的松针竹叶都飞舞起来，阶旁的白石阑干，也都倾斜摧折。自上面涌下一大片火水，烘烘的在层阶上奔流燃烧。烟火弥漫之中，我正惊惶失措的时候，忽然听见上面有极清朗嘹亮的声音，在唤我的名字，抬头却只看见半截隐在烟云里的台阶。同时下面也有个极熟习的声音，在唤我的名字，往下看是一团团红焰和黑烟。在梦里我却欣然的，不犹疑的往下奔走，似乎自己是赤着脚，踏着那台阶上流走燃烧的水火，飘然的直走到台阶尽处，下面是一道长堤，堤下是充塞的更浓厚的红焰和黑烟，黑烟中有个人在伸手接我，我叫着说："我走不下去了!"他说："你跳!"这一跳，我就跳回现实里来了！心还在跳，身子还觉得虚飘飘的，好像在烟云里。

这真是春梦！都是重庆的台阶和敌人的轰炸，交织成的一些观念。但当我同时听见两个声音在呼唤的时候，为什么不往上走到白云中，而往下走入黑烟里？也许是避难就易，下趋是更顺更容易的缘故!

做梦本已荒唐，解说梦就更荒唐。我一生喜欢做梦，缘故是我很少做可怕的梦。我从小不怕鬼怪，大了不怕盗贼，没有什么神怪或侦探的故事，能以扰乱我的精神。我睡时开窗。而且不盖得太热，睡眠中清凉安稳，做的梦也常常是快乐光明的，虽然有时乱得不可言状，但决不可怕。

记得我母亲常常笑着同我说："我死后一定升天，因为我常梦见住着极清雅舒适的房子。"这样说，我死后也一定升天，因为我所看过的最美妙的山水，所住过的最爽适的房子，都是在梦里看过住过的。而且山水和房屋都是合在一起。比如说，我常常梦见独自在一个读书楼上，书桌正面对着一扇极大的玻璃窗，这扇窗几乎是墙壁的全面，窗框是玲珑雕花的。窗外是一片湖水，湖上常有帆影，常有霞光。这景象，除了梦里，连照片图画上，我也不曾看见过——我常常想请人把我的梦，画成图画。

我还常梦见月光：有一次梦见在潜庐廊下，平常是山的地方，忽然都变成水，月光照在水上，像一片光明的海。在水边仿佛有个渔夫晒网。我说："这渔夫在晒网呢……"身边忽然站着一位朋友，他笑了，说："月光也可以晒网么?"在他的笑声中，我又醒了，真的，月光怎可以晒网?

"梦是心中想"，小时常常梦见考书，题目发下来，一个也不会，一急就醒了。旅行的时候，常常梦见误车误船，眼看着车开出站外，船开出口外，一急也就醒了。体弱的时候，常常梦见抱个极胖的孩子，双臂无力，就把他摔在地上。或是梦见上楼，走到中间，楼梯断了，这楼梯又仿佛是橡皮做的，把我颤摇摇的悬在空中。但是，在我的一生中，最常梦见的，还是山水，楼阁，月光……

单调的生活中，梦是个更换；乱离的生活中，梦是个慰安；困苦的生活中，梦是个娱乐；劳瘁的生活中，梦是个休息——梦把人们从桎梏般的现实中，释放了出来，使他自由，使他在云中翱翔，使他在山峰上奔走。能做梦便是快乐，做的痛快，更是快乐。现实的有余不尽之间，都可以“留与断肠人做梦”。但梦境也尽有挫折，“可怜梦也不分明”，“梦怕悲中断”，“怎不思量，除梦里有时曾去。无据，和梦也新来不做。”等到“和梦也新来不做”的时候，生活中还有一丝诗意么!?

关于女人（精选）

我最尊敬体贴她们

以一个男士而写关于女人的题目，似乎总觉有些不大“那个”，人们会想“内容莫不是讥讽吧?”“莫不是单恋吧?”仿佛女人的问题，只应该由女人来谈似的。其实，我以为女人的问题，应该是由男人来谈，因为男人在立场上，可以比较客观，男人的态度，可以比较客气。

在二万万零一个男人之中，我相信我是一个最尊敬体贴女性的男子。认得我的人，且多称誉我是很女性的，因为我有女性种种的优点，如温柔、忍耐、细心等等，这些我都觉得很荣幸。同时我是二万万零一个人之中，最不配谈女人的，因为除了母亲以外，我既无姊妹，又未娶妻。我所认得的只是一些女同学，几个女同事，以及朋友们的妻女姊妹，没有什么深切的了解与认识。但是因为既无姊妹又未娶妻的缘故，谈到女人的时候就特别多。比如说有许多朋友的太太，总是半带好意半开玩笑的说：“先生，你是将近四十岁的人，做着很好的事，又颇有点名气，为什么还不娶个太太?”这时我总觉得很惶恐，只得讷讷地说：“还没有碰到合适的人……”于是那些太太们说：“您的条件怎么样?请略说一二，我们好替您物色物色。”这时我最窘了，这条件真不容易说出，要归纳你平日的许多标准，许多理想，除非上帝特意为你创造这么一个十全十美的女人。我有一个朋友，年纪比我还轻，十年以前，就有二十六个择偶的条件。到了十年之末，他只剩了一个条件——“只要是一个女人就行”。结果是一个女人也没有得到。他死了，朋友替他写传记，中有很惨的四个字：“尚未娶妻。”上帝祝福他的灵魂!

我以为男子要谈条件，第一件事就得问问自己是否也具有那些条件。比如我们要求对方“容貌美丽”，就得先去照照镜子，看看自己是不是一个漂亮的男子。我们要求对方“性情温柔”，就得反躬自省，自己是否一个绝不暴躁而又讲理的人。我们从办公室里回来，总希望家里美观清洁，饭菜甘香可口，孩子们安静听话，太太笑脸相迎，嘘寒问暖。万一上面的条件没有具备，我们就会气腾腾的把帽子一摔，棍子一扔，皱起眉头，一语不发。倘若孩子再围上来要糖要饼，太太再来和你谈米又涨价，菜不好买，佣人闹脾气等等……你简直就会头痛，就会发狂，就会破口大骂。骂完，自己跑到一旁，越想越伤心起来——想到今天在办公室里所受的种种的气，想到昨夜因为孩子哭闹，没有睡好，这一家穿的是谁，吃的是谁，你的太太竟不体恤你一点——可是你总根本没有想到孩子没有一个不淘气，佣人没有一个没有问题，米也没有一天不涨价的！你的温柔的太太，整天整夜的在这炼狱中间，怕你不得好睡，办事没有精神，脾气也会变坏，而她自己昨夜则于你朦胧之中，起来了七八次之多，既怕孩子挨骂，又怕你受委屈。孩子哭是因为肚子痛，肚子痛是因为刘妈给他生水喝。而刘妈则是没有受过近代训练的佣人，跟她怎样说都不会记得。这年头，连个帮工都不容易请，奉承她还来不及，哪还敢说一个"换"字……她也许思前想后，一夜无眠，今早起来，她还得依旧支撑。家长里短的事，女人不管，谁来管呀？她一忙就累，一累就也有气，满心只想望你中午或晚上回来，凡事有你商量，有你安慰。倘若你回来了，看见她的愁眉，看见她的黑眼圈，你说一两句安慰的话，她也许就把旧恨新愁，全付汪洋大海，否则她只有在你的面前或背后，掉下一两滴可怜无告的眼泪。你也许还觉得"女人，除了哭，还会什么！……"

男子的条件中，有时还要对方具有经济生产的能力，这个问题就更大了。我知道有许多职业妇女，在结婚之前，总要百转千回的考虑。倘若她或不幸而被恋爱征服，同时又对事业不忍放弃，那这两股绳索就会把她绞死！我有一对朋友，是夫妇同在一个机关里面办事的（妻的地位似乎比丈夫还高）。每次我到他们家里去拜访，或是他们请我吃饭，假如一切顺利，做丈夫和做妻子的就都兴高采烈。假如饭生菜不熟，或小孩子喧哗吵闹，做丈夫的就会以责备的眼光看太太，太太却以抱歉的眼光来看我们两个，我只好以悲悯的眼光看天。我心里真想同那做丈夫的说："天哪，她不是和你一样，一天坐八小时的办公室吗？"——我不是说一天坐了八小时的办公室，请客时就应当饭生菜不熟，不过至少他们应当以抱歉的眼光对看，或且同以抱歉的眼光看我。至于把这责任完全推给太太的办法，则连我这一个女性的男子，也看不过了。

谈到职业妇女，在西洋的机器文明世界，兼主妇还不感到十分困难。在中国则一切须靠佣人。人比机器难弄得多，尤其是在散离流亡的抗战时代。我看见过多少从前在沿海口岸，摩登城市，养尊处优的妇女们，现在内地，都是荆钗布裙栉风沐雨的工作，不论家里或办公室里，都能弄得井井有条。对于这种女人，我只有五体投地。假如抗战提高了中国的地位，提高了军人、司机，乃至一般工人的地位，则我以为提得最高的，还是我们那些忍得住痛耐得住苦的妇女。

话又说得远了，我所要说的关于女人的话，还未说到十分之一。有一个朋友看到了这一段，以为像我这样尊敬体贴女人的人，可以做个模范丈夫，必不难找个合适的太太。连我自己也纳闷，这是怎么说的呢？天晓得！

我的择偶条件

新近搬了一次“家”，居然能从五个人合住的一间屋子，搬到一间卧室，一间书房连客厅的房子里来，虽然仍有一个“屋伴”，在重庆算是不容易的了。这两间屋子，略加布置，尚属雅洁。窗明几净，常有不少的朋友来陪我闲谈；大家总觉得既有这么雅洁的屋子，更应当有个太太了，于是谈锋又转到了择偶的条件。随谈随写，居然也有二十几条，如下：

一　因为我自己是在北方长大的南方人，所以我希望对方不是“北人南相”——此条可以商量。

二　因为我是学文学的，所以希望对方至少能够欣赏文艺。

三　因为我是将近四十岁的人，所以希望对方不在二十五岁以下。

四　因为我自己是个瘦子，所以希望对方不是一个胖子。

五　因为我自己不搽润面油、司丹康，所以希望对方也不浓施脂粉，厚抹口红。

六　因为我自己从未穿过西装，所以希望对方也不穿着洋服——东方女子穿西服，十个有九个半难看！

七　因为我有几个外国朋友，所以希望对方懂得几句外国语言。

八　因为我自己好客，所以希望对方不是一个见了生人说不出话的女子。

九　因为我很择客，所以希望对方也不招致许多无聊的男女朋友，哼哼洋歌，嚼嚼瓜子，把桔子皮扔得满地。

十　因为我颇有洁癖，所以希望对方也相当的整齐清洁——至少不会翻乱我的书籍，弄脏我的衣冠。

十一　因为我怕香花，所以希望对方不戴白玉兰，不在屋子里插些丁香、珍珠梅之类。

十二　因为我喜欢雅淡，所以希望对方不穿浓艳及颜色不调和的衣服，我总忘不了黄莘田先生的两句诗："颜色上伊身便好，带些黯淡大家风。"

十三　我自己曾经享受过很舒服的衣食住行，而在抗战期内，绝口不提从前的幸福！我觉得流离痛苦是该受的。因此，我希望对方不是整天的叹气着说："从前在北平的时候呀"、"这仗打到什么时候才完呀"一类的废话。

十四　因为我喜欢旅行，所以希望对方也不以旅行为苦。

十五　因为我喜欢海，所以我希望对方也爱泅水，不怕海风。

十六　因为我喜欢山居，所以希望对方不怕山居的寂寞。

十七　因为我喜听京戏——虽然并不常去，所以希望对方不把国剧看得一钱不值。

十八　我喜欢看美人，无论是真人或图画，希望对方能够谅解。我只是赞叹而已。倘若她也和我一样，也只爱"看"美男子，我决予以鼓励。

十九　因为我自觉是个"每逢大事有静气"的汉子（看见或摸着个把臭虫时除外，但此不是大事），所以希望对方遇有小惊小怕时，不作电影明星式的捧心高叫。

二十　我对于屋内的挂幅，选择颇严，希望对方不在案侧或床头，挂些低级趣味的裸体画，或明星照片。

二十一　我很喜欢炉中的微火和烛火，以为在柔软的光影中清谈，是最惬心的事，希望对方也能欣赏，至少不至喜欢强烈直射的灯光。

二十二　我喜欢微醺的情境；在微醉后谈话作文，都更觉有兴致。因此，我希望对方不反对人喝“一点”酒。但若甜酒——如杂果酒，喝到两杯以上，白酒五杯以上，黄酒十杯以上，亲爱的，请你阻止我！

二十三　因为我在北方长大，能吃大葱大蒜，所以希望对方虽不与我同嗜，至少也不厌恶这种气味。

二十四　因为我喜听音乐，所以希望对方不在音乐会场内，高声谈笑或睡觉。

二十五　因为我喜欢生物，所以希望对方不反对我养狗或养鸽。

二十六　……

一个朋友把我叫住了。说：“你曾笑你那位死去的朋友，提出了二十六个择偶的条件，如今你竟快要打破他的记录了。”我说我的条件实和他的不同，都是就我已有的本钱来讨代价，并不曾作过分的要求，纵不能抛玉引玉，也还是抛砖引砖，条件再多些谅也无妨。而且我注意的只是嗜好与习惯上的小节，至于她的容貌性情以及经济生产能力等等，我都可以随遇而安，不加苛求的。另一个朋友说，“嗜好习惯太相同了，反无互相吸引之力，生活在一起没有兴趣。而且像你这样的斤斤于小节，只有让你自己再变成为一个女人，来配你自己吧。”天哪，假如我真是个女人，恐怕早已结婚，而且是已有了两三个孩子了！

我的母亲

谈到女人，第一个涌上我的心头的，就是我的母亲，因在我的生命中，她是第一个对我失望的女人。

在我以前，我有两个哥哥，都是生下几天就夭折的，算命的对她说：“太太，你的命里是要先开花后结果的，最好能先生下一个姑娘，庇护以后的少爷。”因此，在她怀我的时候，她总希望是一个女儿。她喜欢头生的是一个姑娘，会帮妈妈看顾弟妹、温柔、体贴、分担忧愁。不料生下我来，又是一个儿子。在合家欢腾之中，母亲只是默然的躺在床上。祖父同我的姑母说：“三嫂真怪，生个儿子还不高兴！”

母亲究竟是母亲，她仍然是不折不扣的爱我，只是常常念道：“你是儿子兼女儿的，你应当有女儿的好处才行。”我生后三天，祖父拿着我的八字去算命。算命的还一口咬定这是女孩的命，叹息着说：“可惜是个女孩子，否则准作翰林。”母亲也常常拿我取笑说：“如今你是一个男子，就应当真作个翰林了。”幸而我是生在科举久废的新时代，否则，以我的才具而论，哪有三元及第荣宗耀祖的把握呢？

在我底下，一连串的又来了三个弟弟，这使母亲更加失望。然而这三个弟弟倒是个个留住了。当她抱怨那个算命的不灵的时候，我们总笑着说，我们是“无花果”，不必开花而即累累结实的。

母亲对于我的第二个失望，就是我总不想娶亲。直至去世时为止，她总认为我的一切，都能使她满意，所差的就是我竟没有替她娶回一位，有德有才而又有貌的媳妇。其实，关于这点，我更比她着急，只是时运不济，没有法子。在此情形之下，我只有竭力鼓励我的弟弟们先我而娶，替他们介绍“朋友”，造就机会。结果，我的二弟，在二十一岁大学刚毕业时就结了婚。母亲跟前，居然有了一个温柔贤淑的媳妇，不久又看见了一个孙女的诞生，于是她才相当满足地离开了人世。

如今我的三个弟弟都已结过婚了，他们的小家庭生活，似乎都很快乐。我的三个弟媳妇，对于我这老兄，也都极其关切与恭敬。只有我的二弟媳妇常常笑着同我说：“大哥，我们做了你的替死鬼，你看在这兵荒马乱米珠薪桂的年头，我们这五个女孩子怎么办？你要代替我们养一两个才行。”她怜惜的抚摩着那些黑如鸦羽的小头。她哪里舍得给我养呢！那五个女孩子围在我的膝头，一齐抬首的时候，明艳得如同一束朝露下的红玫瑰花。

母亲死去整整十年了。去年父亲又已逝世。我在各地漂泊，依然是个孤身汉子。弟弟们的家，就是我的家，那里有欢笑，有温情，有人照应我的起居饮食，有人给我缝衣服补袜子。我出去的时候，回来总在店里买些糖果，因为我知道在那栏杆上，有几个小头伸着望我。去年我刚到重庆，就犯了那不可避免的伤风，头痛得七八天睁不开眼，把一切都忘了。一天早晨，航空公司给我送来一个包裹，是几个小孩子寄来的，其中的小包裹是从各地方送到，在香港集中的。上面有一个卡片，写着："大伯伯，好些日子不见信了，圣诞节你也许忘了我们，但是我们没有忘了你！"我的头痛立刻好了，漆黑的床前，似乎竖起了一棵烛光辉煌的圣诞树！

回来再说我的母亲吧。自然，天下的儿子，至少有百分之七十，认为他的母亲乃是世界上最好的母亲。我则以为我的母亲，乃是世界上最好的母亲中最好的一个。不但我如此想，我的许多朋友也如此说。她不但是我的母亲，而且是我的知友。我有许多话不敢同父亲说的，敢同她说；不能对朋友提的，能对她提。她有现代的头脑，稳静公平的接受现代的一切。她热烈的爱着"家"，以为一个美好的家庭，乃是一切幸福和力量的根源。她希望我早点娶亲，目的就在愿意看见我把自己的身心，早点安置在一个温暖快乐的家庭里面。然而，我的至爱的母亲，我现在除了"尚未娶妻"之外，并没有失却了"家"之一切！

我们的家，确是一个安静温暖而又快乐的家。父亲喜欢栽花养狗；母亲则整天除了治家之外，不是看书，就是做活，静悄悄的没有一点声息。学伴们到了我们家里，自然而然的就会低下声来说话。然而她最鼓励我们运动游戏，外院里总有秋千、杠子等等设备。我们学武术，学音乐（除了我以外，弟弟们都有很好的成就）。母亲总是高高兴兴的接待父亲和我们的朋友。朋友们来了，玩得好，吃得好，总是欢喜满足的回去。却也有人带着眼泪回家，因为他想起了自己死去的母亲，或是他的母亲，同他不曾发生什么情感的关系。

我的父亲是大家庭中的第三个儿子。他的兄弟姊妹很多，多半是不成材的，于是他们的子女的教养，就都堆在父亲的肩上。对于这些，母亲充分的帮了父亲的忙，父亲付与了一份的财力，母亲贴上了全副的精神。我们家里总有七八个孩子同住，放假的时候孩子就更多。母亲以孱弱的身体，来应付支持这一切，无论多忙多乱，微笑没有离开过她的嘴角。我永远忘不了母亲逝世的那晚，她的床侧，昏倒了我的一个身为军人的堂哥哥！

母亲又有知人之明，看到了一个人，就能知道这人的性格。故对于父亲和我们的朋友的选择，她都有极大的帮助。她又有极高的鉴赏力，无论屋内的陈设，园亭的布置，或是衣饰的颜色和式样等，经她一调动，就显得新异不俗。我记得有一位表妹，在赴茶会之前，打扮得花枝招展的，到了我们的家里；母亲把她浑身上下看了一遍，笑说："元元，你打扮得太和别人一样了。人家抹红嘴唇，你也抹红嘴唇，人家涂红指甲，你也涂红指甲，这岂非反不引起他人的注意？你要懂得'万朵红莲礼白莲'的道理。"我们都笑了，赞同母亲的意见。表妹立刻在母亲妆台前洗净铅华，换了衣饰出去；后来听说她是那晚茶会中，被人称为最漂亮的一个。

母亲对于政治也极关心。三十年前，我的几个舅舅，都是同盟会的会员，平常传递消息，收发信件，都由母亲出面经手。我还记得在我八岁的时候，一个大雪夜里，帮着母亲把几十本《天讨》，一卷一卷的装在肉松筒里，又用红纸条将筒口封了起来，寄了出去。不久收到各地的来信说："肉松收到了，到底是家制的，美味无穷。"我说："那些不是书吗？……"母亲轻轻的捏了我一把，附在我的耳朵上说："你不要说出去。"

辛亥革命时，我们正在上海，住在租界旅馆里。我的职务，就是天天清早在门口等报，母亲看完了报就给我们讲。她还将她所仅有的一点首饰，换成洋钱，捐款劳军。我那时才十岁，也将我所仅有的十块压岁钱捐了出去，是我自己走到申报馆去交付的。那两纸收条，我曾珍重的藏着，抗战起来以后不知丢在哪里了。

“五四”以后，她对新文化运动又感了兴趣。她看书看报，不让时代把她丢下。她不反对自由恋爱，但也注重爱情的专一。我的一个女同学，同人“私奔”了，当她的母亲走到我们家里“垂涕而道”的时候，父亲还很气愤，母亲却不作声。客人去后，她说：“私奔也不要紧，本来仪式算不了什么，只要他们始终如一就行。”

诸如此类，她的一言一动，成了她的儿子们的指南针。她对我的弟弟们的择偶，从不直接说什么话，总说：“只要你们喜爱的，妈妈也就喜爱。”但是我们的性格品味已经造成了，妈妈不喜爱的，我们也决不会喜爱。

她已死去十年了。抗战期间，母亲若还健在，我不知道她将做些什么事情，但我至少还能看见她那永远微笑的面容，她那沉静温柔的态度，她将以卷《天讨》的手，卷起她的每一个儿子的畏惧懦弱的心！

她是一个典型的贤妻良母，至少母亲对于我们解释贤妻良母的时候，她以为贤妻良母，应该是丈夫和子女的匡护者。

关于妇女运动的各种标语，我都同意，只有看到或听到“打倒贤妻良母”的口号时，我总觉得有点逆耳刺眼。当然，人们心目中“妻”与“母”是不同的，观念亦因之而异。我希望她们所要打倒的，是一些怯弱依赖的软体动物，而不是像我的母亲那样的女人。

我的教师

第二个女人，我永远忘不掉的，是T女士，我的教师。

我从小住在偏僻的乡村里，没有机会进小学，所以只在家塾里读书，国文读得很多，历史地理也还将就得过，吟诗作文都学会了，且还能写一两千字的文章。只是算术很落后，翻来覆去，只做到加减乘除，因为塾师自己的算学程度，也只到此为止。

十二岁到了北平，我居然考上了一个中学，因为考试的时候，校长只出一个“学然后知不足”的论说题目。这题目是我在家塾里做过的，当时下笔千言，一挥而就，校长先生大为惊奇赞赏，一下子便让我和中学一年生同班上课。上课两星期以后，别的功课我都能应付裕如，作文还升了一班，只是算术把我难坏了。中学的算术是从代数做起的，我的算学底子太坏，脚跟站不牢，昏头眩脑，踏着云雾似的上课，T 女士便在这云雾之中，飘进了我的生命中来。

她是我们的代数和历史教员，那时也不过二十多岁吧。“螓首蛾眉，齿如编贝”这八个字，就恰恰的可以形容她。她是北方人，皮肤很白嫩，身材很窈窕，又很容易红脸，难为情或是生气，就立刻连耳带颈都红了起来，我最怕的是她红脸的时候。

同学中敬爱她的，当然不止我一人，因为她是我们的女教师中间最美丽，最和平，最善诱的一位。她的态度，严肃而又和蔼，讲述时简单而又清晰。她善用譬喻；我们每每因着譬喻的有趣，而连带的牢记了原理。

第一个月考，我的历史得九十九分，而代数却只得了五十二分，不及格！当我下堂自己躲在屋角流泪的时候，觉得有只温暖的手，抚着我的肩膀，抬头却见 T 女士挟着课本，站在我的身旁。我赶紧擦了眼泪，站了起来。她温和的问我道：“你为什么哭？难道是我的分数打错了？”我说：“不是的，我是气我自己的数学底子太差。你出的十道题目，我只明白一半。”她就软款温柔的坐下，仔细问我的过去。知道了我的家塾教育以后，她就恳切的对我说：“这不能怪你。你中间跳过了一大段！我看你还聪明：补习一定不难，以后你每天晚一点回家，我替你补习算术吧。”

这当然是她对我格外的爱护，因为算术不曾学过的，很有退班的可能；而且她很忙，每天匀出一个钟头给我，是额外的恩惠。我当时连忙答允，又再三的道谢。回家去同母亲一说，母亲尤其感激，又仔细的询问 T 女士的一切，她觉得 T 女士是一位很好的教师。

从此我每天下课后，就到她的办公室，补习一个钟头的算术，把高小三年的课本，在半年以内赶完了。T 女士逢人便称道我的神速聪明。但她不知道我每天回家以后，用功直到半夜，因着习题的烦难，我曾流过许多焦急的眼泪，在泪眼模糊之中，灯影下往往涌现着 T 女士美丽慈和的脸，我就仿佛得了灵感似的，擦去眼泪，又赶紧往下做。那时我住在母亲的套间里，冬天的夜里，烧热了砖炕，点起一盏煤油灯，盘着两腿坐在炕桌边上，读书习算。到了夜深，母亲往往叫人送冰糖葫芦，或是赛梨的萝卜，来给我消夜。直到现在，每逢看见孩子做算术，我就会看见 T 女士的笑脸，脚下觉得热烘烘的，嘴里也充满了萝卜的清甜气味！

算术补习完毕，一切难题，迎刃而解，代数同几何，我全是不费工夫的做着；我成了同学们崇拜的中心，有什么难题，他们都来请教我。因着 T 女士的关系，我对于算学真是心神贯注，竟有几个困难的习题，是在夜中苦想，梦里做出来的。我补完算术以后，母亲觉得对于 T 女士应有一点表示，她自己跑到福隆公司，买了一件很贵重的衣料，叫我送去。T 女士却把礼物退了回来，她对我母亲说："我不是常替学生补习的，我不能要报酬。我因为觉得令郎别样功课都很好，只有算学差些，退一班未免太委屈他。他这样的赶，没有赶出毛病来，我已经是很高兴的了。"母亲不敢勉强她，只得作罢。有一天我在东安市场，碰见 T 女士也在那里买东西。看见摊上挂着的挖空的红萝卜里面种着新麦秧，她不住地夸赞那东西的巧雅，颜色的鲜明，可是因为手里东西太多，不能再拿，割爱了。等她走后，我不曾还价，赶紧买了一只萝卜，挑在手里回家。第二天一早又挑着那只红萝卜，按着狂跳的心，到她办公室去叩门。她正预备上课，开门看见了我和我的礼物，不觉嫣然的笑了，立刻接了过去，挂在灯下，一面说："谢谢你，你真是细心。"我红着脸出来，三步两跳跑到课室里，嘴里不自觉的唱着歌，那一整天我颇觉得有些飘飘然之感。

因着补习算术，我和她对面坐的时候很多，我做着算题，她也低头改卷子。在我抬头凝思的时候，往往注意到她的如云的头发，雪白的脖子，很长的低垂的睫毛和穿在她身上稳称大方的灰布衫，青裙子，心里渐渐生了说不出的敬慕和爱恋。在我偷看她的时候，有时她的眼光正和我的相值，出神的露着润白的牙齿向我一笑，我就要红起脸，低下头，心里乱半天，又喜欢，又难过，自己莫名其妙。

从校长到同学，没有一个愿意听到有人向T女士求婚的消息。校长固不愿意失去一位好同事，我们也不愿意失去一位好教师，同时我们还有一种私意，以为世界上根本就没有一个男子，配作T女士的丈夫，然而向T女士求婚的男子，那时总在十个以上，有的是我们的男教师，有的是校外的人士。我们对于T女士的追求者，一律的取一种讥笑鄙夷的态度。对于男教师们，我们不敢怎么样，只在背地里替他们起上种种的绰号，如“癞虾蟆”、“双料癞虾蟆”之类。对于校外的人士，我们的胆子就大一些，看见他们坐在会议室里或是在校门口徘徊，我们总是大声咳嗽，或是从他们背后投些很小的石子，他们回头看时，我们就三五成群的哄哄笑着，昂然走过。

T女士自己对于追求者的态度，总是很庄重很大方。对于讨厌一点的人，就在他们的情书上，打红叉子退了回去。对于不大讨厌的，她也不取积极的态度，仿佛对于婚姻问题不感着兴趣。她很孝，因为没有弟兄，她便和她的父亲守在一起，下课后常常看见她扶着老人，出来散步，白发红颜，相映如画。

在这里，我要供招一件很可笑的事实，虽然在当时并不可笑。那时我们在圣经班里，正读着“所罗门雅歌”，我便模仿雅歌的格调，写了些赞美T女士的句子，在英文练习簿的后面，一页一页的写下叠起。积了有十几篇，既不敢给人看，又不忍毁去。那时我们都用很厚的牛皮纸包书面，我便把这十几篇尊贵的作品，折存在两层书皮之间。有一天被一位同学翻了出来，当众诵读，大家都以为我是对于隔壁女校的女生，发生了恋爱，大家哄笑。我又不便说出实话，只好涨红着脸，赶过去抢来撕掉。从此连雅歌也不敢写了，那年我是十五岁。

我从中学毕业的那一年，T女士也离开了那学校，到别地方做事去了，但我们仍常有见面的机会。每次看见我，她总有勉励安慰的话，也常有些事要我帮忙，如翻译些短篇文字之类，我总是谨慎将事，宁可将大学里功课挪后，不肯耽误她的事情。

她做着很好的事业，很大的事业，至死未结婚。六年以前，以牙疾死于上海，追悼哀殓她的，有几万人。我是在从波士顿到纽约的火车上，得到了这个消息，车窗外飞掠过去的一大片的枫林秋叶，尽消失了艳红的颜色，我忽然流下泪来，这是母亲死后第一次的流泪。

叫我老头子的弟妇

第三个女人，我要写的，本是我的奶娘。刚要下笔，编辑先生忽然来了一封信，特烦我写“我的弟妇”。这当然可以，只是我有三个弟妇，个个都好，叫我写哪一个呢？把每个人都写一点吧，省得她们说我偏心！

我常对我的父亲说：“别人家走的都是儿子的运，我们家走的却是儿媳妇的运，您看您这三位少奶奶，看着叫人心里多么痛快！”父亲一面笑眯眯的看着她们，一面说：“你为什么不也替我找一位痛快的少奶奶来呢？”于是我的弟弟和弟妇们都笑着看我。我说：“我也看不出我是哪点儿不如他们，然而我混了这些年，竟混不着一位太太。”弟弟们就都得意的笑着说：“没有梧桐树，招不了凤凰来。只因你不是一棵梧桐树，所以你得不着一只凤凰！”这也许是事实，我只好忍气吞声地接受了他们的讥诮。那是廿六年六月，正值三弟新婚后到北平省亲，人口齐全，他提议照一张合家欢的相片，却被我严词拒绝了。我不能看他们得意忘形的样子，更不甘看相片上我自己旁边没有一个女人，这提议就此作罢。时至今日，我颇悔恨，因为不到一个月，卢沟桥事变起，我们都星散了。父亲死去，弟弟们天南地北，“海内风尘诸弟隔，天涯涕泪一身遥”是我常诵的句子，而他们的集合相片，我竟没有一张！

我的二弟妇，原是我的表妹，我的舅舅的女儿，大排行第六，只比我的二弟小一个月。我看着他们长大，真是青梅竹马，两小无猜。在他们的回忆里，有许多甜蜜天真的故事，倘若他们肯把一切事情都告诉我，一定可以写一本很好的小说。我曾向他们提议，他们笑说：“偏不告诉你，什么话到你嘴里，都改了样，我们不能让你编排！”

他们在七八岁上，便由父母之命定了婚；定婚以后，舅母以为未婚男女应当避嫌，他们的踪迹便疏远了。然而我们同舅家隔院而居，早晚出入，总看得见，岁时节序，家宴席上，也不能避免。他们那种忍笑相视的神情，我都看在眼里，我只背地里同二弟取笑，从来不在大人面前提过一句，恐怕舅母又来干涉，太煞风景。

有一年，正是二弟在唐山读书，六妹在天津上学，一个春天的早晨，我忽然接到“男士先生亲启”的一封信，是二弟发的，赶紧拆来一看，里面说：“大哥，我想和六妹通信，……已经去了三封信，但她未曾复我，请你帮忙疏通一下，感谢不尽。”我笑了，这两个十五岁的孩子，春天来到他们的心里了！我拿着这封信，先去给母亲看，母亲只笑了一笑，没说什么。我知道最重要的关键还是舅母，于是我又去看舅母。寒暄以后，轻闲的提起，说二弟在校有时感到寂寞，难为他小小的年纪，孤身在外，我们都常给他写信，希望舅母和六妹也常和他通信，给他一点安慰和鼓励。舅母迟疑了一下，正要说话，我连忙说：“母亲已经同意了。这个年头，不比从前，您若是愿意他们小夫妻将来和好，现在应当让他们多多交换意见，联络感情。他俩都是很懂事有分寸的孩子，一切有我来写包票。”舅母思索了一会，笑着叹口气说：“这是哪儿来的事！也罢，横竖一切有你做哥哥的负责。”我也不知道我负的是什么责任，但这交涉总算办得成功，我便一面报告了母亲，一面分函他们两个，说：“通信吧，一切障碍都扫除了，没事别再来麻烦我！”

他们二十一岁的那年，我从国外回来，二弟已从大学里毕业，做着很好的事，拉得一手的好提琴，身材比我还高，翩翩年少，相形之下，我觉得自己真是老气横秋了。六妹也长大了许多，俨然是一个大姑娘了。在接风的家宴席上，她也和二弟同席，谈笑自如。夜阑人散，父母和我亲热的谈着，说到二弟和六妹的感情，日有进步，虽不像西洋情人之形影相随，在相当的矜持之下，他们是互相体贴，互相勉励；母亲有病的时候，六妹是常在我们家里，和弟弟们一同侍奉汤药，也能替母亲料理一点家事。谈到这里，母亲就说："真的，你自己的终身大事怎样了？今年腊月是你父亲的六十大寿，我总希望你能带一个媳妇回来，替我做做主人。如今你一点动静都没有，二弟明夏又要出国，三弟四弟还小，我几时才做得上婆婆？"我默然一会，笑着说："这种事情着急不来。您要做个婆婆却容易；二弟尽可于结婚之后再出国。刚才我看见六妹在这里的情形，俨然是个很能干的小主妇，照说二十一岁也不算小了，这事还得我同舅母去说。"母亲仿佛没有想到似的，回头笑对父亲说："这倒也是一个办法。"

第二天同二弟提起，他笑着没有异议。过几天同舅母提起，舅母说："我倒是无所谓，不过六妹还有一年才能毕业大学，你问她自己愿意不愿意。"我笑着去找六妹。她正在廊下织活，看见我走来，便拉一张凳子，让我坐下。我说："六妹，有一件事和你商量，请你务必帮一下忙。"她睁着大眼看着我。我说："今年父亲大寿的日子，母亲要一个人帮她做主人，她要我结婚，你说我应当不应当听话？"她高兴得站了起来，"你？结婚？这事当然应当听话。几时结婚？对方是谁？要我帮什么忙？"我笑说："大前提已经定了，你自己说的，这事当然应当听话。我不知道我在什么时候才可以结婚，因为我还没有对象。我已把这责任推在二弟身上了，我请你帮他的忙。"她猛然明白了过来，红着脸回头就走，嘴里说："你总是爱开玩笑！"我拦住了她，正色说："我不是同你开玩笑，这事母亲舅母和二弟都同意了，只等候你的意见。"她站住了，也严肃了起来，说："二哥明年不是要出国吗？"我说："这事我们也讨论过，正因为他要出国，我又不能常在家，而母亲身边又必须有一个得力的人，所以只好委屈你一下。"她低头思索了一会，脸上渐有笑容。我知道这个交涉又办成功了，便说："好了，一切由我去备办，你只预备做新娘子吧！"她啐了一口，跑进屋去。舅母却走了出来，笑说："你这大伯子老没正经——不过只有三四个月的工夫了，我们这些人老了，没有用，一切都拜托你了。"

父亲生日的那天，早晨下了一场大雪，我从西郊赶进城来。当天，他们在欧美同学会举行婚礼，新娘明艳得如同中秋的月！吃完喜酒，闹哄哄的回到家里来，摆上寿筵。拜完寿，前辈客人散了大半，只有二弟一班朋友，一定要闹新房，父母亲不好拦阻，三弟四弟乐得看热闹，大家一哄而进。我有点乏了，自己回东屋去吸烟休息。我那三间屋子是周末养静之所，收拾得相当整齐，一色的藤床竹椅，花架上供养着两盆腊梅，书案上还有水仙，掀起帘来，暖香扑面。我坐了一会，翻起书本来看，正神往于万里外旧游之地，猛抬头看钟，已到十二时半，南屋新房里还是人声鼎沸。我走进去一看，原来新房正闹到最热烈的阶段，他们请新娘做的事情，新娘都一一遵从了，而他们还不满意，最后还要求新娘向大家一笑，表示逐客的意思，大家才肯散去。新娘大概是乏了，也许是生气了，只是绷着脸不肯笑，两下里僵着，二弟也不好说什么，只是没主意的笑着四顾。我赶紧找支铅笔，写了个纸条，叫伴娘偷偷的送了过去，上面是："六妹，请你笑一笑，让这群小土匪下了台，我把他们赶到我屋里去！"忙乱中新娘看了纸条，在人丛中向我点头一笑，大家哄笑了起来，认为满意。我就趁势把他们都让到我的书室里。那夜，我的书室是空前的凌乱，这群"小土匪"在那里喝酒、唱歌、吃东西、打纸牌，直到天明。

不到几天，新娘子就喧宾夺主，事无巨细，都接收了过去，母亲高高在上，无为而治，脸上常充满着"做婆婆"的笑容。我每周末从西郊回来，做客似的，受尽了小主妇的招待。她生活在我们中间，仿佛是从开天辟地就在我们家里似的，那种自然，那种合适。第二年夏天，二弟出国，我和三四弟教书的教书，读书的读书，都不能常在左右，只有她是父母亲朝夕的慰安。

十几年过去了，她如今已是五个孩子的母亲，不过对于"大哥"，她还喜欢开点玩笑，例如：她近来不叫我"大哥"，而叫我"老头子"了！

请我自己想法子的弟妇

三弟和我很有点相像，长的相像，性情也相像，我们最谈得来。我在北平西郊某大学教书的时候，他正在那里读书，课余，我们常常同到野外去散步谈心。他对于女人的兴趣，也像我似的，适可而止，很少作进一步的打算。所以直到他大学毕业，出了国，又回来在工厂里做事，还没有一个情人。

六年以前，我第二次出国，道经南京，小住一星期，三弟天天从隔江工厂里过来陪我游玩。有一个星期日，一位外国朋友自驾汽车，带我们去看大石碑，并在那里野餐。原定是下午四点回来，汽车中途抛了锚，直到六点才进得城门。三弟在车上就非常烦躁不安，到了我的住处，他匆匆的洗了澡，换了一身很漂亮的西装，匆匆的又出去。我那时正忙，也不曾追问。直到第二年的春天，我在巴黎，忽然得他一封信，说："大哥，告诉你一件事，我已经订了婚。不久要结婚了。……记得我们去年逛大石碑的一天吧，就在那夜，我和她初次会面。……我们准备六月中旬结婚，婚后就北上。你若是在六月底从西伯利亚回来，我们可在北平车站接你。……巴黎如何？有好消息否？好了，北平见！"我仔细的看了他信中附来的两人合照的相片，匆匆的写了一张卡片，说："我妒羡你，居然也有了心灵的归宿！巴黎寂寞得很，和北平一样，还是你替我想想法子吧。"我又匆匆的披上大衣，直走到一家大百货商店，买了一套银器，将卡片放在匣里，寄回南京去。

在北平车站上，家人丛中，看见了我的三弟妇，极其亲热的和我握手，仿佛是很熟的朋友，她和我并肩走着。回头看见大家的笑容，三弟尤其高兴，我紧紧的捏着他的手，低声说："有你的！"

他们先在城里请过了客，便到西郊来休息。我们那座楼上，住的都是单身的男教授，"女宾止步"；我便介绍他们到我的朋友家里去住。夫妇到牯岭避暑去了，那房子空着，和我们相隔只一箭之遥。他们天天走过来吃饭，饭后我便送他们到西山去玩。三弟妇常说："大哥，你和我们一起去吧。"我摇头说："这些都是我玩腻了的地方，怪热的，我不想去。而且我也不是一个傻子！"三弟就笑说："别理他，他越老越怪。我们自己走吧！"

逛够了西山，三弟就常常说他肚子不好，拒绝一切的应酬，天晓得他是真病假病——我只好以病人待他，每日三餐，叫厨子烤点面包，煮点稀饭，送了过去。他总是躺在客厅沙发上，听三弟妇弹琴。我没事时也过去坐坐，冷眼看他们两个，倒是合适得很，都很稳静，很纯洁，喜欢谈理想，谈宗教，以为世界上确有绝对的真、善、美。虽然也有新婚时代之爱娇与偎倚，而言谈举止之间，总是庄肃的时候居多，我觉得很喜欢他们。

有一次，三弟妇谈起他们的新家庭，一切的设备，都尽量的用国货，因而谈到北平仁立公司的国货地毯，她认为材料很好，花样也颇精致，那时我有的是钱，便说要去买一两张送给他们。我们定好了日子，一同去挑选。他们先进城去陪父亲，我过一两天再去。我还记得，那是卢沟桥事变之前一天，我一早进城去，到了家里，看见一切乱哄哄的，二弟和二弟妇正帮忙这一对新夫妇收拾行李，小孩子们拉着新娘子的衣服，父亲捧着水烟袋，愁眉不展的。原来正阳门车站站长——是我们的亲戚——早上打电话来，说外面风声不稳，平浦路随时有切断的可能，劝他们两个赶紧走，并且已代订了房间。我愣了一会，便说："有机会走还是先走好，你的事情在南京，不便长在北方逗留，明年再来玩吧。"我立刻叫了一部汽车，送他们到车站，我把预备买地毯的一卷钞票，塞在三弟妇的皮包里，看着他们挤上了火车，火车又蠕蠕的离开了车站，心里如同做了一场乱梦。

他们到了南京，在工厂的防空洞里，过了新婚后的几个月。此后又随军撤退，溯江而上，两个人只带一只小皮箱。我送给他们的一套银器，也随首都沦陷了，地毯幸亏未买！而每封他们给我的信，总是很稳定，很满足，很乐观，种种的辛苦和流离，都以诙谐的笔意出之。友人来信，提到三弟和他的太太在内地的生活，都说看不出三弟妇那么一个娇女儿，竟会那样的劳作。他们在工厂旁边租到一间草房，这一间草房包括了一切的居室。炎暑的天气中，三弟妇在斗室里煮饭洗衣服，汗流如雨，嘴里还能唱歌。大家劝她省点力气，不必唱了，她笑说："多出一点气，可以少出一点汗。"这才是伟大的中华儿女的精神，我向她脱帽！

他们新近得了一个儿子，我写信去道贺，并且说："你们这个孩子应当过继给我，我是长兄！”他们回信说：“别妄想了，你要儿子，自己去想法子吧！”他们以为我自己就没有法子了。“好，走着瞧吧！”

使我心疼头痛的弟妇

提到四弟和四弟妇，真使我又心疼，又头痛。这一对孩子给我不少的麻烦，也给我最大的快乐。四弟是我们四个兄弟中最神经质的一个，善怀、多感、急躁、好动。因为他最小，便养得很任性，很娇惯。虽然如此，他对于父母和哥哥的话总是听从的，对我更是无话不说。我教书的时候，他还是在中学。他喜欢养生物，如金鱼、鸽子、蟋蟀之类，每种必要养满一百零八只，给它们取上梁山泊好汉的绰号。例如他的两只最好勇斗狠的蟋蟀，养在最讲究的瓦罐里的，便是“豹子头林冲”和“行者武松”。他料到父亲不肯多给他钱买生物的时候，便来跟我要钱；定要磨到我答允了为止。

他的恋爱的对象是 H，我们远亲家里的一个小姑娘。他们是同日生的，她只小四弟一岁。那几年我们住在上海，我和三弟四弟，每逢年暑假必回家省亲。H 的家也在上海，她的父亲认为北平的中学比上海的好，就托我送她入北平的女子中学，年暑假必结伴同行。我们都喜欢海行，又都不晕船，在船上早晚都在舱面散步、游戏。四弟就在那时同她熟识了起来。我只觉得他们很和气，决不想到别的。

过了半年，四弟忽然沉默起来，说话总带一点忧悒，功课上也不用心。他的教师多半是我的同学，有的便来告诉我说：“你们老四近来糊涂得很，莫不是有病吧？”我得到这消息，便特地跑进城去，到他校里，发见他没有去上课，躺在宿舍床上，哼哼唧唧的念《花间集》。问他怎么了，他说是头痛。看他的确是瘦了，又说不出病源。我以为是营养不足，便给他买一点鱼肝油，和罐头牛奶之类，叫他按时服用，自己又很忧虑的回来。

不久就是春假了，我约三四弟和 H 同游玉泉山。我发现四弟和 H 中间仿佛有点“什么”，笑得那么羞涩，谈话也不自然。例如上台阶的时候，若是我或三弟搀H，她就很客气的道谢；四弟搀她的时候，她必定脸红，有时竟甩开手。坐在泉边吃茶闲谈的时候，我和三弟问起四弟的身体，四弟叹息着说些悲观的话，而且常常偷眼看H。H却红着脸，望着别处，仿佛没有听见似的。这与她平常活泼客气的态度大不相同，我心里就明白了一大半。从玉泉山回来，送H走后，我便细细的盘问四弟，他始而吞吐支吾，继而坦白的承认他在热爱着H，求我帮忙。我正色的对他说："恋爱不是一件游戏，你年纪太小，还不懂得什么叫做恋爱。再说，H是个极高尚极要强的姑娘，你因着爱她，而致荒废学业，不图上进，这真是缘木求鱼，毫无用处！"四弟默然，晚风中我送他回校，路上我们都不大说话。

四弟功课略有进步，而身体却更坏了。我忽然想起叫他停学一年，一来叫他离H远点，可有时间思索；二来他在母亲身旁，可以休息得好。因此便写一封长信报告父母，只说老四身体不大好，送他回去休息一年，一面匆匆的把他送走。

暑假回家去，看他果然壮健了一些。有一天，母亲背地和我说："老四和H仿佛很好，这些日子常常通信。"这却有点出我意外，我总以为他是在单恋着！于是我便把过去一切都对母亲说了，母亲很高兴，说："H是我们亲戚中最好的姑娘，她能看上老四，是老四的福气。"我说："老四也得自己争气才行，否则岂不辱没了人家的姑娘！"母亲怫然说："我们老四也没有什么太不好处！"我也只好笑了一笑。

那时英国利物浦一个海上学校，正招航海学生，父亲可以保送一名，回家来在饭桌上偶然谈起，四弟非常兴奋，便想要去。父亲说："航海课程难得很，工作也极辛苦，去年送去三个学生，有两个跑了回来，我不是舍不得你去，是怕你吃不了苦，中途辍学，丢我的脸。"母亲也没有言语。饭后四弟拉着三弟到我屋里来，要我替他向父亲请求，准他到英国去。我说："父亲说的很明白，不是舍不得你。我担保替你去说，你也得担保不中途辍学。"四弟很难过地说："只要你们大家都信任我，同时H也不当我作一个颓废的人，我就有这一股勇气。我和你们本是同父一母生的，我相信我若努力，也决不会太落后!”我看他说得坚决可怜，便和三弟商量，一面在父亲面前替他说项，一面找个机会和H谈话，说：“四弟要出国去了，他年纪小，工作烦难，据说他憋下这一股横劲，为的是你。假如你能爱他，就请予以鼓励，假如你没有爱他的可能，请你明白告诉他，好让他死心离去。”H红着脸没有回答，我也不便追问，只好算了。然而四弟是很高兴，很有勇气地走的，我相信他已得了鼓励了。

爱情真是一件奇怪的东西，四弟到了船上，竟变了一个人，刻苦、耐劳、活泼、勇敢。他的学伴，除了英国人之外，还有北欧的挪威、丹麦等国的孩子，个个都是魁梧慓悍，粗鲁爽直，他在这群玩童中间混了五年，走遍了世界上的海口，历尽了海上的风波。五年之末，他带着满面的风尘，满身的筋骨，满心的喜乐，和一张荣誉毕业证书回来。

这几年中，H也入了大学，做了我的学生，见面的机会很多。我常常暗地夸奖四弟的眼光不错，他挑恋爱的对手，也和他平时挑衣食住行的对象一样，那么高贵精致。H是我眼中所看到的最好的小姑娘，稳静大方，温柔活泼，在校里家中，都做了她周围人们爱慕的对象，这一点是母亲认为万分满意的。五年分别之中，她和四弟也有过几次吵架，几次误会，每次出了事故，四弟必立刻飞函给我，托我解围。我也不便十分劝说，常常只取中立严正的态度。情人的吵架是不会长久的，撒过了娇，流过了眼泪，旁人还在着急的时候，他们自己却早已是没事人了。经过了几次风波，我也学了乖，无论情势如何紧张，我总不放在心上。只有一次，H有大半年不回四弟的信，我问他也问不出理由，同时每星期得到四弟的万言书，贴着种种不同的邮票，走遍天涯给我写些人生无味的话，似乎有投海的趋势，那时我倒有点恐慌!

四弟回国来，到北平家里不到一个钟头，就到西郊来找我，在我那里又不到一个钟头，就到女生宿舍去找H，从此这一对小情人，常常在我客厅里谈话。在四弟到上海去就事的前一天，我们三个人从城里坐小汽车回来，刚到城外，汽车抛了锚，在司机下车修理机件之顷，他们忽然一个人拉着我的一只手，告诉我，他们已经订婚了。这似乎是必然的事，然而我当时也有无限的欢悦。

第二年暑假，H 毕业于研究院，四弟北上道贺，就在北平结婚。三弟刚从美国回来，正赶上做了伴郎。他们在父亲那里住了几天，就又回到上海去。我同三弟到车站送行，看火车开出多远，他们还在车窗里挥手。出了车站，我们信步行来，进入中原公司小吃部，脱帽坐下，茶房过来，笑问："两位先生要冰淇淋吧?"我似乎觉得很凉快，就说："来两碗热汤面吧。"吃完了面，我们又到欧美同学会，赴表妹元元订婚的跳舞茶会。在三弟同许多漂亮女郎跳舞的时候，我却走到图书室，拿起一张信纸来，给这一对新夫妇写了一封信，我说："阿 H 同四弟，你们走后，老三和我感到无限的寂寞，心里一凉，天气也不热了。我们是道地中国人，在中原小吃部没吃冰淇淋，却吃了两碗热汤面!"

五六年来，他们小巧精致的家．做了我的行宫，南下北上，或是夏天避暑，总在他们那里小住。白天各人做各人的事，晚上常是点起蜡烛来听无线电音乐。有时他们也在烛影中撒娇打架，向大哥诉苦，更有时在餐馆屋顶花园，介绍些年轻女友，来同大哥认识。这些事也很有趣，在我冷静严肃的生活之中，是个很温柔的变换。

上星期又得他们一封信说："我们的船全被英国政府征用了，从此不能开着小炮，追击日本的走私船只，如何可惜！但是，老头子，我们也许要调到重庆来，你头痛不头痛?"

我真的头痛了，但这头痛不是急出来的!

我的奶娘

我的奶娘也是我常常怀念的一个女人，一想到她，我童年时代最亲切的琐事，都活跃到眼前来了。

奶娘是我们故乡的乡下人，大脚，圆脸，一对笑眼（一笑眼睛便闭成两道缝)，皮肤微黑，鼻子很扁。记得我小的时候很胖，人家说我长得像奶娘，我已觉得那不是句恭维的话。母亲生我之后，病了一场，没有乳水，祖父很着急的四处寻找奶妈，试了几个，都不合适，最后她来了，据说是和她的婆婆怄气出来的，她新死了一个三个月的女儿，乳汁很好。祖父说我一到她的怀里就笑，吃了奶便安稳睡着。祖父很欢喜说："胡嫂，你住下吧，荣官和你有缘。"她也就很高兴的住下了。

世上叫我"荣官"的只有两个人，一个是我的祖父，一个便是我的奶娘。我总记得她说："荣官呀，你要好好读书，大了中举人，中进士，做大官，挣大钱，娶个好媳妇，儿孙满堂，那时你别忘了你是吃了谁的奶长大的！"她说这话的时候，我总是在玩着，觉得她粗糙的手，摸在我脖子上，怪解痒的，她一双笑眼看着我，我便满口答允了。如今回想，除了我还没有忘记"是吃了谁的奶长大的"之外，既未做大官，又未挣大钱，至于"娶个好媳妇"这一段，更恐怕是下辈子的事了！

我们一家人，除了佣人之外，都欢喜她，祖父因为宠我，更是宠她。奶娘一定要吃好的，为的是使乳水充足；要穿新的，为的是要干净。父亲不常回来，回来时看见我肥胖有趣，也觉得这奶妈不错。母亲对谁都好，对她更是格外的宽厚。奶娘常和我说："你妈妈是个菩萨，做好人没有错处，修了个好丈夫，好儿子。就是一样，这班下人都让她惯坏了，个个作恶营私，这些没良心的人，老天爷总有一天睁开眼！"

那时我母亲主持一个大家庭，上下有三十多口，奶娘既以半主自居，又非常的爱护我母亲，便成了一般婢仆所憎畏的人。她常常拿着秤，到厨房里去称厨师父买的菜和肉，夜里拍我睡了以后，就出去巡视灯火，察看门户。母亲常常婉告她说："你只看管荣官好了，这些事用不着你操心，何苦来叫人家讨厌你。"她起先也只笑笑，说多了就发急。记得有一次，她哭了，说："这些还不是都为你！你是一位菩萨，连高声说话都没说过，眼看这一场家私都让人搬空了，我看不过，才来帮你一点忙，你还怪我。"她一边数落，一边擦眼泪。母亲反而笑了，不说什么。父亲忍着笑，正色说："我们知道你是好心，不过你和太太说话，不必这样发急，‘你’呀‘我’的，没了规矩!”我只以为她是同我母亲拌嘴，便在后面使劲的捶她的腿，她回头看看，一把拉起我来，背着就走。

说也奇怪，我的抗日思想，还是我的奶娘给培养起来的。大约是在八九岁的时候，有一位堂哥哥带我出去逛街，看见一家日本的御料理，他说要请我吃“鸡素烧”，我欣然答应。脱鞋进门，地板光滑，我们两人拉着手溜走，我已是很高兴。等到吃饭的时候，我和堂哥对跪在矮几的两边，上下首跪着两个日本侍女，擦着满脸满脖子的怪粉，梳着高高的髻，油香逼人。她们手忙脚乱，烧鸡调味，殷勤劝进，还不住的和我们说笑。吃完饭回来，我觉得印象很深，一进门便一五一十的告诉了我的奶娘。她素来是爱听我的游玩报告的，这次却睁大了眼睛，沉着脸，说：“你哥哥就不是好人，单拉你往那些地方跑！下次再去，我就告诉你的父亲打你!”我吓得不敢再说。过了许多日子，偶然同母亲提起，母亲倒不觉得这是一件坏事，还向奶娘解释，说：“侄少爷不是一个荒唐人，他带荣官去的地方是日本饭馆子，日本的规矩，是侍女和客人坐在一起的。”奶娘扭过头去说：“这班不要脸的东西！太太，您大门不出，二门不迈的，哪里知道这些事呀！告诉您听吧，东洋人就没有一个好的：开馆子的、开洋行的、卖仁丹的，没有一个安着好心，连他们的领事都是他们一伙，而且就是贼头。他们的饭馆侍女，就是窑姐，客人去吃一次，下次还要去。洋行里卖胃药，一吃就上瘾。卖仁丹的，就是眼线，往常到我们村里，一次、两次、三次，头一次画下了图，第二次再来察看，第三次就竖起了仁丹的大板牌子。他们画图的时候，有人在后面偷偷看过，哪地方有树，哪地方有井……都记得清清楚楚。您记着我的话，将来我们这里，要没有东洋人造反，您怎样罚我都行!”父亲在旁边听着，连连点头，说：“她这话有道理，我们将来一定还要吃日本人的亏。”奶娘因为父亲赞成她，更加高兴了，说：“是不是？老爷也知道，我们那几亩地，那一间杂货铺，还不是让日本人强占去的？到东洋领事那里打了一场官司，我们孩子的爸爸回来就气死了，临死还叫了一夜：‘打死日本人，打死东洋鬼。'您看，若不是……我还不至于……”她兴奋得脸也红了，嘴唇哆嗦着，眼里也充满了泪光。母亲眼眶也红了。父亲站了起来，说：“荣官，你带奶娘回屋歇一歇吧。”我那时只觉得又愤激又抱愧，听见父亲的话，连忙拉她回到屋里。这一段话，从来没听见她说过，等她安静下来，我又问她一番。她叹口气抚摩着我说：“你看我的命多苦，只生了一个女儿，还长不大。只因我没有儿子，我的婆婆整天哭她的儿子，还诅咒我，说她儿子的仇，一辈子没人报了。我一赌气，便出来当奶娘。我想奶一个大人家的少爷，将来像薛仁贵似的跨海征东，堵了我婆婆的嘴，出了我那死鬼男人的气。你大了……”我赶紧搂着她的脖子说：“你放心，我大了一定去跨海征东，打死日本人，打死东洋鬼！”眼泪滚下了她的笑脸，她也紧紧的搂着我，轻轻的摇晃着，说：“这才是我的好宝贝！”

从此我恨了日本人，每次奶娘带我到街上去，遇见日本人，或经过日本人的铺子，我们互搀着的手，都不由的捏紧了起来。我从来不肯买日本玩具，也不肯接受日货的礼物。朋友们送给我的日俄战争图画，我把上面的日本旗帜，都用小刀刺穿。稍大以后，我很用心的读日本地理，看东洋地图，因为我知道奶娘所厚望于我的，除了“做大官，挣大钱，娶个好媳妇”以外，还有“跨海征东”这一件事。

我的奶娘，有气喘的病，不服北方的水土，所以我们搬到北平的时候，她没有跟去。不过从祖父的信里，常常听到她的消息，她常来看祖父，也有时在祖父那里做些短工。她自己也常常请人写信来，每信都问荣官功课如何，定婚了没有。也问北方的佣人勤谨否。又劝我母亲驭下要恩威并济，不要太容纵了他们。母亲常常对我笑说：“你奶娘到如今还管着我，比你祖父还仔细。”

母亲按月寄钱给她零用，到了我经济独立以后，便由我来供给她。我们在家里，常常要想到她，提到她，尤其是在国难期间，她的恨声和眼泪，总悬在我的眼前。在日本提出二十一条和“五四”那年，学生游行示威的时候，同学们在高呼“打倒日本帝国主义”，我却心里在喊“打死东洋鬼”。仿佛我的奶娘在牵着我的手，和我一同走，和我一同喊似的。

抗战的前两年，我有一个学生到故乡去做调查工作，我托他带一笔款子送给我的奶娘，并托他去访问，替她照一张相片。学生回来时，带来一封书信，一张相片，和一只九成金的戒指。相片上的奶娘是老得多了，那一双老眼却还是笑成两道缝。信上是些不满意于我的话，她觉得弟弟们都结婚了，而我将近四十岁还是单身，不是一个孝顺的长子。因此她寄来一只戒指，是预备送给我将来的太太的。这只戒指和一只母亲送给我的手表，是我仅有的贵重物品，我有时也带上它，希望可以做一个“娶媳妇”的灵感！

抗战后，死生流转，奶娘的消息便隔绝了。也许是已死去了吧，我辗转都得不到一点信息。我的故乡在两月以前沦陷了，听说焚杀得很惨，不知那许多牺牲者之中，有没有我那良善的奶娘？我倒希望她在故乡沦陷以前死去。否则她没有看得见她的荣官“跨海征东”，却赶上了“东洋人造反”，我不能想象我的亲爱的奶娘那种深悲狂怒的神情……

安息吧，这良善的灵魂。抗战已进入了胜利阶段，能执干戈的中华民族的青年，都是你的儿子，跨海征东之期，不在远了！

我的同班

L 女士是我们全班男女同学所最敬爱的一个人。大家都称呼她“L 大姐”。我们男同学不大好意思打听女同学的岁数，惟据推测，她不会比我们大到多少。但她从不打扮，梳着高高的头，穿着黯淡不入时的衣服，称呼我们的时候，总是连名带姓，以不客气的，亲热的，大姐姐的态度处之。我们也就不约而同，心悦诚服的叫她大姐了。

L 女士是闽南人，皮肤很黑，眼睛很大，说话作事，敏捷了当。在同学中间，疏通调停，排难解纷，无论是什么集会，什么娱乐，只要是 L 大姐登高一呼，大家都是拥护响应的。她的好处是态度坦白，判断公允，没有一般女同学的羞怯和隐藏。你可和她辩论，甚至吵架，只要你的理长，她是没有不认输的。同时她对女同学也并不偏袒，她认为偏袒女生，就是重男轻女；女子也是人，为什么要人家特别容让呢？我们的校长有一次说她“有和男人一样的思路”，我们都以为这是对她最高的奖辞。她一连做了三年的班长，在我们中间，没有男女之分，党派之别，大家都在“拥护领袖”的旗帜之下，过了三年医预科的忙碌而快乐的生活。

在医预科的末一年，有一天，我们的班导师忽然叫我去见他。在办公室里，他很客气的叫我坐下，婉转的对我说，校医发现我的肺部有些毛病，学医于我不宜，劝我转系。这真是一个晴天霹雳！我要学医，是十岁以前就决定的。因我的母亲多病，服中医的药不大见效，西医诊病的时候，总要听听心部肺部，母亲又不愿意，因此，我就立下志愿要学医，学成了好替我的母亲医病。在医预科三年，成绩还不算坏，眼看将要升人本科了，如今竟然功亏一篑！从班导师的办公室里走出来的时候，我几乎是连路都走不动了。

午后这一堂是生理学实验。我只呆坐在桌边，看着对面的L大姐卷着袖子，低着头，按着一只死猫，在解剖神经，那刀子下得又利又快！其余的同学也都忙着，没有人注意到我。我轻轻的叫了一声，L大姐便抬起头来，我说：“L大姐，我不能同你们在一起了，导师不让我继续学医，因为校医说我肺有毛病……”L大姐愕然，刀也放下了，说：“不是肺痨吧？”我摇头说：“不是，据说是肺支气管涨大……无论如何，我要转系了，你看！”L大姐沉默了一会，便走过来安慰我说：“可惜得很，像你这么一个温和细心的人，将来一定可以做个很好的医生，不过假如你自己身体不好，学医不但要耽误自己，也要耽误别人。同时我相信你若改学别科，也会有成就的。人生的路线，曲折得很，塞翁失马，安知非福？”

下了课，这消息便传遍了，同班们都来向我表示惋惜，也加以劝慰，L大姐却很实际的替我决定要转哪一个系。她说：“你转大学本科，只剩一年了，学分都不大够，恐怕还是文学系容易些。”她赶紧又加上一句，“你素来对文学就极感兴趣，我常常觉得你学医是太可惜了。”

我听了大姐的话，转入了文学系。从前拿来消遣的东西，现在却当功课读了。正是“歪打正着”，我对于文学，起了更大的兴趣，不但读，而且写。读写之余，在傍晚的时候，我仍常常跑到他们的实验室里去闲谈，听L大姐发号施令，商量他们毕业的事情。

大姐常常殷勤的查问我的功课，又索读我的作品。她对我的作品，总是十分叹赏，鼓励我要多读多写。在她的指导鼓励之下，我渐渐的消灭了被逼改行的伤心，而增加了写作的勇气。至今回想，当时若没有大姐的勉励和劝导，恐怕在那转变的关键之中，我要做了一个颓废而不振作的人吧！

在我教书的时候，L大姐已是一个很有名的产科医生了。在医院里，和在学校里一样，她仍是保持着领袖的地位，作一班大夫和护士们敬爱的中心。在那个大医院里，我的同学很多，我每次进城去，必到那里走走，看他们个个穿着白衣，挂着听诊器，在那整洁的甬道里，忙忙的走来走去。闻着一股清爽的药香，我心中常有一种说不出来的感觉，如同一个受伤退伍的兵士，裹着绷带，坐在山头，看他的伙伴们在广场上操练一样，也许是羡慕，也许是伤心，虽然我对于我的职业，仍是抱着与时俱增的兴趣。

同学们常常留我在医院里吃饭，在他们的休息室里吸烟闲谈，也告诉我许多疑难的病症。一个研究精神病的同学，还告诉我许多关于精神病的故事。L大姐常常笑说：“，这都是你写作的材料，快好好的记下吧！”

抗战前一个多月，我从欧洲回来，正赶上校友返校日。那天晚上，我们的同级有个联欢大会，真是济济多士！十余年中，我们一百多个同级，差不多个个名成业就，儿女成行（当然我是一个例外！），大家携眷莅临，很大的一个厅堂都坐满了。觥筹交错，童稚欢呼，大姐坐在主席的右边，很高兴的左顾右盼，说这几十个孩子之中，有百分之九十五是她接引降生的。酒酣耳热，大家谈起做学生时代的笑话，情况愈加热烈了。主席忽然起立，敲着桌子提议：“现在请大家轮流述说，假如下一辈子再托生，还能做一个人的时候，你愿意做一个什么样的人？”大家哄然大笑。于是有人说他愿意做一个大元帅，有人说愿做个百万富翁……轮到我的时候，大姐忽然大笑起来，说："教授，我知道你下一辈子一定愿意做一个女人。"大家听了都笑得前仰后合；当着许多太太们，我觉得有点不好意思，我也笑着反攻说："L大夫，我知道你下一辈子，一定愿意做一个男人。"L大姐说："不，我仍愿意做一个女人，不过要做一个漂亮的女人，我做交际明星，做一切男人们恋慕的对象……"她一边说一边笑，那些太太们听了纷纷起立，哄笑着说："L大姐，您这话就不对，您看您这一班同学，哪一个不恋慕您？来，来，我们要罚您一杯酒。"我们大家立刻鼓掌助兴。L大姐倚老卖老的话，害了她自己了！于是小孩们捧杯，太太们斟酒，L大姐固辞不获，大家笑成一团。结果是滴酒不入的L大医生，那晚上也有些醉意了。

盛会不常，佳时难再，那次欢乐的集会，同班们三三两两的天涯重聚，提起来都有些怅惘。事变后，我还在北平，心里烦闷得很，到医院里去的时候，L大姐常常深思的皱着眉对我们说："我待不下去了。在这里不是'生'着，只是'活'着！我们都走吧，走到自由中国去，大家各尽所能，你用你的一支笔，我们用我们的一双手，我相信大后方还用得着我们这样的人！"大家都点点头。我说："你们医生是当今第一等人才，我这拿笔杆的人，做得了什么事？假若当初……"大姐正色拦住我说："，我不许你再说这些无益的话。你自己知道你能做些什么事，学文学的人还要我们来替你打气，真是！"

一年内，我们都悄然的离开了沦陷的故都，我从那时起，便没有看见过我们的L大姐，不过这个可敬的名字，常常在人们口里传说着，说L大姐在西南的一个城市里，换上军装，灰白的头发也已经剪短了。她正在和她的环境，快乐的，不断的奋斗，在蛮烟瘴雨里，她的敏捷矫健的双手，又接下了成千累百的中华民族的孩童。她不但接引他们出世，还指导他们的父母，在有限的食物里，找出无限的滋养料。她正在造就无数的将来的民族斗士！

我希望在不久的将来，我们回到故都重开级会的时候，我能对她说："L大姐，下一辈子我情愿做一个女人，不过我一定要做像你这样的女人！"

我的同学

不知女人在一起的时间，是常谈到男人不是？我们一班朋友在一起的时候，的确常谈着女人，而且常常评论到女人的美丑。

我们所引以自恕的，是我们不是提起某个女人，来品头论足；我们是抽象的谈到女人美丑的标准。比如说，我们认为女人的美可分为三种：第一种是乍看是美，越看越不美；第二种是乍看不美，越看越觉出美来；第三种是一看就美，越看越美！

第一种多半是身段窈窕，皮肤洁白的女人，瞥见时似乎很动人，但寒暄过后，坐下一谈，就觉得她眉画得太细，唇涂得太红，声音太粗糙，态度太轻浮，见过几次之后，你简直觉得她言语无味，面目可憎。

第二种往往是装束素朴，面目平凡的女人，乍见时不给人以特别的印象。但在谈过几次话，同办过几次事以后，你会渐渐的觉得她态度大方，办事稳健，雅淡的衣饰，显出她高洁的品味；不施铅华的脸上，常常含着柔静的微笑，这种女人，认识了之后，很不易使人忘掉。

第三种女人，是鸡群中的仙鹤，万绿丛里的一点红光！在万人如海之中，你会毫不迟疑的把她拣拔了出来。事实上，是在不容你迟疑之顷，她自己从人丛中浮跃了出来，打击在你的眼帘上。这种女人，往往是在“修短合度，秾纤适中……芳泽无加，铅华弗御”的躯壳里，投进了一个玲珑高洁的灵魂。她的一言一笑，一举一动，都流露着一种神情，一种风韵，既流丽，又端庄，好像白莲出水，玉立亭亭。

假如有机会多认识她，你也许会发现她态度从容，辩才无碍，言谈之际，意暖神寒。这种女人，你一生至多遇见一两次，也许一次都遇不见！

我也就遇见过一次！

C女士是我在大学时的同学，她比我高两班。我入大学的第一天，在举行开学典礼之前一小时，在大礼堂前的长廊上，瞥见了她。

那时的女同学，都还穿着制服，一色的月白布衫，黑绸裙儿，长蛇般的队伍，总有一二百个。在人群中，那竹布衫子，黑绸裙子，似乎特别的衬托出C女士那夭矫的游龙般的身段。她并没有大声说话，也不曾笑，偶然看见她和近旁的女伴耳语，一低头，一侧面，只觉得她眼睛很大，极黑，横波入鬓，转盼流光。

及至进入礼堂坐下——我们是按着班次坐的，每人有一定的坐位——她正坐在我右方前三排的位子上，从从容容略向右倚。我正看一个极其美丽潇洒的侧影：浓黑的鬓发，一个润厚的耳廓，洁白的颈子，美丽的眼角和眉梢。台上讲话的人，偶然有引人发笑之处，总看见她微微的低下头，轻轻的举起左手，那润白的手指，托在腮边，似乎在微笑，又似乎在忍着笑。这印象我极其清楚，也很深。以后的两年中，直到她毕业时为止，在集会的时候，我总在同一座位上，看到这美丽的侧影。

我们虽不同班，而见面的时候很多，如同歌咏队，校刊编辑部，以及什么学会等等。她是大班的学生，人望又好，在每一团体，总是负着重要的责任。任何集会，只要有C女士在内，人数到的总是齐全，空气也十分融和静穆，男同学们对她固然敬慕，女同学们对她也是极其爱戴，我没有听见一个同学，对她有过不满的批评。

C女士是广东人，却在北方生长，一口清脆的北平官话。在集会中，我总是下级干部，在末座静静的领略她稳静的风度，听取她简洁的谈话。她对女同学固然亲密和气，对男同学也很谦逊大方，她的温和的笑，解除了我们莫名其妙的局促和羞涩，我觉得我并不是常常红脸的人，对别的女同学，我从不觉得踧踖。但我看不只我一个人如此，许多口能舌辩的男同学，在C女士面前，也往往说不出话来，她是一轮明丽的太阳，没有人敢向她正视。

我知道有许多大班的男同学，给她写过情书，她不曾答复，也不存芥蒂，我们也不曾听说她在校外有什么爱人。我呢？年少班低，连写情书的思念也不敢有过，但那几年里，心目中总是供养着她。直至现在，梦中若重过学生生活，梦境中还常常有着C女士，她或在打球，或在讲演，一朵火花似的，在我迷离的梦雾中燃烧跳跃。这也许就是老舍先生小说中所谓之“诗意”吧！我算对得起自己的理想，我一辈子只有这么一次“诗意”！

在C女士将要毕业的一年，我同她演过一次戏，在某一幕中，我们两人是主角，这一幕剧我永远忘不了！那是梅德林克的《青鸟》中之一幕。那年是华北旱灾，学校里筹款赈济，其中有一项是演剧募捐，我被选为戏剧股主任。剧本是我选的，我译的，演员也是我请的。我自己担任了小主角，请了C女士担任“光明之神”。上演之夕，到了进入“光明殿”之一幕，我从黑暗里走到她的脚前，抬头一望，在强烈的灯光照射之下，C女士散披着洒满银花的轻纱之衣，扶着银杖。经过一番化妆，她那对秀眼，更显得光耀深大，双颊绯红，樱唇欲滴。及至我们开始对话，她那银铃似的声音，虽然起始有点颤动，以后却愈来愈清爽，愈嘹亮，我也如同得了灵感似的，精神焕发，直到终剧。我想，那夜如果我是个音乐家，一定会写出一部交响曲，我如果是一个诗人，一定会作出一首长诗。可怜我什么都不是，我只做了半夜光明的乱梦！

等到我自己毕业以后，在美国还遇见她几次，等到我回国在母校教书，听说她已和一位姓L的医生结婚，住在天津。同学们聚在一起，常常互相报告消息，说她的丈夫是个很好的医生，她的儿女也像她那样聪明美丽。

我最后听到她的消息，是在抗战前十天，我刚从欧洲归来，在一位美国老教授家里吃晚饭。他提起一星期以前，他到天津演讲，演讲后的茶会中，有位极漂亮的太太，过来和他握手，他搔着头说：“你猜是谁？就是我们美丽的C！我们有八九年没有见面了，真是使人难以相信，她还是和从前一样的好看，一样的年轻，……你记得C吧？”我说：“我哪能不记得？我游遍了东京、纽约、伦敦、巴黎、罗马、柏林、莫斯科……我还没有遇见过比她还美丽的女人！”

又六年没有消息了，我相信以她的人格和容貌的美丽，她的周围随处都可以变成光明的天国。愿她享受她自己光明中之一切，愿她的丈夫永远是个好丈夫，她的儿女永远是些好的儿女。因为她的丈夫是有福的，她的儿女也是有福的！

我的朋友的太太

在单身教授的楼上，住着三个人，L，T，和我。他们二位都是理学院教授，在实验室的时候多，又都是订过婚的人，下课回来，吃过晚饭，就在灯下写起情书，只要是他们掩着屋门，我总不去打搅。沉浸在爱的幸福中的人们，是不会意识到旁人的寂寞的，我只好自己在客厅里，开起沙发旁的电灯，从十八世纪的十四行诗中，来寻找我自己“神光离合”的爱人。

L和我又比较熟识一些，常常邀我到他屋里去坐。在他的书桌上，看到了他的未婚夫人的照片，长圆的脸，戴着眼镜，一副温柔的笑容。L告诉我，他们是在国外认识而订婚的，这浪漫史的背景，是美国东部一个大学生物学的实验室里，他们因着同学，同行而同志，同情，最后认为终身同工，是友情的最美满的归宿，于是就……L说到这里，脸上一红，他是一个木讷腼腆的人，以下就不知说什么好。我赶紧接着说：“将来，你们又是一对居里夫妇，恭喜恭喜，何时请我们吃喜酒呢？”

于是在一年的夏天，L回到上海去，回来的时候，就带着他的新妇，住在一所新盖好的教授住宅里。

我们被邀去吃晚饭的那一晚，不过是他们搬入的一星期之后，那小小的四间屋子，已经布置得十分美观妥帖了。卧室是浅红色的，浅红色的窗帘、台布、床单、地毯，配起简单的白色家具，显得柔静温暖。书房是两张大书桌子相对，中间一盏明亮的桌灯，墙上一排的书架，放着许多的书，以及更多的瓶子，里面是青蛙苍蝇，还有各色各种不知名的昆虫。这屋子里，家具是浅灰色的，窗帘等等是绿色的，外面是客厅和饭厅打通的一大间，一切都是蓝色的，色调虽然有深浅，而调和起来，觉得十分悦目。

客人参观完毕，在客厅坐下之后，新娘子才从厨房后面走出来，穿着一件浅红色的衣服，装束雅淡，也未戴任何首饰，面庞和相片上差不多，只是没有戴眼镜，说不上美丽，但自有一种凝重和蔼的风度。她和我们一一握手寒暄，态度自然，口齿流利，把我们一班单身汉，预先排练好的一套闹新房的话，都吓到爪洼国里去了。

席上新娘子和每一个人谈话，大家都不觉得空闲。L本来话少，只看着我们笑。我们都说："L太太，您应当给L一点家庭教育，教他多说一点话。"她笑说："恐怕是我说的话太多，他就没有机会出头了。"——席散大家有的下围棋，有的玩纸牌，L太太很快的就把客人组织起来. 我是不大会玩的，就和这一对新夫妇，在廊上看月闲谈。我说："L太太，不怕你恼，我看你的家庭布置，简直像个学文学的人，有过审美训练的。"她谦逊了几句，又笑说："我有几个学美术、文学的女友，在本行上造诣都很好，但一进入她们的家门屋门，先生，真是如你所说的，像个学科学的人的家庭……"我觉得不好意思，才要说话，她赶紧笑说："我知道你的意思，我是说，审美观念，有时近乎天生，这当然也不是说我真有审美的观念，我只是说所学的与所用的，有时也不一致。"从此又谈到文学，这是我的本行，但L太太所知道的真是不少，欣赏力也很高，我们直谈到牌局棋局散后，又吃了点冰淇淋才走。

L太太每天下午，同L先生到实验室，下课后，他们二位常常路过我们的宿舍，就邀我去晚饭。大厨房里的菜，自然不及家庭里的烹调，我也就不推却，只有时送去点肉松、醉蟹、糖果饼干之类，他们还说我客气。

冬夜，他们常常生起壁炉，饭后就在炉边闲谈。我教给他们喝一点好酒，抽一点好烟，他们虽不拒绝，却都不发生兴趣。L太太甚至于说我的吃酒抽烟，都是因为没有娶亲的缘故，因而就追问我为什么不娶亲，我说："L太太，你真是太清教徒了，你真没有见过抽烟喝酒的人，像我这样饭前一杯酒，饭后一支烟，在男人里面，就算是不充分享受我们的权利的了。至于娶亲，我还是那一句老话，文章既比人坏，老婆就得比人家好，而我的朋友的老婆，一个赛似一个的好，叫我哪里去找更好的？一来二去，就耽误了下来，这不能怪我……"L太太笑得喘不过气来，L就说："别理他，他是个怪人！只要他态度稍微严肃一些，还怕娶不到老婆？恐怕真正的理由，还是因为他文章太好的缘故。”

L太太真是个清教徒，不但对于烟酒，对于其他一切，也都有着太高而有时不近人情的理想，虽然她是我所见到的，最人性最女性的女人。比如说，她常常赞美那些太太死后绝不再娶的男人，认为那是爱情最坚贞的表现，我听她举例不止一次。有一次是除夕，大家都回去过年——我的家那时还在上海，也不想进城去玩——L夫妇知道我独在，就打电话来请我吃火锅。饭后酒酣耳热，灯光柔软，在炉边她又感慨似的，提起某位老先生，在除夕不知多么寂寞，他鳏居了三十年，朝夕只和太太的照片相伴，是多么可爱可敬的一个老头子啊！

我站了起来，把烟尾扔在壁炉里，说：“对不起，L太太，这点我不和你同意！假如我是个女人，而且结婚生活美满，我死后，一定欢喜我的丈夫再娶。我在我的遗嘱上，一定加上几句，说：‘亲爱的，为着家庭的完整，为着儿女的教养，为着其他一切，我恳切的请你在最短期内，再娶一位既贤且能的夫人……’”这时不但L太太睁着两只大眼看我，连L也把手里的书放下了。

我重新点起一支烟，一面坐下，说：“女人总觉得丈夫的再娶，是对自己不忠诚，不真挚的反映，我说一句不怕女人生气的话，这就是虚荣心充分的暴露；而且就事实上说，凡是对于结婚生活，觉得幸福美满的人，他的再婚，总比其他的人，来得早些。习惯于美满家庭的人，太太一死，就如同丧家之犬，出入伤心，天地异色，看着儿女啼哭，婢仆怠惰，家务荒弛，他就完全失了依据。夜深人静，看着儿女泪痕狼藉，苍白瘦弱的脸，他心里就针扎似的，恨不得一时能够追回那失去的乐园……”这时L太太不言语了，拿手绢擤了擤鼻子。

我说：“反过来，结婚生活不美满的人，太太死了，他就如同漏网之鱼，一溜千里，他就暂时不要再受结婚生活的束缚，先悠游自在的过几年自由光阴再说。所以，鳏夫的早日再婚，是对于结婚生活之信任，是对于温暖家庭的热恋，换句话说，也就是对于第一位夫人最高的颂赞。再一说，假如你真爱你的丈夫，在自己已成槁木死灰之时，还有什么虚荣，什么忌妒，你难道忍心使他受尽孤单悲苦，无人安慰的生活？而且，假如你的丈夫真爱你，也不会因为眼前有了一个新人，就把你完全忘掉。红楼梦里的藕官，就非常的透彻这道理，人家问她，为什么得了新的，就把旧的忘了。她说：‘不是忘了，比如人家男人，死了女人，也有再娶的，不过不把死的丢过不提，就是有情分了。’所以她虽然一和蕊官碰在一起，就谈得‘热剌剌的丢不下’，而一面还肯冒大观园之不韪‘满面泪痕’的在杏子荫中，给死了的药官烧纸，这一段故事，实在表现了最正常的人情物理！听不听由你，我只能说，假如我是个女人，我对于一个男人的品评，决不因为他妻死再娶，就压低了他的人格。假如我是个女人，我决不在我生前，强调再婚男人之不足取……”

大概是有了点酒意，我滔滔不绝的说下去，这是我和L太太不客气的辩论之第一次。她虽然不再提起，但我知道她并不和我完全同意。

一年以后，有件事实，却把她说服了。

从前和我们同住的T，也是和L同年结婚的，他们两家住的极近。T太太也是一位极其温柔和蔼的女人，和L太太很合得来。T夫妇的情好自不必说。一年以后，T太太因着难产，死在医院里，T是哭得死去活来。L太太一边哭，一边帮他收拾，帮他装殓，帮他料理丧事，还帮他管家。那时L太太的儿子宝弟诞生不久，她也很忙，再兼管T的家事，弄得劳瘁不堪。最后她到底把T太太的妹妹介绍给T先生，促他订婚，促他成礼，我在旁边看着，觉得十分有趣，因此在T二次结婚的婚筵后，我同L夫妇缓步归来，我笑着同L太太说："假如你觉得男人人格的最高标准，是妻死不娶，你就不应当陷T于不义。"她却眼圈红了，说："先生，请你不要再说了吧！"她的下泪，很出我意外，我从此就不再提。

但对于我之不娶，她仍是坚决的反对，这也许是她的报复，因为我不能反驳她。他们的儿子宝弟刚会说话，她就教他叫我"老丈人"。直至抗战那年，我离开北平，九岁的宝弟，和我握别的时候，还说：“老丈人，你回来的时候，千万要把你的女儿，我的太太带了回来！”

他问我要女儿，别说一个，要两个也容易，但我的太太还没有影子呢。

我的学生

S是在澳洲长大的——她的父亲是驻澳的外交官——十七岁那年才回到祖国来。她的祖父和我的父亲同学，在她考上大学的第二天，她祖父就带她来看我，托我照应。她考的很好，只国文一科是援海外学生之例，要入学以后另行补习的。

那时正是一个初秋的下午，我留她的祖父和她，在我们家里吃茶点。我陪着她的祖父谈天，她也一点不拘束的，和我们随便谈笑。我觉得她除了黑发黑睛之外，她的衣着，表情，完全像一个欧洲的少女。她用极其流利的英语，和我谈到国文，她说：“我曾经读过国文，但是一位广东教师教的，口音不正确……”说到这里，她极其淘气的挤着眼睛笑了，“比如说，他说：‘系的，系的，萨天常常萨雨。’你猜是什么意思？他是说：‘是的，是的，夏天常常下雨。’你看！”她说着大笑起来，她的祖父也笑了。

我说：“大学里的国文又不比国语，学国语容易，只要你不怕说话就行。至于国文，要能直接听讲，最好你的国文教授，能用英语替你解说国文，你在班里再一用心，就行了。”她的祖父就说：“在国文系里，恐怕只有你能用英语解说国文，就把她分在你的组里吧，一切拜托了！”我只得答应了。

上了一星期的课，她来看我，说别的功课都非常容易，同学们也都和她好，只是国文仍是听不懂。我说：“当然我不能为你的缘故，特别的慢说慢讲，但你下课以后，不妨到我的办公室里，我再替你细讲一遍。”她也答应了。从此她每星期来四次，要我替她讲解。真没看见过这样聪明的孩子，进步像风一样的快。一个月以后，她每星期只消来两次，而且每次都是用纯粹的流利的官话，和我交谈。等到第二学期，她竟能以中文写文章，她在我班里写的“自传”长至九千字，不但字句通顺，而且描写得非常生动。这时她已成了全校师生嘴里所常提到的人物了。

她学的是理科，第二年就没有我的功课，但因为世交的关系，她还常常来看我。现在她已完全换了中服，一句英语不说，但还是同欧美的小女孩儿一样的活泼淘气。她常常对我学她们化学教授的湖南腔，物理教授的山东话，常常使全客厅的人们，笑得喘不过气来。她有时忽然说：“叔叔，我祖父说你在美国一定有位女朋友，否则为什么在北平总不看见你同女友出去？”或说：“众位教授听着！我的叔叔昨天黄昏在校园里，同某女教授散步，你们猜那位女教授是谁？”她的笑话，起初还有人肯信，后来大家都知道她的淘气，也就不理她。同时，她的朋友越来越多，课余忙于开会、赛球、骑车、散步、溜冰、演讲、排戏，也没有工夫来吃茶点了。

以后的三年里，她如同狮子滚绣球一般，无一时不活动，无一时不是使出浑身解数的在活动。在她，工作就是游戏，游戏就是工作。早晨看见她穿着蓝布衫，平底皮鞋，夹着书去上课；忽然又在球场上，看见她用红丝巾包起头，穿着白衬衣，黑短裤，同三个男同学打网球；一转眼，又看见她骑着车，飞也似的掠过去，身上已换了短袖的浅蓝绒衣和蓝布长裤；下午她又穿着实验白衣服，在化学楼前出现；到了晚上，更摸不定了，只要大礼堂灯火辉煌，进去一看，台上总有她，不是唱歌，就是演戏；在周末的晚上，会遇见她在城里北京饭店或六国饭店，穿起曳地的长衣，踏着高跟鞋，带着长耳坠，画眉，涂指甲，和外交界或使馆界的人们吃饭，跳舞。

她的一切活动，似乎没有影响到她的功课，她以很高的荣誉毕了业。她的祖父非常高兴，并邀了我的父亲来赴毕业会，会后就在我们楼里午餐。她们祖孙走后，我的父亲笑着说：“你看 S 像不像一只小猫，没有一刻消停安静！她也像猫一样的机警聪明，虽然跳荡，却一点不讨厌。我想她将来一定会嫁给外交人员，你知道她在校里有爱人吧？”我说：“她的男朋友很多，却没听说过有哪一个特别好的，您说的对，她不会在同学中选对象，她一定会嫁给外交人员。但无论如何，不会嫁给一个书虫子!”

出乎意外的，在暑期中，她和一位P先生宣布订婚，P就是她的同班，学地质土壤的。我根本没听说过这个人！问起P的业师们，他们都称他是个绝好的学生，很用功，性情也沉静，除读书外很少活动。但如何会同S恋爱订婚，大家都没看出，也绝对想不到。

一年以后，他们结了婚，住在S祖父的隔壁，我的父亲有时带我们几个弟兄，去拜访他们。他们家里简直是“全盘西化”，家人仆妇都会听英语，饮食服用，更不必说。S是地道的欧美主妇，忙里偷闲，花枝招展。我的父亲常常笑对S说：“到了你家，就如同到澳洲中国公使馆一般!”

但是住在“澳洲中国公使馆”的P先生，却如同古寺里的老僧似的，外面狂舞酣歌，他却是不闻不问，下了班就躲在他自己的书室里，到了吃饭时候才出来，同客人略一招呼，就低头举箸。倒是S常来招他说话，欢笑承迎。饭后我常常同他进入书室，在那里，他的话就比较的多。虽然我是外行，他也不惮烦的告诉许多关于地质土壤的最近发现，给我看了许多图画、照片和标本。父亲也有时捧了烟袋，踱了进来，参加我们的谈话。他对P的印象非常之好，常常对我说：“P就是地质本身，他是一块最坚固的磐石。S和一般爱玩漂亮的人玩腻了，她知道终身之托，只有这块磐石最好，她究竟是一个聪明人!”

我离开北平的时候，到她祖父那里辞行，顺便也到P家走走。那时S已是三个孩子的母亲，院子里又添上了沙土池子，秋千架之类。家里人口添了不少，有保姆、浆洗缝做的女仆、厨子、园丁、司机，以及打杂的工人等等。所以当S笑着说“后方见”的时候，我也只笑着说：“我这单身汉是拿起脚来就走，你这一个‘公使馆’如何搬法?”P也只笑了笑，说：“先生，你到那边若见有地质方面新奇的材料，在可能的范围内，寄一点来我看看。”

从此又是三年——

忽然有一天，我在云南一个偏僻的县治旅行，骑马迷路。那时已近黄昏，左右皆山，顺着一道溪水行来，逢人便问，一个牧童指给我说：“水边山后有一个人家，也是你们下江人，你到那边问问看，也许可以找个住处。”我牵着马走了过去，斜阳里一个女人低着头，在溪边洗着衣裳，我叫了一声，她猛然抬起头来，我几乎不能相信我的眼睛，那用圆润的手腕，遮着太阳，一对黑大的眼睛，向我注视的，不是S是谁?

我赶了过去，她喜欢的跳了起来，把洗的衣服也扔在水里，嘴里说：“你不嫌我手湿，就同我拉手！你一直走上去，山边茅屋，就是我们的家。P在家里，他会给你一杯水喝，我把衣裳洗好就来。”

三个孩子在门口草地上玩，P在一边挤着羊奶，看见我，呆了一会，才欢呼了起来。四个人把我围拥到屋里，推我坐下，递烟献茶，问长问短。那最大的九岁的孩子，却溜了出去，替我喂马。

S提着一桶湿衣服回来，有一个小脚的女工，从厨房里出来，接过，晾在绳子上，S一边擦着手笑着走了进来，我们就开始了兴奋而杂乱的谈话，彼此互说着近况，从谈话里知道他们是两年前来的，我问起她的祖父，她也问起我的父亲。S是一刻不停的做这个那个，她走到哪里，我们就跟到哪里谈着。直到吃过晚饭，孩子们都睡下了，大家才安静的，在一盏菜油灯周围坐了下来。S补着袜子，P同我抽着柳州烟，喝着胜利红茶谈话。

S笑着说：“这是‘公使馆’的‘山站’，我们做什么就是得像什么！叔叔！这座茅屋，就是P指点着工人盖的，门都向外开，窗户一扇都关不上！拆了又安，安了又拆，折腾了几十回。这书桌、书架、‘沙发’椅子都是P同我自己钉的，我们用了七十八个装煤油桶的木箱。还有我们的床，那是杰作，床下还有放鞋的矮柜子。好玩的很，就同我们小时玩‘过家家’似的，盖房子、造家具、抱娃娃、做饭、洗衣服、养鸡、种菜，一天忙个不停，但是，真好玩，孩子们都长了能耐，连P也会做些家务事。我们一家子过着露营的生活，笑话甚多，但是，我们也时常赞谈自己的聪明，凡事都能应付得开。明天再带你去看我们的鸡棚、羊圈、蜂房、还有厕所，……总而言之，真好玩!”

我凝视着她，“真好玩”三字就是她的人生观，她的处世态度，别的女人觉得痛苦冤抑的工作，她以“真好玩”的精神，“举重若轻”的应付了过去。她忙忙的自己工作，自己试验，自己赞叹，真好玩！她不觉得她是在做着大后方抗战的工作，她就是萧伯纳所说的“在抗战时代，除了抗战工作之外，什么都可以做”的大艺术家！

当夜他们支了一张行军床——也是他们自己用牛皮钉的——把我安放在P的书室里，这是三间屋子里最大的一间，兼做了客室，储藏室等等。墙上仍是满钉着照片图画，书架上摞着满满的书，墙角还立着许多锄头、铁铲、锯子、扁担之类。灭灯后月色满窗，我许久睡不着，我想起北平的“澳洲公使馆”，想起我的父亲，不知父亲若看了这个山站，要如何想法！

阳光射在我的脸上，一阵煎茶香味，侵入鼻管。我一睁眼，窗外是典型的云南的海蓝的天，门外悄无声息。我轻轻的穿起衣服，走了出来，看见S蹑手蹑脚的在摆着早饭，抬头看见我，便笑说：“睡得好吧？你骑了一天马，一定累了，我们没有叫你。P上班去了，孩子们也都上学了，我等着你一块儿吃粥。”说着忙忙的又到厨房里去了。

我在外间屋里，一面漱洗，一面在充满阳光的屋子里，四周审视。“公使馆”的物质方面，都已降低，而“公使馆”的整洁美观的精神，尽还存在，还添上一些野趣。饭桌上蒙着一块白底红花土布，一只大肚的陶罐里，乱插着红白的野花。桌上是一盘黄果，——四川人叫做广柑——对面摆着两只白盘子，旁边是两把红柄的刀子，两双红筷子，两个红的电木的洗手碗，两块白地红花的饭巾……正看着，S端了一盘鸡蛋炸馒头片进来，让我坐下，她自己坐在对面。我们一面剥黄果，一面谈话。

白天看S，觉得她比三年前瘦了许多，但精神仍旧是很好，身上穿着蓝地印白花的土布衫子、短袜子、布鞋；脸上薄施脂粉，指甲也染得很红。我笑说：“你的化妆品都带来了吧？”她也笑说：“都带来了，可是我现在用的是鹅蛋粉，和胭脂棉。凤仙花瓣和白矾捣了也可以染指甲。”

我们吃着S自制的咸鸭蛋和泡菜，吃过稀饭，又喝了煎茶。坐了一会，S

就邀我去参观她的环境。出到门外，菜园里红的是辣椒、西红柿，绿的是豆子，黄的是黄瓜，紫的是茄子，周围是一片一片的花畦，阳光下光艳夺目，蜂喧蝶闹。菜园的后面，简直像个动物园！十几只意大利的大白鸡，在沙地上吃食，三只黑羊，两只狼犬——我的那匹马也拴在旁边——还有小孩子养的松鼠和白兔。一只极胖的蓝睛的暹罗猫，在篱隙出入跳跃。

转到山后，便看见许多人家，S说这便是市中心，有菜场，有邮政代办所，有中心小学校。P的“地质调查所”是全市最漂亮高大的房子，砖墙瓦顶，警察岗亭就设在门边。我们穿过这条“大街”的时候，男女老幼，村的俏的，都向S招呼，说长道短。有个妇人还把一个病孩子，从门洞里抱出来给S看。当我们离开这人家的时候，我笑说：“S，如今你不是公使夫人，而是牧师太太了！”她笑了一笑。

大街尽头，便是五六幢和S的相似的房子，那是地质调查所同仁的住宅。S也带我进去访问。那些太太们大都是外省人，看见我去都很亲热，让坐让茶。她们的房间和S的一样，而陈设就很乱很俗，自已是乱头粗服，孩子们也啼哭喧闹。这些太太们不住的向我道歉，说是房间又小，佣人又笨，什么都不趁手，哪能像北平，上海那样的可以待客呢？我无聊的坐了一会，也就告辞了出来。

回来的路上，S请我先走，说她还要到小学里去教一堂课。我也便不回来，却走到地质调查所去找P，参观了他们的工作，等到P下班，我们一同走出来，三个孩子十分高兴的在门口等着，说是“妈妈炖了鸡，烤了肉，蒸了蛋羹，请客人回去吃大馒头去！”

午后我睡了一大觉，醒起便要走路，S和P一定不肯，说今晚要约几个朋友来和我谈谈。S笑说还有几位漂亮的太太。我说：“假如你们可怜我，就免了这一套吧，我实在怕见生人；还有，你也扮演不出‘公使馆’那一出！”P说：“也好，你再住一天，我们不请客人好了。”S想了一会，笑了，说：“晚饭以前，我还有事，你们带这几个孩子到对山去玩去，六时左右，带些红杜鹃花回来。”我们答应了，孩子们欢呼着都跑在前面去了。

我和P对躺在山头草地上，晒着太阳。我说：“你们这一对儿真好，你从前是那样稳静，现在也是那样稳静。S从前是那样活泼，现在也是那样活泼，不过比从前更老练能干了，真是难得。”P沉默了一会，说：“先生，你只知道S活泼的一方面，还没有看见她严肃的一方面。她处处求全，事事好胜，这一二年来，身体也大不如从前了！她一个人做着六七个人的事，却从不肯承认自己的软弱。你知道她欢喜引用中文成语——英文究竟是她的方言，她睡梦中常说英语——有时文不对题的使人发笑。有一天，我下班回来，发现她躺在床上，看见我就要起来。我按住她，问她怎么了，她说没有什么。只觉得有一点头晕。我在床边坐了一会，她忽然说：‘P，我这个人真是“心比天高，命比纸薄”。’我心里忽然一阵难过，勉强笑说：‘别胡说了，你知道“薄命”这两个字，是什么意思？’她却流下泪来，转身向里躺着去了。先生，你觉得……”

P说不下去了，我也不觉愣住，便说：“我自然看出S严肃的一方面，她如果不严肃，她不会认得你，她如果不严肃，她不会到内地来。她的身体是不如从前了，你要时时防护着她！至于她所说的那两句话你倒不必存在心里，她对于汉文是半懂不懂的。”P不言语，眼圈却红了。

这时候孩子们已抱着满怀的红杜鹃花，跑了上来，说：“我们该回去了，晚饭以前，我们还要换衣服呢。”

一进家门，那“帮工”的李嫂，穿着一身黑绸的衣裤，系着雪白的围裙，迎了出来，嘴里笑着说：“客人们请客厅坐。”我们进到中间屋里，看见餐桌上铺着雪白的桌布，点着辉煌的四支红烛，中间一大盘的红杜鹃花，桌上一色的银盘银箸，雪白的饭巾。我们正在诧愕，李嫂笑着打起卧房的布帘子，说：“太太！客人来了。”S从屋里笑盈盈的走了出来，身上穿着红丝绒的长衣，大红宝石的耳坠子，脚上是丝袜，金色高跟鞋，画着长长的眉，涂上红红的嘴唇，眼圈边也抹上淡淡的黄粉，更显得那一双水汪汪的俊眼——这一双俊眼里充满着得意的淘气的笑——她伸出手来，和我把握，笑说：“先生晚安！到敝地多久了？对于敝处一切还看得惯吧？”我们都大笑了起来。孩子们却跑过去抱着S的腿，欢呼着说：“妈妈，真好看！”回头又拍手笑说：“看！李嫂也打扮起来了！”李嫂忍着笑，走到厨房里去了。

我们连忙洗手就座。因为没有别的客人，孩子们便也上席，大家都兴高采烈。饭后，孩子们吃过果点，陆续的都去睡了。S又煮起咖啡，我们就在廊上看月闲谈。看着S的高跟鞋在月下闪闪发光，我就说：“你现在没有机会跳舞玩牌了吧？”S笑说：“才怪！P的跳舞和玩牌都是到了这里以后才学会的。晚饭后没事，我就教给P打‘蜜月’纸牌，也拉他跳舞。他一天工作怪累的，应当换一换脑筋。”P笑说：“我倒不在乎这些个，我在北平的时候，就不换脑筋。我宁可你在一天忙累之后，早点休息睡觉，我自己再看一点轻松的书。”我说：“S，你会开汽车吧？”S说：“会的，但到这里以后，没有机会开了。”我笑说：“你既会开车，就知道无论多好多结实的车子，也能一天开到二十四小时，尤其在这个崎岖的山路上。物力还应当爱惜，何况人力？你如今不是过着‘电气冰箱，抽水马桶’的生活了，一切以保存元气为主，不能一天到晚的把自己当做一架机器，不停的开着……”S连忙说：“正是这话！人家以为我只过‘电气冰箱，抽水马桶’的生活……”我拦住她，“你又来，总是好胜要强的脾气！你如果把我当做叔叔，就应当听我的话。”S笑了一笑，抬头向月，再不言语。

第二天一早，我就骑着马离开这小小的镇市。P和S，和三个小孩子都送我到大路上，我回望这一群可爱的影子，心中忽然感激，难过。

回到我住处的第三天，忽然决定到重庆来。在上飞机之前，匆匆的给他们写一封短信，谢谢他们的招待，报告了我的行踪。并说等我到了重庆以后，安定下来，再给他们写信——谁知我一到陪都，就患了一个月的重伤风，此后东迁西移，没有一定的住址。直到两月以后，才给他们写了一封很长的信，许久没有得到回音，又在两月以后，我在一个大学里，单身教授的宿舍窗前，拆开了P的一封信：

先生：

我何等的不幸，S已于昨天早晨弃我而逝！原因是一位同事出差去了，他的太太忽然得了急性盲肠炎。S发现了，立刻借了一部车子，自己开着，送她到省城。等到我下班，看见了她的字条，立刻也骑马赶了去……那位太太已入了医院，患处已经溃烂，幸而开刀经过良好，只是失血太多，需要输血。那时买血很贵，那位太太因经济关系，坚持不肯。S又发现她们的血是同一类型，她就输给那太太二百CC的血。……我要她同我回来，她说那太太需要人照料，而又请不起特别护士，她必须留在那里，等到她的先生来了再走。我拗她不过，所中公务又忙，只得自己先走……三星期之后，S回来了，瘦得不成样子！原来在三星期之内，她输给那太太四百CC的血。从此便躺了下去，有时还挣扎着起来，以后就走不动了。医生发现她是得了黍形结核症，那是周身血管，都有了结核细菌，是结核症中最猛烈最无可救药的一种！病原是失血太多，操劳过度，营养不足，……这三个月中，急坏了S，苦坏了孩子，累坏了我，然而这一切苦痛，都不曾挽回我们悲惨的命运！……她生在上海，长在澳洲，嫁在北平，死在云南，享年三十二岁……

如同雷轰电掣一般，我呆住了，眼前涌现了S的冷静而含着悲哀的，抬头望月的脸！想到她那美丽整洁的家，她的安详静默的丈夫，她的聪明活泼的孩子……

忽然广场上一声降旗的号角，我不由自主的，扔了手里的信，笔直的站了起来。我垂着两臂，凝望着那一幅光彩飘扬的国旗，从高杆上慢慢的降落了下来。在号角的余音里，我无力的坐了下去，我的眼泪，不知从哪里来的，流满了我的脸上了！

冰心自传

回忆“五四”

五四运动，说起来整整六十年了，光阴过得多快！当“五四”时期，自己还很年轻的时候，幻想六十年之后，自己一定不在了，但中国的前途，一定是想象不到的美好与光明。现在这个幻想的年代，已来到眼前，我这个从小多病之身，居然还健在，我们的祖国也已经从三座大山的重压之下，解放出来了，中国人民站起来了！但是我们在“五四”时期所梦寐以求的科学与民主，却在建国后的十几年中，被万恶的林彪和“四人帮”搞得漆黑一团！我的悲愤的心情，决不是“感慨系之”这四个字所能表达的……好在这十几年中，我们都经受了考验，增长了见识，“前事不忘，后事之师”，我们只有牢牢记住这创巨痛深的教训，和全国各族人民在一起，在党的领导下，在自己的岗位上，扎扎实实认认真真地给科学与民主铺出一条前进的道路。

话说回来吧，当时十九岁的我，一九一九年在北京确曾参加过五四运动，但即使在本校我也不是一个骨干分子。那时我是北京协和女子大学理预科一年级的学生，学生自治会的“文书”。在五四运动的前几天，我就已经请了事假住在东交民巷的德国医院，陪着我的动了耳部手术的二弟。“五四”那一天的下午，我家的女工来给我们送东西，告诉我说街上有好几百个学生，打着纸旗在游行，嘴里喊着口号，要进到东交民巷来，被外国警察拦住了，路旁看的人挤得水泄不通。黄昏时候又有一位亲戚来了，兴奋地告诉我说北京的大学生们为了阻止北洋军阀政府和日本签订出卖青岛的条约在天安门聚集起浩大的游行队伍，在街上呼口号撒传单，最后拥到卖国贼章宗祥的住处，火烧了赵家楼，有许多学生被捕了，我听了又是兴奋又是愤慨。她走了之后，我的心还在激昂地跳，窗外刮着强劲的春风，槐花的浓香熏得我头痛！

我对于蚕食鲸吞我国的那些帝国主义列强早就切齿痛恨了，尤其是日本帝国主义。我的父亲在我刚会记事的年纪，就常常愤慨地对我讲过：“你知道我们为什么要住到烟台来吗？因为它是我国北方的惟一港口了！如今，青岛是德国的，威海卫是英国的，大连是日本的，只有烟台是我们可以训练海军军官和兵士的地方了！”父亲在年轻时曾参加过中日甲午海战，提起日本帝国主义时，他尤其愤激。我记得当一九一五年，日本军国政府向正想称帝的袁世凯，提出二十一条要求之后（那时我还是中学一年级的学生，我和贝满女子中学的同学们列队到中央公园——现在的中山公园——去交爱国捐，我们的领队中，就有李德全同学，那时她是四年级生，她也上台去对大家演讲。那天，社稷坛四围是人山人海，我是第一次看到那样悲壮伟大的场面），在父亲的书房里，就挂上一幅白纸，是当时印行的以岳武穆（飞）字迹摘排出来的，“五月七日之事”，就是纪念那一年的国耻的。

“五四”这一夜，我兴奋得合不上眼，第二天就同二弟从医院回家去了。到学校一看，学生自治会里完全变了样，大家都不上课了，都站在院子里面红耳赤地大声谈论，同时也紧张地投入了工作。我们的学生会是北京女学界联合会之一员，我也就参加了联合会的宣传股。出席女学界联合会和北京学生联合会的，都是些高班的同学，我们只做些文字宣传，鼓动罢课罢市，或对市民演讲。为了抵制日货，我们还制造些日用品如文具之类，或绣些手绢去卖。协和女大是个教会学校，一向对于当前政治潮流，不闻不问，而这次波澜壮阔的爱国力量，终于冲进了这个校园，修道院似的校院，也成了女学界联合会代表们开会的场所了，同学们个个兴奋紧张，一听见什么紧急消息，就纷纷丢下书本拥出课堂，谁也阻挡不住。我们三五成群地挥舞着旗帜，在街头宣传，沿门沿户地进入商店，对着怀疑而又热情的脸，劝说他们不要贩卖日货，讲着人民必须一致奋起，反对日本帝国主义的侵略压迫，反对军阀政府卖国行为的大道理。我们也三三两两地抱着大扑满，在大风扬尘的长安街，在破敝黯旧的天安门前，拦住过往的人力车，请求大家捐些铜子，帮助援救慰问那些被捕的爱国同学。我们大队大队地去参加北京法庭对被捕学生的审讯。我们开始用白话文写各种形式的反帝反封建的文章，在各种报刊上发表。

那时我的一位表兄刘放园先生，是北京《晨报》的编辑者之一。他的年纪比我大得多，以前他到我们家来，我都以长辈之礼相待，不大敢同他讲话。这时为了找发表宣传文章的地方，我就求了他，他惊奇而又欣然地答应了。此后他不但在《晨报》上发表我们的宣传文字，还鼓励我们多看关于新思潮的文章，多写问题小说。这时新思潮空前高涨，新出的报刊杂志，像雨后春笋一般，几乎看不过来。我们都贪婪地争着买，争着借，彼此传阅，如《新青年》，《新潮》，《中国青年》一直到后来的《语丝》。看了这些书报上大学生们写的东西，我写作的胆子又大了一些，觉得反正大家都是试笔，我又何妨把我自己所见所闻的一些小问题，也写出来求教呢？但是作为一个大学里的小学生，我还是有点胆怯，我用“冰心”这个笔名投稿，一切稿子都由刘放园先生转交，我和报刊编辑者从来没有会过面。这时我每写完一篇东西，必请我母亲先看，父亲有时也参加点意见。这里应当提到我的父母比较开明，从不阻止我参加学生运动。我的父亲对于抗日救国尤其热心，有时还帮我修改词句。例如在我写的《斯人独憔悴》里，那个爱国青年和他的顽固派父亲的一段对话，就有好几句是我父亲添上的！我们是一边写，一边笑，因为那个老人嘴里的话，都是我所没听过的，我觉得很传神。

这时我写东西，写得手滑了，一直滑到了使我改变了我理想中的职业。

在这以前，我是一心一意想学医的。因为我的母亲多病，我的父亲又比较相信西医，而母亲对于西医的看病方法，比如说听听胸部背部吧，总感到很不习惯，那时的女西医还很少，我就立志自己长大了一定要学西医，好为我母亲看病。所以我在中学时代，就对于理科课程，特别用功，升到协和女大时，我报的也是理预科。

学理科有许多实验要做，比如说生物解剖，这一类课程，缺了就很难自己补上。我因为常常上街搞宣传、开会，实验的课就缺了许多，在我对写作的兴趣渐渐浓厚了以后，又得到周围人们的帮助和怂恿，我就同意“改行”了，理预科毕业后，我就报升文本科，还跳了一班。从那时起，我就断断续续地写作起来，直到现在。

在一九五九年四月，我已经写过一篇《回忆“五四”》的短文，在那里我曾歉疚地承认过，由于我的家庭出身和教会学校的教育，以及我自己的软弱本质，使得我没有投身到火热的政治革命中去，使得五四运动对我的影响，仅仅限于文学方面——即以新的文学形式来代替旧的文学形式，等等。但在今天，我又想，一个人不是生活在真空里，整个潮流在前进，决不容一朵小小的浪花，沉滞在中流，特别是经过了这曲折的六十年，我更认清、看准了，在我们前面高高照耀的科学与民主这两盏明灯。如今，我的岁月和力量是有限的，但我仍当为我们能拿到、举起这两盏照耀我们社会主义祖国光明前途的明灯，尽上我最大的力量！

一九七九年三月二日

我的故乡

我生于一九〇〇年十月五日（农历庚子年闰八月十二日），七个月后我就离开了故乡——福建福州。但福州在我的心里，永远是我的故乡，因为它是我的父母之乡。我从父母亲口里听到的极其琐碎而极其亲切动人的故事，都是以福州为背景的。

我母亲说：我出生在福州城内的隆普营。这所祖父租来的房子里，住着我们的大家庭。院里有一个池子，那时福州常发大水，水大的时候，池子里的金鱼都游到我们的屋里来。

我的祖父谢銮恩（子修）老先生，是个教书匠，在城内的道南祠授徒为业。他是我们谢家第一个读书识字的人。我记得在我十一岁那年（一九一一年），从山东烟台回到福州的时候，在祖父的书架上，看到薄薄的一本套红印的家谱。第一位祖父是昌武公，以下是顺云公、以达公，然后就是我的祖父。上面仿佛还讲我们谢家是从江西迁来的，是晋朝谢安的后裔。但是在一个清静的冬夜，祖父和我独对的时候，他忽然摸着我的头说：“你是我们谢家第一个正式上学读书的女孩子，你一定要好好地读呵。”说到这里，他就原原本本地讲起了我们贫寒的家世！原来我的曾祖父以达公，是福建长乐县横岭乡的一个贫农，因为天灾，逃到了福州城里学做裁缝。这和我们现在遍布全球的第一代华人一样，都是为祖国的天灾人祸所迫，漂洋过海，靠着不用资本的三把刀，剪刀（成衣业）、厨刀（饭馆业）、剃刀（理发业）起家的，不过我的曾祖父还没有逃得那么远！

那时做裁缝的是一年三节，即春节、端午节、中秋节，才可以到人家去要账。这一年的春节，曾祖父到人家要钱的时候，因为不认得字，被人家赖了账，他两手空空垂头丧气地回到家里。等米下锅的曾祖母听到这不幸的消息，沉默了一会，就含泪走了出去，半天没有进来。曾祖父出去看时，原来她已在墙角的树上自缢了！他连忙把她解救了下来，两人抱头大哭；这一对年轻的农民，在寒风中跪下对天立誓：将来如蒙天赐一个儿子，拼死拼活，也要让他读书识字，好替父亲记账、要账。但是从那以后我的曾祖母却一连生了四个女儿，第五胎才来了一个男的，还是难产。这个难得出生的男孩，就是我的祖父谢子修先生，乳名“大德”的。

这段故事，给我的印象极深，我的感触也极大！假如我的祖父是一棵大树，他的第二代就是树枝，我们就都是枝上的密叶；叶落归根，而我们的根，是深深地扎在福建横岭乡的田地里的。我并不是“乌衣门第”出身，而是一个不识字、受欺凌的农民裁缝的后代。曾祖父的四个女儿，我的祖姑母们，仅仅因为她们是女孩子，就被剥夺了读书识字的权利！当我把这段意外的故事，告诉我的一个堂哥哥的时候，他却很不高兴地问我是听谁说的？当我告诉他这是祖父亲口对我讲的时候，他半天不言语，过了一会才悄悄地吩咐我，不要把这段故事再讲给别人听。当下，我对他的“忘本”和“轻农”就感到极大的不满！从那时起，我就不再遵守我们谢家写籍贯的习惯。我写在任何表格上的籍贯，不再是祖父“进学”地点的“福建闽侯”，而是“福建长乐”，以此来表示我的不同意见！

我这一辈子，到今日为止，在福州不过前后呆了两年多，更不用说长乐县的横岭乡了。但是我记得在一九一一年到一九一二年之间我们在福州的时候，横岭乡有几位父老，来邀我的父亲回去一趟。他们说横岭乡小，总是受人欺侮，如今族里出了一个军官，应该带几个兵勇回去夸耀夸耀。父亲恭敬地说：他可以回去祭祖，但是他没有兵，也不可能带兵去。我还记得父老们送给父亲一个红纸包的见面礼，那是一百个银角子，合起来值十个银元。父亲把这一个红纸包退回了，只跟父老们到横岭乡去祭了祖。一九二〇年前后，我在北京《晨报》写过一篇叫做《还乡》的短篇小说，讲的就是这个故事。现在这张剪报也找不到了。

从祖父和父亲的谈话里，我得知横岭乡是极其穷苦的。农民世世代代在田地上辛勤劳动，过着蒙昧贫困的生活，只有被卖去当“戏子”，才能逃出本土。当我看到那包由一百个银角子凑成的“见面礼”时，我联想到我所熟悉的山东烟台东山金钩寨的穷苦农民来，我心里涌上了一股说不出来难过的滋味！

我很爱我的祖父，他也特别的爱我，一来因为我不常在家，二来因为我虽然常去看书，却从来没有翻乱他的书籍，看完了也完整地放回原处。一九一一年我回到福州的时候，我是时刻围绕在他的身边转的。那时我们的家是住在“福州城内南后街杨桥巷口万兴桶石店后”。这个住址，现在我写起来还非常的熟悉、亲切，因为自从我会写字起，我的父母亲就时常督促我给祖父写信，信封也要我自己写。这所房子很大，住着我们大家庭的四房人。祖父和我们这一房，就住在大厅堂的两边，我们这边的前后房，住着我们一家六口，祖父的前、后房，只有他一个人，和满屋满架的书，那里成了我的乐园，我一得空就钻进去翻书看。我所看过的书，给我的印象最深的是清袁枚（子才）的笔记小说《子不语》，还有我祖父的老友林纾（琴南）老先生翻译的线装的法国名著《茶花女遗事》。这是我以后竭力搜求“林译小说”的开始，也可以说是我追求阅读西方文学作品的开始。

我们这所房子，有好几个院子，但它不像北方的“四合院”的院子，只是在一排或一进屋子的前面，有一个长方形的“天井”，每个“天井”里都有一口井，这几乎是福州房子的特点。这所大房里，除了住人的以外，就是客室和书房。几乎所有的厅堂和客室、书房的柱子上墙壁上都贴着或挂着书画。正房大厅的柱子上有红纸写的很长的对联，我只记得上联的末一句是“江左风流推谢傅”，这又是对晋朝谢太傅攀龙附凤之作，我就不屑于记它！但这些挂幅中的确有许多很好很值得记忆的，如我的伯叔父母居住的东院厅堂的楹联，就是：

海阔天高气象
风光月霁襟怀

又如西院客室楼上有祖父自己写的：

知足知不足
有为有弗为

这两副对联，对我的思想教育极深。祖父自己写的横幅，更是到处都有。我只记得有在道南祠种花诗中的两句：

花花相对叶相当
红紫青蓝白绿黄

在西院紫藤书屋的过道里还有我的外叔祖父杨维宝（颂岩）老先生送给我祖父的一副对联，是：

有子才如不羁马

知君身是后凋松

那几个字写得既圆润又有力，我很喜欢这一副对子，因为“不羁马”夸奖了他的侄婿、我的父亲，“后凋松”就称赞了他的老友，我的祖父！

从“不羁马”应当说到我的父亲谢葆璋（镜如）了。他是我祖父的第三个儿子。我的两个伯父，都继承了我祖父的职业，做了教书匠。在我父亲十七岁那年，正好祖父的朋友严复（又陵）老先生，回到福州来招海军学生，他看见了我的父亲，认为这个青年可以“投笔从戎”，就给我父亲出了一道诗题，是“月到中秋分外明”，还有一道八股的破题。父亲都做出来了。在一个穷教书匠的家里，能够有一个孩子去当“兵”领饷，也还是一件好事。于是我的父亲就穿上一件用伯父们的两件长衫和半斤棉花缝成的棉袍，跟着严老先生到天津紫竹林的水师学堂，去当了一名驾驶生。

父亲大概没有在英国留过学，但是作为一名巡洋舰上的青年军官，他到过好几个国家，如英国、日本。我记得他曾气愤地对我们说：“那时堂堂一个中国，竟连一首国歌都没有！我们到英国去接收我们中国购买的军舰，在举行接收典礼仪式时，他们竟奏一首《妈妈好糊涂》的民歌调子，作为中国的国歌，你看！”

甲午中日海战之役，父亲是军舰上的枪炮二副，参加了海战。这艘军舰后来在威海卫被击沉了。父亲泅到刘公岛，从那里又回到了福州。

我的母亲常常对我谈到那一段忧心如焚的生活。我的母亲杨福慈，十四岁时她的父母就相继去世，跟着她的叔父颂岩先生过活，十九岁嫁到了谢家。她的婚姻是在她九岁时由我的祖父和外祖父做诗谈文时说定的。结婚后小夫妻感情极好，因为我父亲长期在海上生活，“会少离多”，因此他们通信很勤，唱和的诗也不少。我只记得父亲写的一首七绝中的三句：

××××××××，

此身何事学牵牛。
燕山闽海遥相隔，
会少离多不自由。

甲午战争爆发后，因为海军里福州人很多，阵亡的也不少，因此我们住在这条街上，今天是这家糊上了白纸的门联，明天又是那家糊上白纸门联。母亲感到这幅白纸门联，总有一天会糊到我们家的门上！她悄悄地买了一盒鸦片烟膏，藏在身上，准备一旦得到父亲阵亡的消息她就服毒自尽。祖父看到了母亲沉默而悲哀的神情，就让我的两个堂姐姐，日夜守在母亲身旁。家里有人还到庙里去替我母亲求签，签上的话是：

筵已散，堂中寂寞恐难堪，
若要重欢，除是一轮月上。

母亲半信半疑地把签纸收了起来。过了些日子，果然在一个明月当空的夜晚，听到有人敲门，母亲急忙去开门时，月光下看见了辗转归来的父亲！母亲说："那时你父亲的脸，才有两个指头那么宽！"

从那时起，这一对年轻夫妻，在会少离多的六七年之后，才厮守了几个月。那时母亲和她的三个妯娌，每人十天替大家庭轮流做饭，父亲便替母亲劈柴、生火、打水，做个下手。不久，海军名宿萨鼎铭（镇冰）将军，就来了一封电报，把我父亲召出去了。

一九一二年，我在福州时期，考上了福州女子师范学校预科，第一次过起了学校生活。头几天我还很不惯，偷偷地流过许多眼泪，但我从来没有对任何人说过，怕大家庭里那些本来就不赞成女孩子上学的长辈们，会出来劝我辍学！但我很快地就交上了许多要好的同学。至今我还能顺老师上班点名的次序背诵出十几个同学的名字。福州女师的地址，是在城内的花巷，是一所很大的旧家第宅，我记得我们课堂边有一个小池子，池边种着芭蕉。学校里还有一口很大的池塘，池上还有一道石桥，连接在两处亭馆之间。我们的校长是黄花岗七十二烈士中之一的方声洞先生的姐姐，方君瑛女士。我们的作文老师是林步瀛先生。在我快离开女师的时候，还来了一位教体操的日本女教师，姓石井的，她的名字我不记得了。我在这所学校只读了三个学期，中华民国成立后，海军部长黄钟瑛（赞侯），又来了一封电报，把父亲召出去了。不久，我们全家就到了北京。

我对于故乡的回忆，只能写到这里，十几年来，我还没有这样地畅快挥写过！我的回忆像初融的春水，涌溢奔流，十几年来，睡眠也少了，“晓枕心气清”，这些回忆总是使人欢喜而又惆怅地在我心头反复涌现。这一幕一幕的图画或文字，都是我的弟弟们没有看过或听过的，即使他们看过听过，他们也不会记得懂得的，更不用说我的第二代第三代了。我有时想如果不把这些写记下来，将来这些图文就会和我的刻着印象的头脑一起消失。这是否可惜呢？但我同时又想，这些都是关于个人的东西，不留下或被忘却也许更好。这两种想法在我心里矛盾了许多年。

一九三六年冬，我在英国的伦敦，应英国女作家弗吉尼亚·沃尔夫（VirginiaWoolf）之约，到她家喝茶。我们从伦敦的雾，中国和英国的小说、诗歌，一直谈到当时英国的英王退位和中国的西安事变。她忽然对我说：“你应该写一本自传。”我摇头笑说：“我们中国人没有写自传的风习，而且关于我自己也没有什么可写的。”她说：“我倒不是要你写自己，而是要你把自己作为线索，把当地的一些社会现象贯穿起来，即使是关于个人的一些事情，也可作为后人参考的史料。”我当时没有说什么，谈锋又转到别处去了。

事情过去四十三年了，今天回想起来，觉得她的话也有些道理。“思想再解放一点”，我就把这些在我脑子里反复呈现的图画和文字，奔放自由地写在纸上。

记得在半个世纪之前，在我写《往事（一）》的时候，曾在上面写过这么几句话：

索性凭着深刻的印象，
将这些往事
移在白纸上罢——
再回忆时
不向心版上搜索了！

这几句话，现在还是可以应用的。把这些图画和文字，移在白纸上之后，我心里的确轻松多了！

一九七九年二月十一日

故乡的风采

1911年冬天当我从波澜壮阔的渤海边的山东烟台，回到微波粼粼的碧绿的闽江边的福建福州时，我曾写过这样的惊喜的话：我只知道有蔚蓝的海/却原来还有这碧绿的江/这是我的父母之乡！

在这山清水秀，柳绿花红的父母之乡的大家庭温暖热闹的怀抱里，我度过了新年、元宵、端午、中秋等绚烂节日，但是使我永远不忘的却是端午节。

我的曾祖父是在端午那一天逝世的，所以在我们堂屋后厅的墙上，高高地挂着曾祖父的画像，两旁挂着一副祖父手书的对联是：

谁道五丝能续命
每逢佳节倍思亲

虽然每年的端午节，我们四房的十几个堂兄弟姐妹，总是互相炫示从自己的外婆家送来的红兜肚五色线缠成的小粽子和绣花的小荷包等，但是一看到祖父在这一天却是特别地沉默时，我们便悄悄地躲到后花园里去纵情欢笑。

对于我，故乡的“绿”，最使我倾倒！无论是竹子也好，榕树也好……其实最伟大的还是榕树。它是油绿油绿的，在巨大的树干之外，它的繁枝，一垂到地上，就入土生根。走到一棵大榕树下，就像进入一片凉爽的丛林，怪不得人称福州为榕城，而我的二堂姐的名字，也叫做“婉榕”。

福州城内还有三座山：乌石山、于山和屏山。（1936 年我到意大利的罗马时，当罗马友人对我夸说罗马城是建立在七座山头时，我就笑说：在我们中国的福建省小小的围墙内，也就有三座山。）我只记得我去过乌石山，因为在那座山上有两块很平滑的大石头，相倚而立，十分奇特，人家说这叫做“桃瓣李片”，因为它们像是一片桃子和一片李子倚在一起，这两片奇石给我的印象很深。

现在我要写的是：“天下之最”的福州的健美的农妇！我在从闽江桥上坐轿子进城的途中，向外看时惊喜地发现满街上来来往往的尽是些健美的农妇！她们皮肤白皙，乌黑的头发上插着左右三条刀刃般雪亮的银簪子，穿着青色的衣裤，赤着脚，袖口和裤腿都挽了起来，肩上挑的是菜筐、水桶以及各种各色可以用肩膀挑起来的东西，健步如飞，充分挥洒出解放了的妇女的气派！这和我在山东看到的小脚女人跪在田地里做活的光景，心理上的苦乐有天壤之别。我的心底涌出了一种说不出来的痛快！在以后的几十年中，我也见到了日本、美国、英国、法国和苏联的农村妇女，觉得天下没有一个国家的农村妇女，能和我故乡的“三条簪”相比，在俊俏上，在勇健上，在打扮上，都差得太远了！

我也不要光谈故乡的妇女，还有几位长者，是我祖父的朋友，在国内也是名人：第一位是严复老先生，就是他把我这十七岁的父亲带到他任教的天津水师学堂去的。我在父亲的书桌上看到了严老先生译的英国名家斯宾塞写的《群学肄言》和穆勒写的《群己权界论》等等。这些社会科学的名著，我当然看不懂，但我知道这都是风靡一时的新书，在社会科学界评价很高。

在祖父的书桌上，我还看到一本线装的林纾译的《茶花女遗事》。那是一本小说，林纾老先生不懂外文，都是别人口述，由他笔译的。我非常喜欢他的文章，只要书店里有林纾译小说，我都去买来看。他的译文十分传神，以后我自已能读懂英文原著时，如《汤姆叔叔的小屋》，林译作《黑奴吁天录》，我觉得原文就不如译本深刻。

关于林纾（琴南）老先生，我还从梅兰芳先生那里听到一些轶事。那是五十年代中期，我们都是人大代表的时候，梅先生说：他和福芝芳女士结婚时，林老先生曾送他们一条横幅，“芝兰之室”。还有一次是为福建什么天灾（我记得仿佛那是我十三四岁时的事）募捐在北京演戏，梅先生不要报酬，只要林琴南老先生的一首诗，当时梅先生曾念给我听，我都记不完全了，记得是：

雪作精神玉不瑕
鬓堆鸦
剧怜宝月珠灯夜
吹彻银笙演葬花

此外还有林则徐老先生，他的丰功伟业，如毅然火烧英商运来的鸦片，以及贬谪后到了伊犁，为吐鲁番农民掘“坎儿井”的事，几乎家弦户诵不必多说了。我却记得我福州家里有他写的一副对联：

海纳百川有容乃大
壁立千仞无欲则刚

比他们年轻的一代，如在黄花岗七十二烈士碑上，我找到已知是福建人的有三位：方声洞，林觉民，陈可钧，而陈可钧还得叫我表姑呢。

一提起我的父母之乡，我的思绪就纷至沓来，不知从哪里说起，我的客人又多，这篇文章不知中断了几次，就此搁笔吧。在此我敬祝我的人杰地灵的父母之乡，永远像现在这样的繁荣富强下去！

1990 年 4 月 29 日

我的父母之乡

清晓的江头，
白雾濛濛；
是江南天气，
雨儿来了——
我只知道有蔚蓝的海，
却原来还有碧绿的江，
这是我父母之乡！

——《繁星》一五六

福建福州永远是我的故乡，虽然我不在那里生长，但它是我的父母之乡！

到今日为止，我这一生中只回去过两次。第一次是一九一一年，是在冬季。从严冷枯黄的北方归来，看到展现在我眼前的青山碧水，红花绿叶，使我惊讶而欢喜！我觉得我的生命的风帆，已从蔚蓝的海，驶进了碧绿的江。这天我们在闽江口从大船下到小船，驶到大桥头，来接我们的伯父堂兄们把我们包围了起来，他们用乡音和我的父母热烈地交谈。我的五岁的大弟弟悄悄地用山东话问我说："他们怎么都会说福州话？"因为从来在我们姐弟心里，福州话是最难懂难说的！

这以后的一年多的时间里，我们就过起了福州城市的生活。新年、元宵、端午、中秋……岁时节日，吃的玩的都是十分丰富而有趣。特别是灯节，那时我们家住在南后街，那里是灯市的街，元宵前后，"花市灯如昼"，灯影下人流潮涌，那光明绚丽的情景就说不尽了。

第二次回去，是在一九五六年，也是在冬季。那时还没有鹰厦铁路，我们人大代表团是从江西坐汽车进去的。一路上红土公路，道滑如拭，我还没有看见过土铺的公路，维修得这样平整的！这次我不但到了福州，还到了漳州、泉州、厦门、鼓浪屿……那是祖国的南疆了。在厦门前线，我还从望远镜里看见了金门岛上的行人和牛，看得很清楚……

回忆中的情景很多，在此就不一一描写了。总之，我很喜欢我的父母之乡。那边是南国风光，山是青的，水是绿的，小溪流更是清可见底！院里四季都有花开。水果是从枇杷、荔枝、龙眼，一直吃到福桔！对一个孩子来说，还有什么比这个更惬意的呢？

我在故乡走的地方不多，但古迹、侨乡，到处可见，福建华侨，遍于天下。我所到过的亚、非、欧、美各国都见到辛苦创业的福建侨民，握手之余，情溢言表。在他们家里、店里，吃着福州菜，喝着茉莉花茶，使我觉得作为一个福建人是四海都有家的。

我的父母之乡是可爱的。有人从故乡来，或是有朋友新近到福建去过，我都向他们问起福建的近况，他们说：福建比起二十多年前来，进步得不可辨认了。最近呢，农业科学化了，又在植树造林，山岭田地更加郁郁葱葱了。他们都动员我回去看看，我何尝不想呢？不但我想，在全世界的天涯海角，更不知有多少人在想！我愿和故乡的人，以及普天下的福建侨民，一同在精神和物质文明方面，把故乡建设得更美好！

一九八二年三月二十九日

我的童年

我生下来七个月，也就是一九〇一年的五月，就离开我的故乡福州，到了上海。

那时我的父亲是“海圻”巡洋舰的副舰长，舰长是萨镇冰先生。巡洋舰“海”字号的共有四艘，就是“海圻”、“海筹”、“海琛”、“海容”，这几艘军舰我都跟着父亲上去过。听说还有一艘叫做“海天”的，因为舰长驾驶失误，触礁沉没了。

上海是个大港口，巡洋舰无论开到哪里，都要经过这里停泊几天，因此我们这一家便搬到上海来，住在上海的昌寿里。这昌寿里是在上海的哪一区，我就不知道了，但是母亲所讲的关于我很小时候的故事，例如我写在《寄小读者·通讯十》里面的一些，就都是以昌寿里为背景的。我关于上海的记忆，只有两张相片作为根据，一张是父亲自己照的：年轻的母亲穿着沿着阔边的衣裤，坐在一张有床架和帐楣的床边上，脚下还摆着一个脚炉，我就站在她的身旁，头上是一顶青绒的帽子，身上是一件深色的棉袍。父亲很喜欢玩些新鲜的东西，例如照相，我记得他的那个照相机，就有现在卫生员背的药箱那么大！他还有许多冲洗相片的器具，至今我还保存有一个玻璃的漏斗，就是洗相片用的器具之一。另一张相片是在照相馆照的，我的祖父和老姨太坐在茶几的两边，茶几上摆着花盆、盖碗茶杯和水烟筒，祖父穿着夏天的衣衫，手里拿着扇子；老姨太穿着沿着阔边的上衣，下面是青纱裙子。我自己坐在他们中间茶几前面的一张小椅子上，头上梳着两个丫角，身上穿的是浅色衣裤，两手按在膝头，手腕和脚踝上都戴有银镯子，看样子不过有两三岁，至少是会走了吧。

父亲四岁丧母，祖父一直没有再续弦，这位老姨太大概是祖父老了以后才娶的。我在一九一一年回到福州时，也没有听见家里人谈到她的事，可见她在我们家里的时间是很短暂的，记得我们住在山东烟台的时期内，祖父来信中提到老姨太病故了。当我们后来拿起这张相片谈起她时，母亲就夸她的活计好，她说上海夏天很热，可是老姨太总不让我光着膀子，说我背上的那块蓝“记”是我的前生父母给涂上的，让他们看见了就来讨人了。她又知道我母亲不喜欢红红绿绿的，就给我做白洋纱的衣裤或背心，沿着黑色烤绸的边，看去既凉爽又醒目。母亲说她太费心了，她说费事倒没有什么，就是太素淡了。的确，我母亲不喜欢浓艳的颜色，我又因为从小男装，所以我从来没有扎过红头绳。现在，这两张相片也找不到了。

在上海那两三年中，父亲隔几个月就可以回来一次。母亲谈到夏天夜里，父亲有时和她坐马车到黄浦滩上去兜风，她认为那是她在福州时所想望不到的。但是父亲回到家来，很少在白天出去探亲访友，因为舰长萨镇冰先生说不定什么时候就会派水手来叫他。萨镇冰先生是父亲在海军中最敬仰的上级，总是亲昵地称他为“萨统”。（“统”就是“统领”的意思，我想这也和现在人称的“朱总”、“彭总”、“贺总”差不多。）我对萨统的印象也极深。记得有一次，我拉着一个来召唤我父亲的水手，不让他走，他笑说：“不行，不走要打屁股的！”我问：“谁叫打？用什么打？”他说：“军官叫打就打，用绳子打，打起来就是‘一打’，‘一打’就是十二下。”我说：“绳子打不疼吧？”他用手指比划着说：“喝！你试试看，我们船上用的绳索粗着呢，浸透了水，打起来比棒子还疼呢！”我着急地问：“我父亲若不回去，萨统会打他吧？”他摇头笑说：“不会的，当官的顶多也就记一个过。萨统很少很少打人，你父亲也不打人，打起来也只打‘半打’，还叫用干索子。”我问：“那就不疼了吧？”他说：“那就好多了……”这时父亲已换好军装出来，他就笑着跟在后面走了。

大概就在这时候，母亲生了一个妹妹，不几天就夭折了。头几天我还搬过一张凳子，爬上床去亲她的小脸，后来床上就没有她了。我问妹妹哪里去了，祖父说妹妹逛大马路去了，但她始终就没有回来！

一九〇三——一九〇四年之间，父亲奉命到山东烟台去创办海军军官学校。我们搬到烟台，祖父和老姨太又回到福州去了。

我们到了烟台，先住在市内的海军采办所，所长叶茂蕃先生让出一间北屋给我们住。南屋是一排三间的客厅，就成了父亲会客和办公的地方。我记得这客厅里有一副长联是：

此地有崇山峻岭茂林修竹
是能读三坟五典八索九丘

我提到这一副对联，因为这是我开始识字的一本课文！父亲那时正忙于拟定筹建海军学校的方案，而我却时刻缠在他的身边，说这问那，他就停下笔指着那副墙上的对联说："你也学着认认字好不好？你看那对子上的山、竹、三、五、八、九这几个字不都很容易认的吗？"于是我就也拿起一支笔，坐在父亲的身旁一边学认一边学写，就这样，我把对联上的二十二个字都会念会写了，虽然直到现在我还不知道这"三坟五典八索九丘"究竟是哪几本古书。

不久，我们又搬到烟台东山北坡上的一所海军医院去寄居。这时来帮我父亲做文书工作的，我的舅舅杨子敬先生，也把家从福州搬来了，我们两家就住在这所医院的三间正房里。

这所医院是在陡坡上坐南朝北盖的，正房比较阴冷，但是从廊上东望就看见了大海！从这一天起，大海就在我的思想感情上占了一个极其重要的位置。我常常心里想着它，嘴里谈着它，笔下写着它；尤其是三年前的十几年里，当我忧从中来，无可告语的时候，我一想到大海，我的心胸就开阔了起来，宁静了下来！一九二四年我在美国养病的时候，曾写信到国内请人写一副"集龚"的对联，是：

世事沧桑心事定
胸中海岳梦中飞

谢天谢地，因为这副很短小的对联，当时是卷起压在一只大书箱的箱底的，"四人帮"横行，我家被抄的时候，它竟没有和我的其他珍藏的字画一起被抄走！

现在再回来说这所海军医院。它的东厢房是病房，西厢房是诊室，有一位姓李的老大夫，病人不多。门房里还住着一位修理枪支的师傅，大概是退伍军人吧！我常常去蹲在他的炭炉旁边，和他攀谈。西厢房的后面有个大院子，有许多花果树，还种着满地的花，还养着好几箱的蜜蜂，花放时热闹得很。我就因为常去摘花，被蜜蜂螫了好几次，每次都是那位老大夫给上的药，他还告诫我：花是蜜蜂的粮食，好孩子是不抢人的粮食的。

这时，认字读书已成了我的日课，母亲和舅舅都是我的老师，母亲教我认“字片”，舅舅教我的课本，是商务印书馆的国文教科书第一册，从“天地日月”学起。有了海和山作我的活动场地，我对于认字，就没有了兴趣，我在一九三二年写的《冰心全集》自序中，曾有过这一段，就是以海军医院为背景的：

……有一次母亲关我在屋里，叫我认字，我却挣扎着要出去。父亲便在外面，用马鞭子重重地敲着堂屋的桌子，吓唬我，可是从未打到我的头上的马鞭子，也从未把我爱跑的脾气吓唬回去……

不久，我们又翻过山坡，搬到东山东边的海军练营旁边新盖好的房子里。这座房子盖在山坡挖出来的一块平地上，是个四合院，住着筹备海军学校的职员们。这座练营里已住进了一批新招来的海军学生，但也住有一营（?）的练勇。(大概那时父亲也兼任练营的营长)。我常常跑到营口门去和站岗的练勇谈话。他们不像兵舰上的水兵那样穿白色军装。他们的军装是蓝布包头，身上穿的也是蓝色衣裤，胸前有白线绣的“海军练勇”字样。当我跟着父亲走到营门口，他们举枪立正之后，父亲进去了就挥手叫我回来。我等父亲走远了，却拉那位练勇蹲了下来，一面摸他的枪，一面问：“你也打过海战吧?”他摇头说：“没有。”我说：“我父亲就打过，可是他打输了!”他站了起来，扛起枪，用手拍着枪托子，说：“我知道，你父亲打仗的时候，我还没当兵呢。你等着，总有一天你的父亲还会带我们去打仗，我们一定要打个胜仗，你信不信?”这几句带着很浓厚山东口音的誓言，一直在我的耳边回响着！

回想起来，住在海军练营旁边的时候，是我在烟台八年之中，离海最近的一段。这房子北面的山坡上，有一座旗台，是和海上军舰通旗语的地方。旗台的西边有一条山坡路通到海边的炮台，炮台上装有三门大炮，炮台下面的地下室里还有几个鱼雷，说是“海天”舰沉后捞上来的。这里还驻有一支穿白衣军装的军乐队，我常常跟父亲去听他们演习，我非常尊敬而且羡慕那位乐队指挥！炮台的西边有一个小码头。父亲的舰长朋友们来接送他的小汽艇，就是停泊在这码头边上的。

写到这里，我觉得我渐渐地进入了角色！这营房、旗台、炮台、码头，和周围的海边山上，是我童年初期活动的舞台。我在一九六二年九月十八日夜曾写过一篇叫做《海恋》的散文，里面有：

> ……我童年活动的舞台上，从不更换布景……在清晨我看见金盆似的朝日，从深黑色、浅灰色、鱼肚白色的云层里，忽然涌了上来，这时太空轰鸣，浓金泼满了海面，染透了诸天……在黄昏我看见银盘似的月亮颤巍巍地捧出了水平，海面变成一层层一道道的由浓黑而银灰渐渐地漾成光明闪烁的一片……这个舞台，绝顶静寂，无边辽阔，我既是演员，又是剧作者。我虽然单身独自，我却感到无限的欢畅与自由。

就在这个期间，一九〇六年，我的大弟谢为涵出世了。他比我小得多，在家塾里的表哥哥和堂哥哥们又比我大得多；他们和我玩不到一块儿，这就造成了我在山巅水涯独往独来的性格。这时我和父亲同在的时间特别多。白天我开始在家塾里附学，念一点书，学作一些短句子，放了学父亲也从营里回来，他就教我打枪、骑马、划船，夜里就指点我看星星。逢年过节，他也带我到烟台市上去，参加天后宫里海军军人的聚会演戏，或到玉皇顶去看梨花，到张裕酿酒公司的葡萄园里去吃葡萄，更多的时候，就是带我到进港的军舰上去看朋友。

一九〇八年，我的二弟谢为杰出世了，我们又搬到海军学校后面的新房子里来。

这所房子有东西两个院子，西院一排五间是我们和舅舅一家合住的。我们住的一边，父亲又在尽东头面海的一间屋子上添盖了一间楼房，上楼就望见大海。我在《海恋》中有过这么一段描写，就是在这楼上所望见的一切：

右边是一座屏幛似的连绵不断的南山，左边是一带围抱过来的丘陵，土坡上是一层一层的麦地，前面是平坦无际的淡黄的沙滩。在沙滩与我之间，有一簇依山上下高低不齐的农舍，亲热地偎倚成一个小小的村落。在广阔的沙滩前面，就是那片大海！这大海横亘南北，布满东方的天边，天边有几笔淡墨画成的海岛，那就是芝罘岛，岛上有一座灯塔……

在这时期，我上学的时间长了，看书的时间也多了，主要的还是因为离海远些了，父亲也忙些了，我好些日子才到海滩上去一次，我记得这海滩上有一座小小的龙王庙，庙门上的对联是：

群生被泽
四海安澜

因为少到海滩上去，那间望海的楼房就成了我常去的地方。这房间算是客房，但是客人很少来住，父亲和母亲想要习静的时候就到那里去。我最喜欢在风雨之夜，倚栏凝望那灯塔上的一停一射的强光，它永远给我以无限的温暖快慰的感觉！

这时，我们家塾里来了一位女同学，也是我的第一个女伴，她是父亲同事李毓丞先生的女儿名叫李梅修的，她比我只大两岁，母亲说她比我稳静得多。

她的书桌和我的摆在一起，我们十分要好。这时，我开始学会了“过家家”，我们轮流在自己“家”里“做饭”，互相邀请，吃些小糖小饼之类。一九一一年，我们在福州的时候，父亲得到李伯伯从上海的来信，说是李梅修病故了，我们都很难过，我还写了一篇《祭亡友李梅修文》寄到上海去。

我和李梅修谈话或做游戏的地方，就在楼房的廊上，一来可以免受表哥哥和堂哥哥们的干扰，二来可以赏玩海景和园景。从楼廊上往前看是大海，往下看就是东院那个客厅和书斋的五彩缤纷的大院子。父亲公余喜欢栽树种花，这院子里种有许多果树和各种的花。花畦是父亲自己画的种种几何形的图案，花径是从海滩上挑来的大卵石铺成的，我们清晨起来，常常在这里活动。我记得我的小舅舅杨子玉先生，他是我的外叔祖父杨颂岩老先生的儿子，那时正在唐山路矿学堂肄业，夏天就到我们这里来度假。他从烟台回校后，曾寄来一首长诗，头几句我忘了，后几句是：

…………
…………
忆昔夏日来芝罘
照眼繁花簇小楼
清晨微步惬情赏
向晚琼筵勤劝酬
欢娱苦短不逾月
别来倏忽惊残秋
花自凋零吾不见
共怜福分几生修

小舅舅是我们这一代最欢迎的人，他最会讲故事，讲得有声有色。他有时讲吊死鬼的故事来吓唬我们，但是他讲得更多的是民族意识很浓厚的故事，什么洪承畴卖国啦，林则徐烧鸦片啦等等，都讲得慷慨淋漓，我们听过了往往兴奋得睡不着觉！他还拉我的父亲和父亲的同事们组织赛诗会，就是：在开会时大家议定了题目，限了韵，各人分头做诗，传观后评定等次，也预备了一些奖品，如扇子、笺纸之类。赛诗会总是晚上在我们书斋里举行，我们都坐在一边旁听。现在我只记得父亲做的《咏蟋蟀》一首，还不完全：

庭前……正花黄
床下高吟际小阳
笑尔专寻同种斗
争来名誉亦何香

还有《咏茅屋》一首，也只记得两句：

…………
…………
久处不须忧瓦解
雨余还得草根香

我记住了这些句子，还是因为小舅舅和我父亲开玩笑，说他做诗也解脱不了军人的本色。父亲也笑说："诗言志嘛，我想到什么就写什么，当然用词赶不上你们那么文雅了。"但是我体会到小舅舅的确很喜欢父亲的"军人本色"，我的舅舅们和父亲以及父亲的同事们在赛诗会后，往往还谈到深夜，那时我们睡觉去了，也不知道他们都谈些什么。

小舅舅每次来过暑假，都带来一些书，有些书是不让我们看的，越是不让看，我们就越想看，哥哥们就怂恿我去偷，偷来看时，原来都是《天讨》之类的同盟会的宣传册子。我们偷偷地看了之后，又偷偷地赶紧送回原处。

一九一〇年我的三弟谢为楫出世了。就在这之后不久，海军学校发生了风潮！

大概在这一年之前，那时的海军大臣载洵，到烟台海军学校视察过一次，回到北京，便从北京贵胄学堂派来了二十名满族学生，到海军学校学习。在一九一一年的春季运动会上，为着争夺一项锦标，一两年中蕴积的满汉学生之间的矛盾表面化了！这一场风潮闹得很凶，北京就派来了一个调查员郑汝成，来查办这个案件。他也是父亲的同学。他背地里告诉父亲，说是这几年来一直有人在北京告我父亲是“乱党”，并举海校学生中有许多同盟会员——其中就有萨镇冰老先生的侄子（?）萨福昌……而且学校图书室订阅的，都是《民呼报》之类，替同盟会宣传的报纸为证等等，他劝我父亲立即辞职，免得落个“撤职查办”。父亲同意了，他的几位同事也和他一起递了辞呈。就在这一年的秋天，父亲恋恋不舍地告别了他所创办的海军学校，和来送他的朋友、同事和学生，我也告别了我的耳鬓厮磨的大海，离开烟台，回到我的故乡福州去了！

这里，应该写上一段至今回忆起来仍使我心潮澎湃的插曲。振奋人心的辛亥革命在这年的十月十日发生了！我们在回到福州的中途，在上海虹口住了一个多月。我们每天都在抢着等着看报。报上以黎元洪将军（他也是父亲的同班同学，不过父亲学的是驾驶，他学的是管轮）署名从湖北武昌拍出的起义的电报（据说是饶汉祥先生的手笔），写得慷慨激昂，篇末都是以“黎元洪泣血叩”收尾。这时大家都纷纷捐款劳军，我记得我也把攒下的十块压岁钱，送到申报馆去捐献，收条的上款还写有“幼女谢婉莹君”字样，我把这张小小的收条，珍藏了好多年，现在，它当然也和如水的年光一同消逝了！

一九七九年七月四日清晨

童年杂忆

童年呵！

是梦中的真，

是真中的梦，

是回忆时含泪的微笑。

——《繁星》

一九八〇年的后半年，几乎全在医院中度过，静独时居多。这时，身体休息，思想反而繁忙，回忆的潮水，一层一层地卷来，又一层一层地退去，在退去的时候，平坦而光滑的沙滩上，就留下了许多海藻和贝壳和海潮的痕迹！

这些痕迹里，最深刻而清晰的就是童年时代的往事。我觉得我的童年生活是快乐的，开朗的，首先是健康的。该得的爱，我都得到了，该爱的人，我也都爱了。我的母亲，父亲，祖父，舅舅，老师以及我周围的人都帮助我的思想、感情往正常、健康里成长。二十岁以后的我，不能说是没有经过风吹雨打，但是我比较是没有受过感情上摧残的人，我就能够禁受身外的一切。有了健康的感情，使我相信人类的前途是光明的，虽然在螺旋形上升路上，是峰回路转的，但我们有自己的看法，自己的判断，来克制外来的侵袭。

八十年里我过着和三代人相处（虽然不是同居）的生活，感谢天，我们的健康空气，并没有被污染。我希望这爱和健康的气息，不但在我们一家中间，还在每一个家庭中延续下去。

话说远了，收回来吧。

读　书

我常想，假如我不识得字，这病中一百八十天的光阴，如何消磨得下去？

感谢我的母亲，在我四五岁的时候，在我百无聊赖的时候，把文字这把钥匙，勉强地塞在我手里。到了我七岁的时候，独游无伴的环境，迫着我带着这把钥匙，打开了书库的大门。

门内是多么使我眼花缭乱的画面呵！我一跨进这个门槛，我就出不来了！

我的文字工具，并不锐利，而我所看到的书，又多半是很难攻破的。但即使我读到的对我是些不熟习的东西，而“熟能生巧”，一个字形的反复出现，这个字的意义，也会让我猜到一半。

我记得我首先得到手的，是《三国演义》和《聊斋志异》，这里我只谈《聊斋志异》。

《聊斋志异》真是一本好书，每一段故事，多的几千字，少的只有几百字。其中的人物，是人、是鬼、是狐，都有自己独特的性格，每个“人”都从书上站起来了！看得我有时欢笑，有时流泪，母亲说我看书看得疯了。不幸的《聊斋志异》，有一次因为我在澡房里偷看，把洗澡水都凉透了，她气得把书抢过去，撕去了一角，从此后我就反复看着这残缺不完的故事，直到十几年后我自己买到一部新书时，才把故事的情节拼全了。

此后无论是什么书，我得到就翻开看。即或不是一本书，而是一张纸，哪怕是一张极小的纸，只要上面有字，我就都要看看。我记得当我八岁或九岁的时候，我要求我的老师教给我做诗。他说做诗要先学对对子，我说我要试试看。他笑着给我写了三个字，是“鸡唱晓”。我几乎不假思索地就对上个“鸟鸣春”，他大为喜悦诧异，以为我自己已经看过韩愈的《送孟东野序》。其实“以鸟鸣春，以雷鸣夏，以虫鸣秋，以风鸣冬”这四句话，我是在一张香烟画的后面看到的！

再大一点，我又看了两部“传奇”，如《再生缘》、《天雨花》等，都是女作家写的，七字一句的有韵的故事，中间也夹些说白，书中的主要角色，又都是很有才干的女孩子。如《再生缘》中的孟丽君，《天雨花》中的左仪贞。故事都很曲折，最后还是大团圆。以后我还看一些类似的书，如《凤双飞》，看过就没有印象了。

与此同时，我还看了许多商务印书馆出版的“说部丛书”，其中就有英国名作家迭更斯的《块肉余生述》，也就是《大卫·考伯菲尔》，我很喜欢这本书！译者林琴南老先生，也说他译书的时候，被原作的情文所感动，而“笑啼间作”。我记得当我反复地读这本书的时候，当可怜的大卫，从虐待他的店主出走，去投奔他的姨婆，旅途中饥寒交迫的时候，我一边流泪，一边掰我手里母亲给我当点心吃的小面包，一块一块地往嘴里塞，以证明并体会我自己是幸福的！有时被母亲看见了，就说，“你这孩子真奇怪，有书看，有东西吃，你还哭！”事情过去几十年了，这一段奇怪的心理，我从来没有对人说过！

我的另一个名字

我的另一个名字，是和我该爱而不能爱的人有关，这个人就是我的姑母。

我从来没有见过我的姑母，只从父亲口里听到关于她的一切。她是父亲的姐姐，父亲四岁丧母，一切全由姐姐照料。我记得父亲说过姑母出嫁的那一天，父亲在地上打着滚哭，看来她似乎比我父亲大得多。

姑母嫁给冯家，我在一九一一年回福州去的时候，曾跟我的父亲到三官堂冯家去看我的姑夫。姑姑生了三男二女，我的二表姐，乳名叫“阿三”的，长得非常的美。坐在镜前梳头，发长委地，一张笑脸红扑扑的！父亲替她做媒，同一位姓陈的海军青年军官——也是父亲的学生——结了婚，她回娘家的时候，就来看我们。我们一大家的孩子都围着她看，舍不得走开。

冯家也是一个大家庭，我记得他们堂兄弟姐妹很多，个个都会吹弹歌唱，墙上挂的都是些箫，笙，月琴，琵琶之类。父亲常说他们家可以成立一个民乐团！

我生下来多病。姑母很爱我的父母，因此也极爱我。据说她出了许多求神许愿的主意，比如说让我拜在吕洞宾名下，作为寄女，并在他神座前替我抽了一个名字，叫“珠瑛”，我们还买了一条牛，在吕祖庙放生——其实也就是为道士耕田！每年在我生日那一天，还请道士到家来念经，叫做“过关”。这

“关”一直要过到我十六岁，都是在我老家福州过的，我只有在回福州那个时期才得“恭逢其盛”！一个或两个道士一早就来，在厅堂用八仙桌搭起祭坛，围上红缎“桌裙”，点蜡，烧香，念经，上供，一直闹到下午。然后立起一面纸糊的城门似的“关”，让我拉着我们这一大家的孩子，从“关门”里走过，道士口里就唱着“关过啦”“关过啦”，我们哄笑着穿走了好几次，然后把这纸门烧了，道士也就领了酒饭钱，收拾起道具，回去了。

吕祖庙在福州城内乌石山上——福州是山的城市，城内有三座山，乌石山，越王山（屏山），于山，一九三六年冬我到欧洲七山之城的罗马的时候，就想到福州！

吕祖庙是什么样子，我已忘得干干净净，但是乌石山上有两大块很光滑的大石头，突兀地倚立在山上，十分奇特。福州人管这两块大石头叫“桃瓣李片”，说出来就是一片桃子和一片李子倚立在一起，这两块石头给我的印象很深。

和我的这个名字（珠瑛）有联系的东西，我想起了许多，都是些迷信的事，像把我寄在吕祖名下和“过关”等等，我的父亲和母亲都不相信的，只因不忍过拂我姑母的意见，反正这一切都在老家进行，并不麻烦他们自己，也就算了，“珠瑛”这个名字，我从来没有用过，家里人也从不这样称呼我。

在我开始写短篇小说的时候，一时兴起，曾想以此为笔名，后来终究因为不喜欢这迷信的联想，又觉得“珠瑛”这两个字太女孩子气了，就没有用它。

这名字给了我八十年了，我若是不想起，提起，时至今日就没有人知道了。

父亲的“野”孩子

当我连蹦带跳地从屋外跑进来的时候，母亲总是笑骂着说，“看你的脸都晒‘熟’了！一个女孩子这么‘野’，大了怎么办？”跟在我后面的父亲就会笑着回答，“你的孩子，大了还会野吗？”这时，母亲脸上的笑，是无可奈何的笑，而父亲脸上的笑，却是得意的笑。

的确，我的“野”，是父亲一手“惯”出来的，一手训练出来的。因为我从小男装，连穿耳都没有穿过。记得我回福州的那一年，脱下男装后，我的伯母，叔母都说：“四妹（我在大家庭姐妹中排行第四）该扎耳朵眼、戴耳环了。”父亲还是不同意，借口说：“你们看她左耳唇后面，有一颗聪明痣。把这颗痣扎穿了，孩子就笨了。”我自己看不见我左耳唇后面的小黑痣，但是我至终没有扎上耳朵眼！

不但此也，连紧鞋父亲也不让穿，有时我穿的鞋稍为紧了一点，我就故意在父亲面前一瘸一瘸地走，父亲就埋怨母亲说，“你又给她小鞋穿了！”母亲也气了，就把剪刀和纸裁的鞋样推到父亲面前说：“你会做，就给她做，将来长出一对金刚脚，我也不管！”父亲真的拿起剪刀和纸就要铰个鞋样，母亲反而笑了，把剪刀夺了过去。

那时候，除了父亲上军营或军校的办公室以外，他一下班，我一放学，他就带我出去，骑马或是打枪。海军学校有两匹马，一匹是白的老马，一匹是黄的小马，是轮流下山上市去取文件或书信的。我们总在黄昏，把这两匹马牵来，骑着在海边山上玩。父亲总让我骑那匹老实的白马，自己骑那匹调皮的小黄马，跟在后面。记得有一次，我们骑马穿过金钩寨，走在寨里的小街上时，忽然从一家门里蹒跚地走出一个刚会走路的小娃娃，他一直闯到白马的肚子底下，跟在后面的父亲，吓得赶忙跳下马来拖他。不料我座下的那匹白马却从从容容地横着走向一边，给孩子让出路来。当父亲把这孩子抱起交给他的惊惶追出的母亲时，大家都松了一口气，父亲还过来抱着白马的长脸，轻轻地拍了几下。

在我们离开烟台以前，白马死了。我们把它埋在东山脚下。我有时还在它墓上献些鲜花，反正我们花园里有的是花。从此我们再也不骑马了。

父亲还教我打枪，但我背的是一杆鸟枪。枪弹只有绿豆那么大。母亲不让我向动物瞄准，只许我打树叶或树上的红果，可我很少能打下一片绿叶或一颗红果来！

烟台是我们的！

夏天的黄昏，父亲下了班就带我到山下海边散步，他不换便服，只把白色制服上的黑地金线的肩章取了下来，这样，免得走在路上的学生们老远看见了就向他立正行礼。

我们最后就在沙滩上面海坐下，夕阳在我们背后慢慢地落下西山，红霞满天。对面好像海上的一抹浓云，那是芝罘岛。岛上的灯塔，已经一会儿一闪地发出强光。

有一天，父亲只管抱膝沉默地坐着，半天没有言语。我就挨过去用头顶着他的手臂，说："爹，你说这小岛上的灯塔不是很好看么？烟台海边就是美，不是吗？"这些都是父亲平时常说的话，我想以此来引出他的谈锋。

父亲却摇头慨叹地说："中国北方海岸好看的港湾多的是，何止一个烟台？你没有去过就是了。"

我瞪着眼等他说下去。

他用手拂弄着身旁的沙子，接着说："比如威海卫，大连湾，青岛，都是很好很美的……"

我说："爹，你哪时也带我去看一看。"父亲拣起一块卵石，狠狠地向海浪上扔去，一面说："现在我不愿意去！你知道，那些港口现在都不是我们中国人的，威海卫是英国人的，大连是日本人的，青岛是德国人的，只有，只有烟台是我们的，我们中国人自己的一个不冻港！"

我从来没有看见父亲愤激到这个样子。他似乎把我当成一个大人，一个平等的对象，在这海天辽阔、四顾无人的地方，倾吐出他心里郁积的话。

他说："为什么我们把海军学校建设在这海边偏僻的山窝里？我们是被挤到这里来的呵。这里僻静，海滩好，学生们可以练习游泳，划船，打靶等等。将来我们要夺回威海，大连，青岛，非有强大的海军不可。现在大家争的是海上霸权呵！"

从这里他又谈到他参加过的中日甲午海战：他是在威远战舰上的枪炮二

副。开战的那一天，站在他身旁的战友就被敌人的炮弹打穿了腹部，把肠子都打溅在烟囱上！炮火停歇以后，父亲把在烟囱上烤焦的肠子撕下来，放进这位战友的遗体的腔子里。

“这些事，都像今天的事情一样，永远挂在我的眼前，这仇不报是不行的！我们受着外来强敌的欺凌，死的人，赔的款，割的地还少吗？

“这以后，我在巡洋舰上的时候，还常常到外国去访问。英国，日本，法国，意大利……我觉得到哪里我都抬不起头来！你不到外国，不知道中国的可爱，离中国越远，就对她越亲。但是我们中国多么可怜呵，不振兴起来，就会被人家瓜分了去。可是我们现在难关多得很，上头腐败得……”

他忽然停住了，注视着我，仿佛要在他眼里把我缩小了似的。他站起身来，拉起我说：“不早了，我们回去吧！”

一般父亲带我出去，活动的时候多，像那天这么长的谈话，还是第一次！在这长长的谈话中，我记得最牢，印象最深的，就是“烟台是我们的！”这一句。

许多年以后，除了威海卫之外，青岛，大连，我都去过。英国、日本、法国、意大利……的港口，我也到过，尤其在新中国成立后，我并没有觉得抬不起头来。做一个新中国的人民是光荣的！

但是，“烟台是我们的”，这“我们”二字，除了十亿我们的人民之外，还特别包括我和我的父亲！

一九八一年四月

童年的春节

我童年生活中，不光是海边山上孤单寂寞的独往独来，也有热闹得锣鼓喧天的时候，那便是从前的“新年”，现在叫做“春节”的。

那时我家住在烟台海军学校后面的东南山窝里，附近只有几个村落，进烟台市还要越过一座东山，算是最冷僻的一角了，但是“过年”还是一年中最隆重的节日。

过年的前几天，最忙的是母亲了。她忙着打点我们过年穿的新衣鞋帽，还有一家大小半个月吃的肉，因为那里的习惯，从正月初一到十五是不宰猪卖肉的。我看见母亲系起围裙、挽上袖子，往大坛子里装上大块大块的喷香的裹满“红糟”的糟肉，还有用酱油、白糖和各种香料煮的卤肉，还蒸上好几笼屉的红糖年糕……当母亲做这些事的时候，旁边站着的不只有我们几个馋孩子，还有在旁边帮忙的厨师傅和余妈。

父亲呢，就为放学的孩子们准备新年的娱乐。在海军学校上学的不但有我的堂哥哥，还有表哥哥。真是“一表三千里”，什么姑表哥，舅表哥，姨表哥，至少有七八个。父亲从烟台市上买回一套吹打乐器，锣、鼓、箫、笛、二胡、月琴……弹奏起来，真是热闹得很。只是我挤不进他们的乐队里去！我只能白天放些父亲给我们买回来的鞭炮，晚上放些烟火。大的是一筒一筒的放在地上放，火树银花，璀璨得很！我最喜欢的还是一种最小、最简单的“滴滴金”，那是一条小纸捻，卷着一点火药，可以拿在手里点起来嗤嗤地响，爆出点点火星。

记得我们初一早起，换上新衣新鞋，先拜祖宗——我们家不供神佛——供桌上只有祖宗牌位、香、烛和祭品，这一桌酒菜就是我们新年的午餐——然后给父母亲和长辈拜年，我拿到的红纸包里的压岁钱，大多是一圆锃亮的墨西哥“站人”银元，我都请母亲替我收起。

最有趣的还是从各个农村来耍“花会”的了，演员们都是各个村落里冬闲的农民，节目大多是“跑旱船”，和“王大娘锔大缸”之类，演女角的都是村里的年轻人，搽着很厚的脂粉。鼓乐前导，后面就簇拥着许多小孩子。到我家门首，自然就围上一大群人，于是他们就穿走演唱了起来，有乐器伴奏，歌曲大都滑稽可笑，引得大家笑声不断。耍完了，我们就拿烟、酒、点心慰劳他们。这个村的花会刚走，那个村的又来了，最先来到的自然是离我们最近的金钩寨的花会！

我十一岁那年，回到故乡的福建福州，那里过年又热闹多了。我们大家庭里是四房同居分吃，祖父是和我们这一房在一起吃饭的。从腊月廿三日起，大家就忙着扫房，擦洗门窗和铜锡器具，准备糟和腌的鸡、鸭、鱼、肉。祖父只忙着写春联，贴在擦得锃亮的大门或旁门上。他自己在元旦这天早上，还用红纸写一条：“元旦开业，新春大吉……”以下还有什么吉利话，我就不认得也不记得了。

新年里，我们各人从自己的“姥姥家”得到许多好东西。首先是灶糖、灶饼，那是一盒一盒的糖和点心。据说是祭灶王爷用的，糖和点心都很甜也很粘，为的是把灶王的嘴糊上，使得他上天不能汇报这家人的坏话！最好的东西，还是灯笼，福州方言，“灯”和“丁”同音，因此送灯的数目，总比孩子的数目多一盏，是添丁的意思。那时我的弟弟们还小，不会和我抢，多的那一盏总是给我。这些灯：有纸的，有纱的，还有玻璃的……于是我屋墙上挂的是“走马灯”，上面的人物是“三英战吕布”，手里提的是两眼会活动的金鱼灯，另一手就拉着一盏脚下有轮子的“白兔灯”。同时我家所在的南后街，本是个灯市，这一条街上大多是灯铺。我家门口的“万兴桶石店”，平时除了卖各种红漆金边的伴嫁用的大小桶子之外，就兼卖各种的灯。那就不是孩子们举着玩的灯笼了，而是上面画着精细的花鸟人物的大玻璃灯、纱灯、料丝灯、牛角灯等等，元宵之夜，都点了起来，真是“花市灯如昼”，游人如织，欢笑满街！

元宵过后，一年一度的光彩辉煌的日子，就完结了。当大人们让我们把许多玩够了的灯笼，放在一起烧了之后，说：“从明天起，好好收收心上学去吧。”我们默默地听着，看着天井里那些灯笼的星星余烬，恋恋不舍地带着一种说不出的惆怅寂寞之感，上床睡觉的时候，这一夜的滋味真不好过！

一九八五年一月三十日

我到了北京

大概是在一九一三年初秋，我到了北京。

中华民国成立后，海军部长黄钟瑛打电报把我父亲召到北京，来担任海军部军学司长。父亲自己先去到任，母亲带着我们姐弟四个，几个月后才由舅舅护送着，来到北京。

实话说，我对北京的感情，是随着居住的年月而增加的。我从海阔天空的烟台，山清水秀的福州，到了我从小从舅舅那里听到的腐朽破烂的清政府所在地——北京，我是没有企望和兴奋的心情的。当轮船缓慢地驶进大沽口十八湾的时候，那浑黄的河水和浅浅的河滩，都给我以一种抑郁烦躁的感觉。从天津到北京，一路上青少黄多的田亩，一望无际，也没有引起我的兴趣！到了北京东车站，父亲来接，我们坐上马车，我眼前掠过的，就是高而厚的灰色的城墙，尘沙飞扬的黄土铺成的大道，匆忙而又迂缓的行人和流汗的人力车夫的奔走，在我茫然漠然的心情之中，马车把我送到了一住十六年的“新居”，北京东城铁狮子胡同中剪子巷十四号。

这是一个不大的门面，就像天津出版社印的老舍先生的《四世同堂》的封面画，是典型的北京中等人家的住宅。大门左边的门框上，挂着黑底金字的“齐宅”牌子。进门右边的两扇门内，是房东齐家的住处。往左走过一个小小的长方形外院，从朝南的四扇门进去，是个不大的三合院，便是我们的“家”了。

这个三合院，北房三间，外面有廊子，里面有带砖炕的东西两个套间。东西厢房各三间，都是两明一暗，东厢房作了客厅和父亲的书房，西厢房成了舅舅的居室和弟弟们读书的地方。从此房廊前的东边过去，还有个很小的院子，这里有厨房和厨师父的屋子，后面有一个蹲坑的厕所。北屋后面西边靠墙有一座极小的两层“楼”，上面供的是财神，下面供的是狐仙！

我们住的北房，除东西套间外，那两明一暗的正房，有玻璃后窗，还有雕花的“隔扇”，这隔扇上的小木框里，都嵌着一幅画或一首诗。这是我在烟台或福州的房子里所没有的装饰，我很喜欢这个装饰！框里的画，是水墨或彩色的花卉山水，诗就多半是我看过的《唐诗三百首》中的句子，也有的是我以后在前人诗集中找到的。其中只有一首，是我从来没有遇见过的，那是一首七律：

飘然高唱入层云风急天高（?）忽断闻
难解乱丝唯勿理善存余焰不教焚
事当路口三叉误人便江头九派分
今日始知吾左计枉亲书剑负耕耘

我觉得这首诗很有哲理意味。

我们在这院子里住了十六年！这里面堆积了许多我对于我们家和北京的最初的回忆。

我最初接触的北京人，是我们的房东齐家。我们到的第二天，齐老太太就带着她的四姑娘，过来拜访。她称我的父母亲为“大叔”、“大婶”，称我们为姑娘和学生。(现在我会用“您”字，就是从她们学来的。) 齐老太太常来请我母亲到她家打牌，或出去听戏。母亲体弱，又不惯于这种应酬，婉言辞谢了几次之后，她来的便少了。我倒是和她们去东安市场的吉祥园，听了几次戏，我还赶上了听杨小楼先生演黄天霸的戏，戏名我忘了。我又从《汾河湾》那出戏里，第一次看到了梅兰芳先生。

我常被领到齐家去，她们院里也有三间北屋和东西各一间的厢房。屋里生的是大的铜的煤球炉子，很暖。她家的客人很多，客人来了就打麻将牌，抽纸烟。四姑娘也和他们一起打牌吸烟，她只不过比我大两三岁！

齐家是旗人，他本来姓“祈”（后来我听到一位给母亲看病的满族中医讲到，旗人有八个姓，就是童、关、马、索、祈、富、安、郎），到了民国，旗人多改汉姓，他们就姓了“齐”。他们家是老太太当权，齐老先生和他们的小脚儿媳，低头出入，忙着干活，很少说话。后来听人说，这位齐老太太从前是一个王府的“奶子”，她攒下钱盖的这所房子。我总觉得她和我们家门口大院西边那所大宅的主人有关系。这所大宅子的前门开在铁狮子胡同，后门就在我们门口大院的西边。常常有穿着鲜艳的旗袍和坎肩，梳着“两把头”，髻后有很长的“燕尾儿”，脚登高底鞋的贵妇人出来进去的。她们彼此见面，就不住地请安问好，寒暄半天，我远远看着觉得十分有趣。但这些贵妇人，从来没有到齐家来过。

就这样，我所接触的只是我家院内外的一切，我的天地比从前的狭仄冷清多了，幸而我的父亲是个不甘寂寞的人，他在小院里砌上花台，下了“衙门”（北京人称上班为上衙门！）便卷起袖子来种花。我们在外头那个长方形的院子里，还搭起一个葡萄架子，把从烟台寄来的葡萄秧子栽上。后来父亲的花园渐渐扩大到大门以外，他在门口种了些野茉莉、蜀葵之类容易生长的花朵，还立起了一个秋千架。周围的孩子就常来看花，打秋千，他们把这大院称作“谢家大院”。

“谢家大院”是周围的孩子们集会的地方，放风筝的、抖空竹的、跳绳踢毽子的、练自行车的……热闹得很。因此也常有“打糖锣的”的担子歇在那里，锣声一响，弟弟们就都往外跑，我便也跟了出去。这担子里包罗万象，有糖球、面具、风筝、刀枪等等，价钱也很便宜。这糖锣担子给我的印象很深！前几年我认识一位面人张，他捏了一尊寿星送我，我把这尊寿星送给一位英国朋友——一位人类学者，我又特烦面人张给我捏一副“打糖锣的”的担子，把它摆在我玻璃书架里面，来锁住我少年时代的一幅画境。

总起来说，我初到北京的那一段生活，是陌生而乏味的。“山中岁月”、“海上心情”固然没有了，而“辇下风光”我也没有领略到多少！那时故宫、景山和北海等处，还都没有开放，其他的名胜地区，我记得也没有去过。只有一次和弟弟们由舅舅带着逛了隆福寺市场，这对我也是一件新鲜事物！市场里熙来攘往，万头攒动。栉比鳞次的摊子上，卖什么的都有，古董、衣服、吃的、用的五光十色；除了做买卖的，还有练武的、变戏法的、说书的……我们的注意力却集中在玩具摊上！我记得最清楚的是鬃人铜盘戏出。这是一种纸糊的戏装小人，最精彩的是武将，头上插着翎毛，背后扎着四面小旗，全副盔甲，衣袍底下却是一圈鬃子。这些戏装小人都放在一个大铜盘上。耍的人一敲那铜盘子，个个鬃人都旋转起来，刀来枪往，煞是好看。

父亲到了北京以后，似乎消沉多了，他当然不会带我上“衙门”，其他的地方，他也不爱去，因此我也很少出门。这一年里我似乎长大了许多！因为这时围绕着我的，不是那些堂的或表的姐妹弟兄，而只是三个比我小得多的弟弟，岁时节序，就显得冷清许多。二来因为我追随父亲的机会少了，我自然而然地成了母亲的女儿。我不但学会了替母亲梳头（母亲那时已经感到臂腕酸痛），而且也分担了一些家务，我才知道“过日子”是一件很操心、很不容易对付的事！这时我也常看母亲订阅的各种杂志，如商务印书馆出版的《妇女杂志》,《小说月报》和《东方杂志》等，我就是从《妇女杂志》的文苑栏内，首先接触到“词”这种诗歌形式的。我的舅舅杨子敬先生做了弟弟们的塾师，他并没有叫我参加学习，我白天帮母亲做些家务，学些针黹，晚上就在堂屋的方桌边，和三个弟弟各据一方，帮他们温习功课，他们倦了就给他们讲些故事，也领他们做些游戏，如“老鹰抓小鸡”之类，自己觉得俨然是个小先生了。

弟弟们睡觉以后，我自己孤单地坐着，听到的不是高亢的军号，而是墙外的悠长而凄清的叫卖“羊头肉”或是“赛梨的萝卜”的声音，再不就是一声声算命瞎子敲的小锣，敲得人心头打颤，使我彷徨而烦闷！

写到这里，我微微起了感喟。我的生命的列车，一直是沿着海岸飞驰，虽然山回路转，离开了空阔的海天，我还看到了柳暗花明的村落。而走到北京的最初一段，却如同列车进入隧道，窗外黑糊糊的，车窗关上了，车厢里的电灯亮了，我的眼光收了回来，在一圈黄黄的灯影下，我仔细端详了车厢里的人和物，也端详了自己……

北京头一年的时光，是我生命路上第一段短短的隧道，这种黑糊糊的隧道，以后当然也还有，而且更长，不过我已经长大成人了！

一九八一年六月十六日

我的第一篇文章

问：能不能请您回忆一下自己的第一篇文章是怎样在报刊上发表的？

答：现在想起来，天下真有极其偶然的一件事，就左右了你的一生！我在“五四”以前，做梦也不会想到我会以写作为业。一九一九年五四运动起来，我由一个学生自治会的文书，被派去参加北京女学界联合会的宣传组，在当时北洋政府的法庭公审被捕的“火烧赵家楼”的学生的时候，我们组被派去旁听并作记录。那天是大律师刘崇佑替学生作辩护，法庭上是座无隙地。刘律师讲得慷慨激昂，我的前后左右，掌声四起。从法庭回来，宣传组长让我们把听审的感想写下来，自已找个报纸发表，以扩大宣传。

那时我是协和女子大学理预科的走读生，每天只往返于家庭和学校之间，同时一向只专心攻读数、理、化学科，其他一切不闻不问。我更不认识什么新闻界人物。想来想去，我想起我的表兄刘放园先生，他是北京《晨报》的编辑。他是我母亲的表侄，比我几乎大二十岁，我们都把他当做长辈。每逢我父母亲的生日，他必来祝寿，但对于我们姐弟，他都不大答理。那时我们家看的报纸中有一份《晨报》，就是他赠阅的。我看《晨报》上的言论，对于学生运动还是很支持的，我就给他打一个电话去试一试。从电话里就听出了他惊讶的声音，仿佛觉得这个平常只在一边默默地递茶敬烟的小表妹，忽然打电话到报社来找他要登文章，是个意外。他只说：“好吧，寄来我看看。”

我那篇像中学生作文一样的《听审记》，几天后在《晨报》上登出来了，那当然是借五四运动的东风。但从那时起，放园表兄就常常寄刊物来给我看，如《解放与改造》、《中国少年》等等。那时我自已的兴趣也广些了，看的书报也多了，我自己订阅的有《新青年》、《新潮》等等。放园表兄劝我多写，我也想：许多刊物上写文章的都是学生，我又何妨试试呢？再过些日子，我的以冰心署名的第一篇小说《两个家庭》便出世了。这篇小说我拿到了八元的稿费，弟弟们敲我竹杠，要我请他们逛“中央公园”，吃些茶点，还剩下一些钱，我便买了纸笔。

从那时起我就断断续续地一直写到现在。我没有写出什么惊人之作，也没有什么鸿篇巨著，我只用这支笔，写我的随时随地的思想和感情，不过现在是越写越短小、越随便、越平淡了。恐怕这也是自然规律。

一九八二年四月十日

我入了贝满中斋

我在北京闲居了半年，家里的大人们都没有提起我入学的事，似乎大家都在努力适应这陌生而古老的环境。我忍耐不住了，就在一个夏天的晚上，向我的舅舅杨子敬先生提出我要上学。那时他除了在家里教我的弟弟们读书以外，也十分无聊，在生疏的北京，又不知道有什么正当的娱乐场所，他就常到米市大街基督教青年会去看书报、打球，和青年会干事们交上朋友（他还让我的大弟谢为涵和他自己的儿子杨建辰到青年会夜校去读英文）。当我舅舅向他的青年会干事朋友打听有什么好的女子中学的时候，他们就介绍了离我们家最近的东城灯市口公理会的贝满女子中学。

我的父母亲并不反对我入教会学校，因为我的二伯父谢葆珪（穆如）先生，就在福州仓前山的英华书院教中文，那也是一所教会学校，二伯父的儿子，我的堂兄谢为枢，就在那里读书。仿佛除了教学和上学之外，并没有勉强他们入教。英华书院的男女教师，都是传教士，也到我们福州家里来过。还因为在我上面有两个哥哥，都是接生婆接的，她的接生器具没有经过消毒，他们都得了脐带风而夭折了。于是在我和三个弟弟出生的时候，父亲就去请教会医院的女医生来接生。我还记得给我弟弟们接生的美国女医生，身上穿的都是中国式的上衣和裙子，不过头上戴着帽子，脚下穿着皮鞋。在弟弟们满月以前，她们还自动来看望过，都是从山下走上来的。因此父母亲对她们的印象很好。父亲说：教会学校的教学是认真的，英文的口语也纯正，你去上学也好。

于是在一九一四年的秋天，舅舅就带我到贝满女子中学去报名。

那时的贝满女中是在灯市口公理会大院内西北角的一组曲尺形的楼房里。在曲尺的转折处，东南面的楼壁上，有横写的四个金字“贝满中斋”——那时教会学校用的都是中国传统的名称：中学称中斋，大学称书院，小学称蒙学。公理会就有培元蒙学（六年）、贝满中斋（四年）、协和女子书院（四年），因为在通县还有一所男子协和书院，女子书院才加上“女子”二字。这所贝满中斋是美国人姓 Bridgeman 的捐款建立的，“贝满”是 Bridgeman 的译音——走上十级左右的台阶，便进到楼道左边的一间办公室。有位中年的美国女教士，就是校长吧，把我领到一间课室里，递给我一道中文老师出的论说题目，是“学然后知不足”。这题目是我在家塾中做过的，于是我不费思索，一挥而就。校长斐教士十分惊奇叹赏，对我舅舅说：“她可以插入一年级，明天就交费上学吧。”考试和入学的手续是那样地简单，真出乎我们意料之外，我是又高兴而又不安。

第二天我就带着一学期的学费（十六元）去上学了。到校后检查书包，那十六元钱不见了，在校长室里我窘得几乎落下泪来。斐教士安慰我说：“不要紧的，丢了就不必交了。”我说：“那不好，我明天一定来补交。”这时斐教士按了电铃，对进来的一位老太太说：“叫陶玲来。”不久门外便进来一个二年级的同学——一个能说会道、大大咧咧的满族女孩子，也就是这个陶玲，一直叫我“小谢”，叫到了我八十二岁——她把我带进楼上的大课堂，这大堂上面有讲台，下面有好几排两人同桌的座位，是全校学生自修和开会的地方。我被引到一年级的座位上坐下。这大堂里坐着许多这时不上课的同学，都在低首用功，静默得没有一点声息。上了一两堂课，到了午饭时间，我仍是羞怯地坐在自己的座位上。同学们都走了，我也不敢自动跟了去。下午放了学，就赶紧抱起书包回家。上学的第一天就不顺利，既丢了学费，又没有吃到午饭，心里十分抑郁，回到家里就哭了一场！

第二天我补交了学费。特意来送我上学的、我的二弟的奶娘，还找到学校传达室那位老太太说了昨天我没吃到午饭的事。她笑了，于是到了午饭时间，仍是那个爱说爱笑的斋二同学陶玲，带我到楼下一个大餐厅的内间，那是走读生们用饭的地方。伙食不错，米饭，四菜一汤，算是“小灶”吧。这时外面大餐厅里响起了“谢饭”的歌声，住校的同学们几乎都在那里用饭。她们站着唱歌，唱完才坐下吃。吃的是馒头、窝头，饭菜也很简单。

同学们慢慢地和我熟了，我发现她们几乎都是基督教徒，从保定、通县和北京或外省的公理会女子小学升上来的，也几乎都是住校。她们都很拘谨、严肃，衣着都是蓝衣青裙，十分朴素。刚上学的一个月，我感到很拘束，很郁闷。圣经课对我本来是陌生的，那时候读的又是《列王纪》，是犹太国古王朝的历史，枯燥无味。算术学的又是代数，我在福州女子师范学校预科只学到加减乘除，中间缺了一大段。第一次月考，我只得 62 分，不及格！这“不及格”是从我读书以来未曾有过的，给我的刺激很大！我曾把它写在《关于女人》中《我的教师》一段里。这位教师是丁淑静，她教过我历史、地理、地质等课。但她不是我的代数教师，也没有给我补过课，其他的描写，还都是事实。以后在一九一五年的暑假里，由培元蒙学的一位数学教师，给我补了这一段空白。但是其他课目，连圣经、英文我的分数几乎都不在 95 分以下，作文老师还给过我 100 加 20 的分数。

慢慢地高班的同学们也和我熟了，女孩子究竟是女孩子，她们也很淘气，很爱开玩笑。她们叫我“小碗儿”，因为学名是谢婉莹；叫我“侉子”，因为我开始在班里回答问题的时候，用的是道地的烟台话，教师听不懂，就叫我在黑板上写出答案。同学中间到了能开玩笑的地步，就表示出我们之间已经亲密无间。我不但喜爱她们，也更学习她们的刻苦用功。我们用的课本，都是教会学校系统自己编的，大半是从英文课本翻译过来的，比如在代数的习题里就有“四开银角”的名词，我们都算不出来。直到一九二三年我到美国留学，用过quarter，那是两角五分的银币，一元钱的四分之一，中国没有这种币制。我们的历史教科书，是从《资治通鉴》摘编的“鉴史辑要”。只有英文用的是商务印书馆的课本，也是从 A Boy A Peach 开始，教师是美国人芬教士，她很年轻，刚从美国来，汉语不太娴熟，常用简单的英语和我们谈笑，因此我们的英文进步得比较快。

我们每天上午除上课外，最后半小时还有一个聚会，多半是本校的中美教师或公理会的牧师来给我们“讲道”。此外就是星期天的“查经班”，把校里的非基督徒学生，不分班次地编在一起，在到公理会教堂做礼拜以前，由协和女子书院的校长麦教士，给我们讲半小时的圣经故事。查经班和做大礼拜对我都是负担，因为只有星期天我才能和父母亲和弟弟们整天在一起，或帮母亲做些家务，我就常常托故不去。但在查经班里有许多我喜欢的同学，如斋二的陶玲、斋三的陈克俊等，我尤其喜欢陈克俊。在贝满中斋和以后在协和女子大学同学时期，我们常常一起参加表演，我在《关于女人》里写的《我的同学》，就是陈克俊。

在贝满还有一个集体活动，是每星期三下午的“文学会”，是同学们练习演讲辩论的集会。这会是在大课堂里开的。讲台上有主席，主持并宣告节目；还有书记，记录开会过程；台下有记时员，她的桌上放一只记时钟，讲话的人过了时间，她就叩钟催她下台。节目有读报、演说、辩论等。辩论是四个人来辩论一个题目，正反面各有两人，交替着上台辩论。大会结束后，主席就请坐在台旁听的教师讲几句评论的话。我开始非常害怕这个集会。第一次是让我读报，我走上台去，看见台下有上百对的眼睛盯着我看，我窘得急急忙忙地把那一段报读完，就跑回位上去，用双手把通红的脸捂了起来，同学们都看着我笑。一年下来，我逐渐磨练出来了，而且还喜欢有这个发表意见的机会。我觉得这训练很好，使我以后在群众的场合，敢于从容地作即席发言。

我入学不久，就遇到贝满中斋建校五十年的纪念，我是个小班学生，又是走读，别的庆祝活动，我都没有印象了。只记得那一天有许多来宾和校友来观看我们班的体操表演。体育教师是一个美国人，她叫我们做下肢运动的口令是“左脚往左撇，回来！右脚往右撇，回来！”我们大家使劲忍着笑，把嘴唇都咬破了！

第一学年的下半季，一九一五年的一月日本军国政府向袁世凯政府提出了灭亡中国的“二十一条”，五月七日又提出了“最后通牒”，那时袁世凯正密谋称帝，想换取日帝对他的支持，在五月九日公然接受了日本的要求。这遭到了全国人民的强烈反对，各地掀起了大规模的讨袁抗日爱国运动。我们也是群情愤激，和全北京的学生在一起，冲出校门，由我们学生会的主席、斋四同学李德全带领着，排队游行到了中央公园（现在的中山公园），在万人如海的讲台上，李德全同学慷慨陈词，我记得她愤怒地说：“别轻看我们中国人！我们四万万人一人一口唾沫，还会把日本兵淹死呢！”我们纷纷交上了爱国捐，还宣誓不买日货。我满怀悲愤地回到家来，正看见父亲沉默地在书房墙上贴上一张白纸，是用岳飞笔迹横写的“五月七日之事”六个大字。父亲和我都含着泪，久久地站在这幅横披的下面，我们互相勉励永远不忘这个国耻纪念日！

到了一九一五年的十二月十二日，那是我在斋二这年的上半季，袁世凯公然称帝了，改民国五年为“洪宪”元年，他还封副总统黎元洪为“武义亲王”，把他软禁在中南海的瀛台里。黎元洪和我父亲是紫竹林水师学堂的同级生，不过我父亲学的是驾驶，他学的是管轮，许多年来，没有什么来往。民国成立后，他当了副总统，住东厂胡同，他曾请我父亲去玩，父亲都没有去。这时他住进了瀛台，父亲倒有时去看他，说是同他在木炕上下棋——我从来不知道父亲会下棋——每次去看他以前，父亲都在制服呢裤下面多穿一条绒布裤子，说是那里房内很冷。

这时全国又掀起了“护国运动”，袁世凯的皇帝梦只做了八十三天就破灭了。校园内暂时恢复了平静。我们的圣经课已从《旧约》读到了《新约》，我从《福音》书里了解了耶稣基督这个“人”。我看到一个穷苦木匠家庭的私生子，竟然能有那么多信从他的人，而且因为宣传“爱人如己”，而被残酷地钉在十字架上，这个形象是可敬的。但我对于“三位一体”、“复活”等这类宣讲，都不相信，也没有入教做个信徒。

贝满中斋的课外活动，本来很少，在我斋三那一年，一九一七年的暑假，我和一些同学参加了女青年会在西山卧佛寺举办的夏令会。我们坐洋车到了西直门，改骑小驴去西山。这是我到北京以后的第一次郊游，我感到十分兴奋。忆起童年骑马的快事，便把小驴当成大马，在土路上扬鞭驰骋，同学当中我是第一个到达卧佛寺的！在会上我们除开会之外还游了山景，结识了许多其他女校的同学，如天津的中西女校的学生。她们的衣着比我们讲究。我记得当女青年会干事们让陈克俊和我在一个节目里表演“天使”的时候，白绸子衣裙就是向中西女校的同学借的。

开完会回家，北京市面已是乱哄哄的了。谣言很多，说是南北军阀之间正在酝酿什么大事，张勋的辫子军要进京调停。辫子军纪律极坏，来了就会到人家骚扰。父亲考虑后就让母亲带我们姐弟，到烟台去暂避一时。

我最喜欢海行，可是这次从塘沽到烟台的船上，竟拥挤得使我们只买到货舱的票。下到沉黑的货舱，里面摆的是满舱的大木桶。我们只好在凸凹不平的桶面上铺上席子。母亲一边挥汗，一边还替我们打扇。过了黑暗、炎热、窒息、饥渴的几十小时，好容易船停了，钻出舱来，呼吸着迎面的海风，举目四望，童年的海山，又罗列在我面前，心里真不知是悲是喜！

父亲的朋友、烟台海军学校校长曾恭甫伯伯，来接我们。让我们住在从前房子的西半边。在烟台这一段短短时间里，我还带弟弟们到海边去玩了几次，在《往事（一）》中也描写过我当时的心境。人大了些，海似乎也小些了，但对面芝罘岛上灯塔的灯光，却和以前一样，一闪一闪地在我心上跳跃！

复辟的丑剧，从一九一七年七月一日起，只演了十二天，我们很快就回到北京，准备上学。

贝满中斋扎扎实实的四个年头过去了，一九一八年的夏天，我们毕业时全班只有十八个人。我以最高的分数，按照学校的传统，编写了“辞师别友”的歌词，在毕业会上做了“辞师别友”的演说。我的同班从各教会中学升上来的，从此多半都回到母校去教书，风流云散了！只有我和吴墣梅、邝淑贞和她的妹妹，我们这些没有教学的义务的，升入了协和女子大学预科。

我以十分激动的心情，来写这四年认真严肃的生活。这训练的确约束了我的“野性”，使我在进入大学的丰富多彩的生活以前，准备好一个比较稳静的起步。

一九八四年三月十四日

我的大学生涯

这是我自传的第五部分了（一、我的故乡。二、我的童年。三、我到了北京。四、我入了贝满中斋）。每段都只有几千字，因为我不惯于写叙述性的文章，而且回忆时都是些零碎的细节，拼在一起又太繁琐了。但是在我的短文里，关于这一段时期的叙述是比较少的，而这一段却是我一生中最热闹、最活跃、精力最充沛的一段。

我从贝满中斋毕了业，就直接升入了协和女子大学。我选的是理预科，因为我一心一意想学医，对于数、理、化的功课，十分用功，成绩也好。至于中文呢，因为那时教会学校请的中文老师，多半是前清的秀才或举人，讲的都是我在家塾里或自己读过的古文，他们讲书时也不会旁征侧引，十分无趣。我入了理科，就埋头苦学，学校生活如同止水一般地静寂，只有一件事，使我永志不忘！

我是在夏末秋初，进了协和女子大学的校门的，这协和女大本是清朝的佟王府第，在大门前抬头就看见当时女书法家吴芝瑛女士写的“协和女子大学校”的金字蓝地花边的匾额。走进二门，忽然看见了由王府前三间大厅改成的大礼堂的长廊下，开满了长长的一大片猩红的大玫瑰花！这些玫瑰花第一次打进了我的眼帘，从此我就一辈子爱上了这我认为是艳冠群芳、又有风骨的花朵，又似乎是她揭开了我生命中最绚烂的一页。

理科的功课是严紧的，新的同学们更是来自五湖四海，大多数比我大好几岁。除了从贝满女中升上来的同学以外，我又结识了许多同学。那时我弟弟们也都上学了。在大学我仍是走读，每天晚餐后，和弟弟们在饭桌旁各据一方，一面自己温课，一面帮助他们学习，看到他们困倦了时，就立起来同他们做些游戏。早起我自己一面梳头的时候，一面还督促他们“背书”。现在回忆起来，在这些最单调的日子里，我只记得在此期间有一次的大风沙，那时北京本有“无风三尺土，有雨一街泥”的谚语，春天风多风大，不必说了。而街道又完全是黄土铺的，每天放学回来总得先洗脸，洗脖子。我记得这一天下午，我们正在试验室里，由一位美国女教师带领着，解剖死猫，忽然狂风大作，尘沙蔽天，电灯也不亮了，连注射过红药水的猫的神经，都看不出来了。教师只得皱眉说：“先把死猫盖上布，收在橱子里吧，明天晴了再说。”这时住校的同学都跑回到自己屋里去了。我包上很厚的头巾，在扑面的尘沙中抱肩低头、昏天黑地的走回家里，看见家里廊上窗台上的沙土，至少有两寸厚。

其实这种大风沙的日子，在当时的北京并不罕见，只因后来我的学校生活，忽然热闹而繁忙了起来，也就记不得天气的变迁了！

在理预科学习的紧张而严肃的日子，只过了大半年，到了第二年——一九一九年——“五四”运动起来了，我虽然是个班次很低的“大学生”，也一下子被卷进了这兴奋而伟大的运动。关于这一段我写过不少，在此就不多说了。我要说的就是我因为参加运动又开始写些东西，耽误了许许多多理科实验的功课，幸而理科老师们还能体谅我，我敷敷衍衍地读完了两年理科，就转入文科，还升了一班！

改入文科以后，功课就轻松多了！就是这一年——一九二〇年，协和女子大学，同通州的潞河大学和北京的协和大学合并成燕京大学。校长是司徒雷登。我们协和女子大学就改称“燕大女校”。有的功课是在男校上课，如“哲学”、“教育学”等，有的是在女校上的，如“社会学”、“心理学”等。在男校上课时，我们就都到男校所在地的盔甲厂去。当时男女合校还是一件很新鲜的事，因此我们都很拘谨，在到男校上课以前，都注意把头上戴的玫瑰花蕊摘下。在上课前后，也轻易不同男同学交谈。他们似乎也很腼腆。一般上课时我们都安静地坐在第一排，但当坐在我们后面的男同学，把脚放在我们椅子下面的横杠上，簌簌抖动的时候，我们就使劲地把椅子往前一拉，他们的脚就忽然砰的一声砸到地上。我们自然没有回头，但都忍住笑，也不知道他们伸出舌头笑了没有？

但是我们几个在全校的学生会里有职务的人，都不免常和男生接触，如校刊编辑部、班会等。我们常常开会，那时女校还有“监护人”制度，无论是白天或晚上，几个人或几十个人，我们的会场座位后，总会有一位老师，多半是女教师，她自己拿着一本书在静静地看。这一切，连老师带学生都觉得又无聊，又可笑！

我是不怕男孩子的！自小同表哥哥、堂哥哥们同在惯了，每次吵嘴打架都是我得了“最后胜利”，回到家里，往往有我弟弟们的同学十几个男孩子围着我转。只是我的女同学们都很谦让，我也不敢“冒尖”，但是后来熟了以后，男同学们当面都说我“厉害”，说这些话的，就是许地山、瞿世英（菊农）、熊佛西这些人，他们同我后来也成了好朋友。

这时我在燕大女校“学生自治会”里，任务也多得很！自治会里有许多委员会——甚至有伙食委员会！因为我没有住校，自然不会叫我参加，但是其他的委员会，我就都被派上了！那时我们最热心的就是做社会福利工作，而每兴办一项福利工作，都得“自治会”自己筹款。最方便而容易的，就是演戏卖票！我记得我们演过许多“莎士比亚”的戏，如《威尼斯商人》、《第十二夜》等等，那时我们英文班里正读着“莎士比亚”，美国女老师们都十分热心地帮助我们排练，设计服装、道具等等，我们演得也很认真卖力，记得有一次鲁迅先生和俄国盲诗人爱罗先珂来看过我们的戏——忘了是哪一出——鲁迅先生写过文章说爱罗先珂先生说我们演的比当时北京大学的某一出戏好得多。因此他和北大同学还引起了一番争论，北大同学说爱罗先珂先生是个盲人，怎能“看”出戏的好坏？我和鲁迅先生只谈过一次话，还是很短的，因为我负责请名人演讲，我记得请过鲁迅先生、胡适先生，还有吴贻芳先生……我主持演讲会，向听众同学介绍了主讲人以后，就只坐在讲台上听讲了——我和鲁迅先生的接触，就这么一次，我也不知道鲁迅先生是从哪一位同学手里买到戏票的。

这次演剧筹款似乎是我们要为学校附近佟府夹道的不识字的妇女们，义务开办一个“注音字母”学习班。自治会派我去当校长。我自己就没有学过注音字母，但是被委为校长，就意味着把找“校舍”——其实就是租用街道上一间空屋——招生、请老师——也就是请一个会教注音字母的同学——都由我包办下来。这一切，居然都很顺利。开学那一天，我去“训话”，看到讲台前坐的都是中年妇女。只前排右首坐着一个十分聪明俊俏的姑娘，听课后我过去和她搭话，她说：“我叫佟志云，十八岁，我识得字，只不过也想学学注音字母。”我想她可能是佟王后裔。她问我：“校长，您多大年纪了？”我笑着说：“反正比你大几岁！”

这时燕大女校已经和美国威尔斯利（Wellesley College）女子大学结成“姐妹学校”。我们女校里有好几位教师，都是威校的毕业生。忘了是哪一年，总在二十年代初期吧，威校的女校长来到我们校里访问，住了几天，受到盛大的欢迎。有一天她——我忘了她的名字——忽然提出要看看古老北京的婚礼仪式，女校主任就让学生们表演一次，给她开开眼。这事自然又落到我们自治会委员身上，除了不坐轿子以外，其他服装如凤冠霞帔、靴子、马褂之类，也都很容易地借来了，只是在演员的分配上，谁都不肯当新娘。我又是主管这个任务的人，我就急了，我说，“这又不是真的，只是逢场做戏而已。你们都不当，我也不等‘父母之命，媒妁之言’，我就当了！”于是我扮演了新娘。凌叔浩——凌叔华的妹妹，当了新郎。送新太太是陈克俊和谢兰蕙。扮演公公婆婆的是一位张大姐和一位李大姐，都是高班的学生，至今我还记得她们的面庞。她们以后在演比利时作家梅特林克的童话剧《青鸟》中，还是当了我的爷爷和奶奶，可是她们的名字，我苦忆了半天也想不起来！

那夜在女校教职员宿舍院里，大大热闹了一阵，又放鞭炮，又奏鼓乐。我们磕了不少的头！演到坐床撒帐的时候，我和淑浩在帐子里面都忍不住笑了起来，急得克俊和兰蕙直捂着我们的嘴！

我演的这些戏中，我最喜欢的还是《青鸟》，剧本是我从英文译的，演员也是我挑的，还到培元女子小学，请了几个小学生，都是我在西山夏令会里认识的小朋友。我在《关于女人》那本书内写的“我的同学”里，就写了和陈克俊在“光明宫”对话的那一段。这出剧里还有一只小狗，我就把我家养的北京长毛狗“狮子”也带上台了。我的小弟弟冰季，还怕我们会把“狮子”用绳子拴起，他就亲自跟来，抱着它悄悄地在后台坐着，等到它被放到台上，看见了我，它就高兴得围着我又蹦又跳，引得台下一片笑声。

总之，我的大学生涯是够忙碌热闹的，但我却没有因此而耽误了学习和写作。我的老师们对我都很好，尤其是我的英文老师鲍贵思（Grace Bognton）在我毕业的那一年春季，她就对我说，威尔斯利女大已决定给我两年的奖学金——就是每年八百美金的学、宿、膳费，让我读硕士学位——她自己就是威尔斯利的毕业生，她的母亲和她的几个妹妹也都是毕业于威校，可算是威校世家了——她对于母校感情很深，盛赞校园之美、校风之好，问我想不想去，我当然愿意。但我想一去两年，不知这两年之中，我的体弱多病的母亲，会不会出什么意外？我对家里什么人都没有讲过我的忧虑，只悄悄地问过我们最熟悉的医生孙彦科大夫，他是我小舅舅杨子玉先生的挚友，小舅舅介绍他来给母亲看过病。后来因为孙大夫每次到别处出诊路过我家，也必进来探望，我们熟极了。他称我父亲为“三哥”，母亲为“三嫂”，有时只有我们孩子们在家，他也坐下和我们说笑。我问他我母亲身体不好，我能否离家两年之久？他笑了说：“当然可以，你母亲的身体不算太坏，凡事有我负责。”同时鲍女士还给我父亲写了信，问他让不让我去？父亲很客气地回了她一封信，说只要她认为我不会辜负她母校的栽培，他是同意我去美国的。这一切当时我还不好意思向同学们公开，依旧忙我的课外社会福利工作。

那几年也是家庭中多事之秋，记得就是在我上中学的末一年（?），我的舅舅杨子敬先生逝世了。他是我母亲唯一的亲哥哥。兄妹二人感情极好。我父亲被召到北京来时，母亲也请舅舅来京教我的三个弟弟，作为家庭教师。不过舅舅没有和我们住在一起，他们住在离中剪子巷不远的铁狮子胡同。忽然有一天早晨，舅家的白妈，气急败坏地来对我母亲说，从昨天下午起舅舅肚子痛得厉害，呕吐了一夜，现在已经不能说话了。我想这病可能是急性盲肠炎。——那时父亲正不在家，他回到福州，去庆祝祖父的八十大寿了。——等母亲和我们赶到时，舅舅已经断气了。这事故真像晴天霹雳一般，我们都哭得泪干声咽！母亲还能勉强镇定地办着后事，这是我生平第一次看见死人入殓！我的大弟弟为涵，还悄悄地对我说："装舅舅的那个大匣子，靠头那一边，最好开一个窟窿，省得他在那里头出不了气。"我哭得更伤心了，我说："他要是还能喘气，就不用装进棺材里去了！"

记得父亲回福州的时候，我还写了几首祝贺祖父大寿的诗，请他带回去，现在只记得一首：

浮踪万里客幽燕
恰值太公八秩年
自笑菲才惭咏絮
也裁诗句谱新篇

反正都是歪诗，写出来以助一笑。

等到父亲从福州回来，舅母和表弟妹们已搬进我家的三间西厢房，从前舅舅教弟弟们读书的屋子里。从此弟弟也都进入了小学校。

此后，大约是我在大学的时候，福州家里忽然来了一封电报说是祖父逝世了，这对我们又是一个极大的打击！我父亲星夜奔丧，我忽然记起在一九一二年我离开故乡的时候，祖父曾悄悄地将他写的几副自挽联句，交给我收着，说："谁也不让看，将来有用时，再拿出来。"我真的就严密地收起，连父母亲都不知道。这时我才拿出来给父亲带回，这挽联有好几对。有一联大意是说他死后不要僧道唪经，因为他不信神道，而且相信自己生平也没有造过什么冤孽，怎么写的我不记得了。有一联我却记得很清楚，是：

有子万事足，有子有孙又有曾孙，足，足，足。

无官一身轻，无官无累更无债累，轻，轻，轻。

父亲办完丧事，回来和我们说：祖父真可算是"无疾而终"。那一天是清明，他还带着伯叔父和堂兄们步行到城外去扫墓，但当他向坟台上捧献祭品时，双手忽然颤抖起来，二伯父赶紧上前接过去。跪拜行礼时也还镇定自如，回来也坚持不坐轿子，说是走动着好。回到家后，他说似乎觉得累了一点，要安静躺一会儿，他自己上了床，脸向里躺下，叫大家都出去。过不了一会，伯父们悄悄进去看时祖父已经没有呼吸了，脸上还带着安静的微笑！我记得他的终年是八十六岁。

这时已是一九二三年的春季，我该忙我的毕业论文了。文科里的中国文学老师是周作人先生。他给我们讲现代文学，有时还讲到我的小诗和散文，我也只低头听着，课外他也从来没有同我谈过话。这时因为必需写毕业论文，我想自己对元代戏曲很不熟悉，正好趁着写论文机会，读些戏曲和参考书。我把论文题目《元代的戏曲》和文章大纲，拿去给周先生审阅。他一字没改就退回给我，说："你就写吧。"于是在同班们几乎都已交出论文之后，我才匆匆忙忙地把毕业论文交了上去。

就在这时我的吐血的病又发作了。我母亲也有这个病，每当身体累了或是心绪不好，她就会吐血。我这次的病不消说，是我即将离家的留恋之情的表现。老师们和父母都十分着急，带我到协和医院去检查。结果从透视和其他方面，都找不出有肺病的症状。医生断定是肺支气管涨大，不算什么大病症。那时我考上协和医学院的同学们和林巧稚大夫——她也还是学生，都半开玩笑地和我说："这是天才病！不要胡思乱想，心绪稳定下来就好。"

于是我一面预备行装，一面结束学业。在毕业典礼台上，我除了得到一张学士文凭之外，还意外地得到了一把荣誉奖的金钥匙。

这一年的八月三日，我离开北京到上海准备去美。临行以前，我的弟弟们和他们的小朋友们，再三要求我常给他们写信，我答应了。这就是我写那本《寄小读者》的"灵感"！

八月十七日，美国邮船杰克逊总统号就把带着满腔离愁的我，从"可爱的海棠叶形的祖国"载走了！我写过一首诗：

她是翩翩的乳燕，
　　横海飘游，
月明风紧，
　　不敢停留——
在她频频回顾的
　　飞翔里
总带着乡愁！

我在国内的大学生涯，从此结束。在我的短文里，写得最少的，就是这一段，而在我的回忆中，最惬意的也就是这一段，提起笔来，就说个没完了！

一九八五年三月十八日

我家的对联

我对人家墙壁上挂的字画都有兴趣，尤其是对联，这兴趣是从小就养成的。我在一九七九年写的那篇《我的童年》里曾经提到，我的第一本课文就是一副对联：

此地有崇山峻岭茂林修竹

是能读三坟五典八索九丘

但从这一副对联里还看不出屋主人的身世和襟怀，爱好和性格。在我十一岁那年回到老家福州去，看见在后厅墙上我的曾祖父画像的两旁，有我的祖父写的一副对联：

谁道五丝能续命

每逢佳节倍思亲

原来我的曾祖父是在农历五月五日端阳节那天逝世的。我国习俗在端阳节那天都给小孩子的手腕上缠上五色丝线，叫做续命丝，祝他长命百岁。所以每到端阳节我的祖父看到孩子们手腕上的五色丝，就会想到他的父亲，而对“五丝”能否“续命”，起了悲哀的疑问。

此后，我就注意我们老家的厅堂客室里的每一副对联，其中有许多是我的祖父自己写的，如：

知足知不足

有为有弗为

这是一对自勉的句子，就充分地描绘出我的祖父的恬淡而清高的性格。

再大一点，在北京剪子巷父亲的客室里，看到一副前清御史江春霖老先生送给父亲的对联：

庠舍争归胡教授

楼船犹见汉将军

在上联旁边还有小字，说他“自京南下，阻雪难行”，在芝罘会见了我的父亲，很喜欢他的“裘带歌壶，翩翩儒将”的风度，就写这一联相赠。父亲对我解释这对联的时候，也说他和江春霖只是初交，当时江春霖因为弹劾了庆亲王而被罢官，他也很佩服江春霖不畏权贵的风骨，因此才把这位“交浅言深”的朋友的赠品，张挂起来的。

三十年代初期，父亲的客室里又添上一副萨镇冰老先生送的对联：

穷达尽为身外事

升沉不改故人情

说的是他们两位老人家几十年金坚玉洁的友情。四十年代初父亲逝世时，我不在北京，这些可贵的遗物，都不知哪里去了！

长大以后，到了美国和欧洲，在外国朋友家里当然看不见对联，有的只是画框和祖先的相片。在日本，旧式的屋子，周围几乎都是纸门，只有“床之间”那一扇墙上可挂字画，但也不是对联，而是一幅很雅淡的字或画，再供上一瓶一枝花朵，倒也雅洁可喜。日本的亭园，和中国的相似，有山有水，也许还更古雅一些，但是楹上柱上都没有对联。欧美的林园更不必说了！

我这一辈子，在师友家里或在国内的风景区，到处都可看到很好的对联。文好，字也好，看了是个享受。我以为我们中国人应该把我们特有的美好传统继续下去，让我们的孩子们从小起耳濡目染，给他们一个优美的艺术的气氛!

在美留学的三年

这应该是我的自传的第六段了。

我的《寄小读者》就是在美留学的三年之间写的，但叙述得并不完全，我和美国的几个家庭，几位教授，一些同学之间的可感、有趣的事情并没有都写进通讯里去。

我在《我的大学生涯》里写过我的英文教师鲍贵思女士对我特别地爱护和关怀。鲍女士的父亲鲍老牧师也在二十年代初期，到北京燕大来看过他的女儿，并游览了北京名胜。我们也陪他逛过西山。他在京病了一场，住在那时成立不久的协和医院。他对我们说，“我在美国和欧洲都住过医院，但是只有中国的医护人员最会体贴人。”

我到了美国东部的波士顿，火车上只有我一个中国人了。这时在车站上来接我的就是这两位鲍老牧师夫妇。在威校开学前，我就住在他们家里。我记得十分清楚，这地名是默特佛镇、火药库街四十六号。

46 Powder House Street

Medford，Mass

这住址连我弟弟们都记得，因为他们写给我的信，都是先寄到那里。这所房子的电话号码是1146R。和我同船来的清华同学们在哈佛大学和麻省理工大学上课的，他们都来到这里来看望我，也都记得这电话号码。他们还彼此戏谑，说是为的要记住这些数字，口中常念念有词，像背“主祷文”似的!

这所房子是鲍老夫人娘家的，因为这里还住着一位老处女，鲍女士的姨母，Josephine Wilcox，我也跟鲍家子侄辈称她为周姨（Aunt Jo）。

因为鲍老牧师夫妇和“周姨”待我和他们自己的儿女一样，慈爱而体贴，我在那里住得十分安逸而自由。他们家里有一个女工和一个司机。女工专管做饭和收拾屋子，司机就给他们开车。这个女工工作并不细致，书桌上只草草地拂拭一下，这是我最看不惯的。于是在吃早饭后，同周姨一起洗过盘杯，我便把鲍老牧师和周姨的书案收拾得干干净净，和我在自己家里收拾我父亲的书案一样。

在我上学以前，鲍老牧师带我去参观了几个男女大学，他们又带我到麻省附近观赏了许多湖光山色，这些我在《寄小读者》通讯十八“九月九日以后”的记事中都讲到了，否则我既没有自己的车，又没有向导，哪能畅游那么多地方呢？

总之，在美国时期，鲍家就成了我的家，逢年过节，以及寒暑假，他们都来接我回“家”。鲍老牧师在孟省（Maine）的伍岛（Five Islands）还有一处避暑的房子。我就和他们一同去过。在《寄小读者》的通讯中，凡是篇末写着“默特佛”或“伍岛”的地名的，都是鲍家人带我一起去过的。

此外，还有好几位我的美国教授，也是我应当十分感谢的。他们为我做了一些“破例”的事情。我得到的威校的奖学金，每学期八百元，只供给学、住、膳费，零用钱是一文无着；我的威校中国同学如王国秀，她是考上清华留学官费的，每月可以领到八十美金。国秀告诉我，不是清华的官费生，也可以去申请清华的半官费，每月可以领到四十美金，只要你有教授们期终优秀成绩的考语。我听她的话，就填写了申请表，但是我只上了九个星期的课便病倒了，又从学校的疗养院搬到沙穰疗养院，我当然没有参加期终考试，而我的几位教授，却都在申请的表格上，写上了优秀的考语，于是我糊里糊涂地得了每月四十美元的零用金！

《寄小读者》通讯二十一中的K教授（Prof. E. Kendrick）是威校宗教系的教授，我没有上过她的课，但她在二十年代初期，曾到中国游历，在燕大女校住过些日子。我们几个同学，也陪她逛过西山，谈得很投机。因此我一到了威校，她便以监护人自居，对我照拂得无微不至！我在沙穰疗养院，总在愁自己的医疗费不知从哪里出，而疗养院也从来没有向我要过。后来才晓得是K教授取出威校给我的奖学金，来偿付的。我病愈后，回到鲍家，K教授又从鲍家把我接出去避暑。她自己会开车，带我到了新汉寿（New Hampshire）的白岭（White Mountains）上去。《寄小读者》通讯二十一到二十三，就写的是这一段的经历。

我在美国接触过的家庭和教授们，在一九三六年重到美国时，曾又都去拜访过，并送了些作为纪念的中国艺术品。威校的教授们还在威校最大的女生宿舍“塔院”（Tower Court）里，设午宴招待我们。（那时K教授正在意大利罗马度假，她写信请我们到罗马去。于是我们在不见日、月、星三光的英都雾伦敦，待了三个星期之后，便到了阳光灿烂的罗马。这是我留美三年以后的事了。）

还有更应该写下的，是我的那些热情活泼的美国同学。在《寄小读者》通讯九中我已经写了她们对于背乡离井的异国的生病同学的同情和关怀，这里还应当提到她们的“淘气”！我这人喜欢整齐，我宿舍屋里墙上挂的字、画、镜框，和我书桌上的桌灯、花瓶等，都摆在一定的地方，一旦有人不经意地挪了一下，我就悄没声地纠正了过来。她们不知道什么时候就注意上了。有一天我下课回来，发现我的屋子完全变了样！墙上的字画都歪了，相框都倒挂了起来，桌灯放到了书架上，花瓶藏到了床下。我开门出去，在过道上笑嚷：“哪一个淘气鬼把我的房间弄得乱七八糟的，快出来承认！”这时有好几间的屋门开了，她们都伸出头来捂着嘴大笑：这种淘气捣乱的玩笑，中国同学是决不会做的！

还有，威校在每天下午放学后，院子里就来了许多从哈佛大学、麻省理工学院、波士顿大学来访女友的男同学，这时这里就像是一座男女同学的校园，热闹非常。先是这宿舍里有个同学有个特别要好的男朋友来访，当这一对从楼下客室里出来，要到湖边散步时，面向院子的几十个玻璃窗儿都推上了，（美国一般的玻璃窗，是两扇上下推的，不像我们的向外或向内开的）女孩子们伸出头来，同声地喊：No（不可以）！这时这位男同学，多半是不好意思地低头同女朋友走了，但也有胆子大、脸皮厚的男孩子，却回头大声地笑喊Yes（可以)！于是吓得那几十个伸出头来的女孩子，又吐了舌头，把窗户关上了！能使同学们对她开这种玩笑的人，必然是一个很得人心的同学。宿舍里的同学对我还都不坏，却从来没有同我开这种玩笑，因为每次来访问我的男同学，都不只一个人，或不是同一个人。到了我快毕业那一年，她们虽然知道文藻同我要好，但是文藻来访的时候不多，我们之间也很严肃，在院里同行，从来没有挎着胳臂拉着手。女同学们笑说："这玩笑太'野'了，对中国人开不得。"

我毕业回国后，还和几个比较要好的女同学通信，彼此结婚时还互赠礼物，我的大女儿吴冰（1980—1981 年）到美国夏威夷大学，小女儿吴青（1982—1983 年）到美国哈佛大学和麻省理工大学，都是以交换学者的身份去学习的，那时还有一两个我的威校女同学们去看她们，或邀请她们到家里度假。这些我的同学们都已是八十岁上下的人，更不是我留美三年中的事了！

一九八七年六月十三日

我在写《在美留学的三年》的时候，写了一些和美国同学之间的故事，却没有写我和中国同学之间的故事，是个缺憾！

我在一九二三年进威尔斯利女子大学的时候，那里已经有了几位中国学生，都是本科的，有桂质良（理工系）、王国秀（历史系）、谢文秋（体育系）、陆慎仪（教育系），还有两位和我同时到校的，她们是黎元洪的女儿黎女士和她的女伴周女士，因为她们来了不久就走了，因此我连她们的名字都记不起来了。

威大的研究生，本来是不住在校内的；她们可以在校外的村子里找房子居住，比较自由。校方因为我从中国乍来，人生地不熟，特别允许我住在校内的宿舍，我就和王国秀等四人特别熟悉了起来。我们常常在周末，从个别的宿舍聚到一起，一面谈话，一面一同洗衣，一同缝补，一同在特定的有电炉的餐室里做中国饭，尤其是逢年过节（当然是中国的年节），我们就相聚饱餐一顿。但是在国庆日，我们就到波士顿去，和那里的"中国留学生会"的男女同学们，一同过节。

波士顿的中国留学生多半是清华出去的，他们在哈佛大学、麻省理工大学、波士顿大学等校学习，我们常有来往。威校以风景著名，波士顿的中国男同学，往往是十几个人一拨地来威校参观访问，来了就找中国女生导游，我们都尽力招待、解说。一九二五年以后，王国秀等都毕业走了，这负担就落在我一人身上，以致在那年的圣诞节前夕，在宿舍的联欢会上，舍监U夫人送我一个小本子，上面写："送上这个本子，作为你记录来访的一连队一连队的男朋友之用！"惹得女同学们都大笑不止！

我们同波士顿的中国男同学们，还组织过一个"湖社"，那可以算是一个学术组织，因为大家专业不同，我们约定每月一次，在慰冰湖上泛舟野餐，每次有一位同学主讲他的专业，其他的人可以提问，并参加讨论。我记得那时参加的男同学有哈佛大学的：陈岱孙、沈宗濂、时昭沄、浦薛凤、梁实秋；和燕大的瞿世英。麻省理工大学的有曾昭伦、顾毓琇、徐宗涑等。有时从外地来波士顿的中国学生，也可以临时参加，我记得文藻还来过一次。

此外我们还一同演过戏。一九二五年春，波士顿的男同学们要为美国同学演一场中国戏，选定了演《西厢记》，他们说女角必须到威校去请，但是我们谁都不愿意演崔莺莺。就提议演《琵琶记》，由谢文秋演赵五娘，由谢文秋的挚友、波士顿音乐学院的邱女士（我忘记了她的中国名字）演宰相的女儿，我只管服装，不参加演出，不料临时邱女士得了猩红热，只好由我来充数，好在台词不多，勉强凑合完场！

还有一次，记得是在一九二六年春（或一九二五年秋），在中国留学生年会上，就和时昭沄、徐宗涑演了一出熊佛西写的短剧（那时熊佛西也在美国），这剧名和情节都已忘记得干干净净。现在剧作者和其他两位演员，都已作古，连问都问不到了！

一九八七年六月二十二日补记

我回国后头三年

我回到祖国，先住在来接我的放园表兄的上海家里。在上海的亲戚朋友们请我吃了好几顿丰盛的筵席。回到北京家里，自然又有长辈亲戚们接连请“接风酒”，把我惯吃面包黄油的胃，吃得油腻了，久泻不愈。中西医都治过了，还没有多大效验，燕京大学又是九月初就要开学，我着急得了不得。这时我们的房东、旗人祈老太太来看我，说：“大姑娘，您要听我的话吃一种药，包您一吃就灵。”我的父母和我听了都十分高兴，连忙道谢。当天下午她就带一位十分慈祥的旗人老太太来，还带了一副十分讲究的鸦片烟灯和烟枪，在我的病床上，点上了白铜镂花和很厚的玻璃罩的烟灯，又递过一杆黑色有绿玉嘴子的烟枪，烟斗上已经装上了烟泡，让我就着灯尽管往里吸。我十分好奇地吸着呛着，只觉得又苦又香，渐渐地就糊涂过去了，据说那天我一直昏睡了十八个钟头，醒来时痢疾就痊愈了。回到燕大时，许多师友问我最后是怎么治的？我竟不敢说我是抽了大烟！

我回到母校教学，那正是燕京大学迁到西郊新校址的第一年，校舍是中国式的建筑，翠瓦红门，大门上挂着蔡元培先生写的“燕京大学”的匾额，进门是小桥流水，真是美轮美奂！最好的是校园里还有一个湖。据说这校址是从当时的陕西督军陈树藩手里买来的，是他在北京的房产中之一。那时湖里还没有水，湖中的小岛上也没有亭子，只在岛旁有一座石舫。我记得刚住到校里时，有一夜从朗润园回到我住处的燕南园五十三号时，还是从干涸的湖底直穿过来的。后来不久这湖里才放满了水，这一片盈盈的波光，为校景添了许多春色！

那时四座称为“院”的女生宿舍里，都有为女教师准备的两室一厅的单元，还可以在宿舍里吃女生餐厅的“小灶”。差不多中国籍的女教师如生物系教师江先郡，教育系教师陈克明等都住进去了。我来得晚了一些，只好住进了燕南园五十三号英美国籍女教师居住的小楼。这个楼里吃的当然都是西餐，我在五十三号吃早餐，中晚两餐却到女生宿舍的第二院去吃中餐。我住在燕南园五十三号也有方便的地方，因为女生宿舍的会客室里，是“男宾止步”的，男宾来访女生，只能在院门口谈话，而燕南园五十三号的会客室就可以招待男宾。那时我的二弟为杰已考上燕大，三弟为楫也在预科学习，他们随时都可以到五十三号来看我。

这一年住进新校舍里的新教师、新学生……大家都感到兴高采烈，朝气蓬勃，一切都显得新鲜、美丽、愉快。特别是男女学生住在同一校园里——男生宿舍是六座楼，是坐西朝东，沿着湖边盖的。我的两个弟弟都住在里面，他们都十分喜欢这湖边的宿舍，说是游泳和溜冰都特别方便。于是种种活动也比较多，如歌咏团、戏剧团等等，真是热闹得很。

我在《当教师的快乐》一文中，曾提到我在教授会里是个“婴儿”，而在学生群中却十分舒畅愉快，交了许多知心朋友。一年级的新生不必说了，他们几乎把我当姐姐看待。现在和我们有来往的如得到世界护士荣誉奖的王秀瑛，协和医学院毕业的高材生，晚年成为虔诚的基督徒的陈梅伯等等，至于现在中央民族学院教学的林耀华等，因为居处密迩，往来就更多了。

记得那时我为高班同学开的选修课中有《欧洲戏剧史》，用的是我在美国读过的笔记本，照本宣科，本来没有什么意义，但这个班里，有三年级同学焦菊隐，他比我只小三四岁吧，我们谈话时，一点不像师生，记得有一天早晨八时，他来上课——燕大国文系里的教师，大半是老先生，他们不大愿意太早上课，因此教务处把我的功课表都排在八时至十时之间——他进门来脱下帽子，里面还戴有一顶薄纱的压发帽，我就笑着说：“焦菊隐同学，你还有一顶帽子没摘下来!”同学回头看了都笑了，他也笑着赶紧把压发帽撸了下来，塞进袖子里。

因为我喜欢听京戏，我同焦菊隐的课外谈话，常常谈到京戏。他毕业后就办了一所中国戏剧学校。学生实习的场所就在东安市场的吉祥戏院。焦菊隐为我在戏院楼上留了一间包厢，说是谢先生任何时候进城，都可以去看戏。这所戏校的四个年级学生的排行是：德、和、金、玉。所以以后的那几位名演员如王金璐、李和曾、李玉英等，他们小时候演的戏，我都看过。学生的待遇也十分平等，在上一出戏里演主角的，在下一出就可能跑龙套。我觉得他是个很得学生敬爱的校长。七七事变后，我离开了北平，从此我们的消息便断绝了。关于焦菊隐以后的事迹，我还要细细地去打听。

前天收到一本《泰安师专学报》一九八七年第二期，里面有一篇《高兰评传》，使我猛然忆起我的学生郭德浩，他写诗的笔名，便是高兰！这篇文章里提到高兰做学生时受到我的影响时，有许多溢美之词，我就不往我的脸上贴金了。但里面有一段话，使我回忆起："冰心给他教大一《国文》和《写作》时……有别具一格的指导方法……有一次她给学生出个作文题——《理想的美》，她要男同学在文章里写出《我理想中的美女子》，女同学却写《我理想中的美男子》，以此来抨击当时社会对思想解放的学生设下种种禁区……她认为爱情要坚贞而洁美……"我真不记得那时我会给大一学生出这样的题目。还有一次我的女学生潘玉美——她也有七十多岁了——从上海来京，顺便来看了我，也笑着提起，我给她们出过《初恋》的作文题目，还说"无论是亲身经验还是虚构的都可以写。"这些事我都忘得一干二净，我想那时我真是大胆到"别具一格"，不知学生的家长们对我这个年轻的女教师，有什么评论，我也没有听见我们国文系的老先生们对我有什么告诫，大概他们都把我当做一个"孩子头"，"童言无忌"吧。

我在头一年回国后，还用了一百元的《春水》稿费，把我们在北京住了十几年的家，从中剪子巷搬到前圆恩寺一所坐北朝南的大房子里。这房子的门牌我忘记了，这房子的确不小，因为那时我的父亲升任了海军部次长，朋友的来往又多了些，同时我的大弟为涵又要结婚，中剪子巷的房子不够用了，就有父亲的一位朋友介绍了圆恩寺那所房子，说是本来有个小学要租用它，因为房东怕小学生把房子糟蹋了，他便建议租给我们。我记得我的父母亲住北房的三间，涵弟夫妇住了三间南屋，我住在东厢房的三间，杰弟和楫弟就住三间西厢房。我写的《关于女人》中第五段《叫我老头子的弟妇》，便是以那所房子为背景的，我说：

……我有点乏了，自己回东屋去吸烟休息。我那三间屋子是周末养静之所，收拾得相当整齐，一色的藤床竹椅，花架上供养着两盆腊梅，书案上还有水仙，掀起帘来，暖香扑面。……猛抬头看钟，已到十二时半，南屋里新房里还是人声鼎沸……

我回国的第二年，我父亲的学生们便来接他南下，到上海就任上海海道测量局长，兼任海道巡防处长，离开了北洋政府。我们的家便也搬到了上海的法租界徐家汇，和在华界的父亲办公处，只隔一条河。这房子也是父亲的学生们给找的。这一年涵弟便到美国留学去了。

我仍在北京的燕京大学任教，杰弟和楫弟在燕大的本科和预科上学。那时平沪的火车不通，在寒暑假我们都是从天津坐海船到上海省亲。我们姐弟都不晕船，夏天我们还是搭帆布床在舱面上睡觉。两三天的海行，觉得无聊，我记得我们还凑了一小本子的“歇后语”，如“罗锅儿上山——钱短”、“裱糊匠上天——糊云（胡云)”、“城隍庙改教堂——神出鬼没”、“老太太上车——别催(吹）了”、“猪八戒照镜子——前后不是人”，等等，我们想起一句，就写下一句，又笑了一阵。同时也发现关于“老太太”和“猪八戒”的歇后语还特别多。

这三年中，我和文藻通信不断。他的信寄到我上海家里的，我母亲都给锁在抽屉里，怕有人偷拆开看。寄到学校里的当然没有问题。住在同一宿舍的同事们，只知道常有从美国来的信，寄信人是 W. T. Wu. 她们也不知这个姓吴的是男是女，我当然也没有说。如今这些信都和存在燕大教学楼上的那些书箱，在珍珠港事变后，日军进驻燕大，把我们的存书都烧掉了。

往事写到这里，我不禁想到不但我年老的父母，就连文藻和我的三个弟弟此时也都已离开了我！“往事如烟”，我这一身永远裹在伤感的云雾之中了！

一九八七年十一月三十日

缅怀亲友

我的祖父

关于我的祖父，我在许多短文里，已经写过不少了。但还有许多小事，趣事，是常常挂在我的心上。我和他真正熟悉起来，还是在我 11 岁那年回到故乡福州那时起，我差不多整天在他身边转悠！我记得他闲时常到城外南台去访友，这条路要过一座大桥，一定很远，但他从来不坐轿子。他还说他一路走着，常常遇见坐轿子的晚辈，他们总是赶紧下轿，向他致敬。因此他远远看见迎面走来的轿子，总是转过头去，装作看街旁店里的东西，免得人家下轿。他说这些年来，他只坐过两次轿子：一次是他手里捧着一部曲阜圣迹图（他是福州尊孔兴文会的会长），他觉得把圣书夹在腋下太不恭敬了，就坐了轿子捧着回来；还有一次是他的老友送给他一只小狗，他不能抱着它走那么长的路，只好坐了轿子。祖父给这只小狗起名叫“金狮”。我看到它时，已是一只大狗了。我握着它的前爪让它立起来时，它已和我一般高了，周身是金灿灿的发亮的黄毛。它是一只看家的好狗，熟人来了，它过去闻闻就摇起尾来，有时还用后腿站起，抬起前爪扑到人家胸前；生人来了，它就狂吠不止，让一家人都警惕起来。祖父身体极好，但有时会头痛，头痛起来就静静地躺着，这时全家人都静悄悄起来了，连“金狮”都被关到后花园里。我记得母亲静悄悄地给祖父下了一碗挂面，放在厨房桌上，四叔母又静悄悄地端起来，放在祖父床前的小桌上，旁边还放着一小碟子“苏苏”熏鸭。这“苏苏”是人名，也是福州鼓楼一间很有名的熏鸭店名。这熏鸭一定很贵，因为我们平时很少买过。

祖父对待孙女们一般比孙子们宽厚，我们犯了错误，他常常“视而不见”地让它过去。我最记得我和我的三姐，（她是四叔母的女儿，和我同岁）常常给祖父“装烟”，我们都觉得从他嘴里喷出来的水烟，非常好闻。于是在一次他去南台访友，走了以后（他总是扣上前房的门，从后房走的），我们仍在他房里折叠他换下的衣衫。料想这时断不会有人来，我们就从容地拿起水烟袋，吹起纸煤，轮流吸起烟来。正在我们呛得咳嗽的时候，祖父忽然又从后房进来了，吓得我们赶紧放下水烟袋，拿起他的衣衫来乱抖乱拂，想抖去屋里的烟雾。祖父却没有说话，也没有笑，拿起书桌上的眼镜盒子，又走了出去。我们的心怦怦地跳着，对面苦笑了半天，把祖父的衣衫叠好，把后房门带上出来。这事我们当然不敢对任何人说，而祖父也始终没有对任何人说过我们这件越轨的举动。

祖父最恨赌博，即使是岁时节庆，我们家也从来听不见搓麻将、掷骰子的声音。他自己的生日，是我们一家最热闹的日子了，客人来了，拜过寿后，只吃碗寿面。至亲好友，就又坐着谈话，等着晚上的寿席，但是有麻将瘾的客人，往往吃过寿面就走了，他们不愿意坐谈半天的很拘束的客气话。

在我们大家庭里，并不是没有麻将牌的。四叔母屋里就有一副很讲究的象牙麻将牌。我记得在我回福州的第二年，我父亲奉召离家的时候，我因为要读完女子师范的第二个学期，便暂留了下来，母亲怕我们家里的人会娇惯我，便把我寄居在外婆家。但是祖父常常会让我的奶娘（那时她在祖父那里做短工）去叫我。她说："莹官，你爷爷让你回去吃龙眼。他留给你吃的那一把龙眼，挂在电灯下面的，都烂掉得差不多了！"那时正好我的三堂兄良官，从小在我家长大的，从兵舰上回家探亲，我就和他还有二伯母屋里的四堂兄枢官，以及三姐，在夜里九点祖父睡下之后，由我出面向四叔母要出那副麻将牌来，在西院的后厅打了起来。打着打着，我忽然拼够了好几副对子，和了一副"对对和"！我高兴得拍案叫了起来。这时四叔母从她的后房急急地走了出来，低声地喝道："你们胆子比天还大！四妹，别以为爷爷宠你，让他听见了，不但从此不疼你了，连我也有了不是，快快收起来吧！"我们吓得喏喏连声，赶紧把牌收到盒子里送了回去。这些事，现在一想起来就很内疚，我不是祖父想象里的那个乖孩子，离了他的眼，我就是一个既淘气又不守法的"小家伙"。

记萨镇冰先生

萨镇冰先生，永远是我崇拜的对象，从六七岁的时候，我就常常听见父亲说："中国海军的模范军人，萨镇冰一人而已。"从那时起，我总是注意听受他的一言一行，我所耳闻目见的关于他的一切，无不增加我对他的敬慕。时至今日，虽然有许多儿时敬仰的人物，使我灰心，使我失望，而每一想到他，就保留了我对于人类的信心，鼓励了我向上生活的勇气。

底下所记的关于萨先生的嘉言懿行，大半是从父亲谈话中得来的。——事实的年月，我只约略推算，将来对于他的生平材料搜集得比较完全时，我想再详细的替他写一本传记。——在此我感谢我的父亲，他知道往青年人脑里灌注的，应当是哪一种的印象。

海军上将萨镇冰先生，大名是鼎铭，福建闽侯人，1860 年（?）生，12 岁入福建马尾船政学校，作第二班学生。十七八岁出洋，入英国格林海军大学(Green－wich College)，回国后在天津管轮学堂任正教习。那时父亲是天津水师学堂驾驶班的学生，自此和他相识。

在管轮学堂时候，他的卧室里用的是特制的一张又仄又小的木床，和船上的床铺相似，他的理由是，"军人是不能贪图安逸的，在岸上也应当和在海上一样。"他授课最认真，对于功课，好的学生，常以私物奖赏，如时表之类，有的时候，小的贵重点的物品用完了，连自已屋里的藤椅，也搬了去。课外常常教学生用锹铲在操场上挖筑炮台。那时管轮学堂在南边，水师学堂在北边，当中隔个操场。学堂总办吴仲翔住在水师学堂。吴总办是个文人，不大喜欢学生做"粗事"。所以在学生们踊跃动手，锹铲齐下的时候，萨先生总在操场边替他们巡风，以备吴总办的突来视察。

父亲和萨先生相熟，是从同在"海圻"军舰服务时起（1900 年左右），那时他是海军副统领，兼"海圻"船主，父亲是副船主。

庚子之变，海军正统领叶祖珪，驻海容舰，被困于大沽口。鱼雷艇海龙海犀海青海华四艘，已被联军舰队所掳。那时北洋舰队中的海圻、海琛、海筹、海天等舰，都泊山东庙岛，山东巡抚袁世凯，移书请各舰驶入长江，以避敌锋，于是各船纷纷南下，只海圻坚泊不动。在山东义和团杀害侨民的时候，萨先生请蓬莱一带的教士侨民悉数下船，殷勤招待，乱事过后，方送上岸。那时正有美国大巡洋舰阿利干号（Oregan）在庙岛附近触礁，海圻又驶往救护，美国国会闻讯，立即驰函道谢，阿利干舰长申谢之余，也恳劝萨先生南下，于是海圻才开入江阴。

在他舰离开，海圻孤泊的时候，军心很摇动，许多士兵称病上岸就医，乘间逃走，最后是群情惶遽，聚众请愿，要南下避敌。舱面上万声嘈杂，不可制止，在父亲竭力向大家劝说的时候，萨先生忽然拿把军刀，从舱里走出，喝说着："有再说要南下的，就杀却!"他素来慈蔼，忽发威怒，大家无不失色惊散，海圻卒以泊定。——事后有一天萨先生悄然的递给父亲一张签纸，是他家人在不得海圻消息时，在福州吕祖庙里求的，上面写着："有剑开神路。无妖敢犯邪。君子道长。小人道消。"两人大笑不止。

萨先生所在的兵舰上，纪律清洁，总是全军之冠。他常常捐款修理公物，常笑对父亲说："人家做船主，都打金镯子送太太戴，我的金镯子是戴在我的船上。"有一次船上练习打靶，枪炮副不慎，将一尊船边炮的炮膛，划伤一痕。(开空炮时空弹中也装水，以补足火药的分量，弹后的铁孔，应用铁塞的，炮手误用木塞，以致施放时炮弹爆裂，碎弹划破炮膛而出。）炮值两万余元，萨先生自己捐出月饷，分期赔偿。后来事闻于叶祖珪，又传于直隶总督袁世凯，袁立即寄款代偿，所以如今海圻船上有一尊船边炮是袁世凯购换的。

他在船上，特别是在练船上，如威远、康济、通济等舰常常教学生荡舢板，泅水，打靶，以此为日课，也以此为娱乐。驾驶时也专用学生，不请船户。(那时别的船上，都有船户领港，闽语所谓之"曲蹄"，即以舟为家的疍民。) 叶统领常常皱眉说："鼎铭太肯冒险了，专爱用些年轻人!"而海上的数十年，他所在的军舰，从来没有失事过。

他又爱才如命，对于官员士兵的体恤爱护，无微不至。上岸公出，有风时舢板上就使帆，以省兵力。上岸拜会，也不带船上仆役，必要时就向岸上的朋友借用。历任要职数十年，如海军副大臣，海军总长，福建省长等，也不曾用过一个亲戚。亲戚远道来投，必酌给川资，或做买卖的本钱，劝他们回去，说："你们没有受过海上训练，不能占海军人员的位置。"——如今在刘公岛有个东海春铺子，就是他的亲戚某君开的，专卖烟酒汽水之类，作海军人的生意——只有他的妻舅陈君，曾做过通济练船的文案，因为文案本用的是文人的缘故。

萨先生和他的太太陈夫人，伉俪甚笃。有一次他在烟台卧病，陈夫人从威海卫赶来视疾，他辞了回去，人都说他不近人情。而自他 36 岁，夫人去世后，就将子女寄养岳家，鳏居终身。人问他为何不续弦，他说："天下若再有一个女子，和我太太一样的我就娶。"——（按萨公子即今铁道部司长萨福钧先生，女公子适陈氏。）

他的个人生活，尤其清简，洋服从来没有上过身，也从未穿过皮棉衣服，平常总是布鞋布袜，呢袍呢马褂。自奉极薄，一生没有做过寿，也不受人的礼。没有一切的嗜好，打牌是千载难逢的事，万不得已坐下时，输赢也都用铜子。

他住屋子，总是租那很破敝的，自己替房东来修理，栽花草，铺双重砖地，开门辟户。屋中陈设也极简单，环堵萧然。他做海军副大臣时，在北平西城曾买了一所小房，南下后就把这所小房送给了一位同学。在福建省长任内，住前清总督衙门，地方极大，他只留下几间办公室，其余的连箭道一并拆掉，通成一条大街，至今人称肃威路，因为他是肃威将军。

"肃威"两字，不足为萨先生的考语，他实是一个极风趣极洒脱的人。生平喜欢小宴会，三五个朋友吃便饭，他最高兴。所以遇有任何团体公请他，他总是零碎的还礼，他说："客人太多时，主人不容易应酬得周到，不如小宴会，倒能宾主尽欢。"请客时一切肴馔设备，总是自己检点，务要整齐清洁。也喜欢宴请西国朋友，屋中陈设虽然简单，却常常改换式样。自己的一切用物文玩，知道别人喜欢，立刻就送了人，送礼的时候，也是自己登门去送，从来不用仆役。

他写信极其详细周到，月日地址，每信都有，字迹秀楷，也喜作诗，与父亲常有唱和之作。他平常主张海军学校不请汉文教员，理由是文人颓放，不可使青年军人沾染上腐败的习气。他说："我从 12 岁就入军校，可是汉文也够用的，文字贵在自修，不在乎学作八股式的无性灵的文章。"我还能背诵他的一首在平汉车上作的七绝，是："晓发襄江尚未寒，夜过荥泽觉衣单，黄河桥上轻车渡，月照中流好共看。"我觉得末两句真是充分的表现了他那清洁超绝的人格！

我有二十多年没有看见他了，至今记忆中还有几件不能磨灭的事：在我五六岁时候，他到烟台视察，住海军练营。一天下午父亲请他来家吃晚饭，约定是 7 时，到 6 时 55 分，父亲便带我到门口去等，说："萨军门是谨守时刻的，他常是早几分钟到主人门口，到时候才进来，我们不可使他久候。"我们走了出去，果然看见他穿着青呢袍，笑容满面的站在门口。

他又非常的温恭周到。有一次到我们家里来谈公事，里面端出点心来，是母亲自己做的，父亲无意中告诉了他。谈完公事，走到门口，他又回来殷勤的说："请你谢谢你的太太，今天的点心真是好吃。"

父亲的客厅里，字画向来很少，因为他不是鉴赏家，相片也很少，因为他的朋友不多。而南下北上搬了几次家，客厅总挂有萨先生的相片，和他写赠的一幅对联，是："穷达尽为身外事，升沉不改故人情。"

听说他老人家现在福州居住，卖字作公益事业。灾区的放赈，总是他的事，因为在闽省赤区中，别人走不过的，只有他能通行无阻。在福州下渡，他用海军界的捐款，办了一个模范村，村民爱他如父母，为他建了一亭，逢时过节，都来拜访，腊八节，大家给他熬些腊八粥，送到家去。

此外还有许多从朋友处听到的关于萨先生的事，都是极可珍贵的材料。夜深人倦，恕我不再记述了，横竖我是想写他的传记的，许多事不妨留在后来写。在此我只要说我的感想：前些日子看到行政院"澄清贪污"的命令，使我矍然的觉出今日的贪污官吏之多，擅用公物，虽贤者不免，因为这已是微之又微的常事了！最使我失望的是我们的朋友中间，与公家发生关系者，也有的以占公家的便宜为能事，互相标榜夸说，这种风气已经养成，我们凋敝绝顶的邦家，更何堪这大小零碎的剥削！

我不愿提出我所耳闻目见的无数种种的贪污事实，我只愿高捧出一个清廉高峻的人格，使我们那些与贪污奋斗的朋友们，抬头望时，不生寂寞之感……

在此我敬谨遥祝他老人家长寿安康。

1936 年 3 月 23 日夜

我的父亲

关于我的父亲，零零碎碎地我也写了不少了。我曾多次提到，他是在“威远”舰上，参加了中日甲午海战。但是许多朋友和读者都来信告诉我，说是他们读了近代史，“威远”舰并没有参加过海战。那时“威”字排行的战舰很多，一定是我听错了。我后悔当时我没有问到那艘战舰舰长的名字，否则也可以对得出来。但是父亲的确在某一艘以“威”字命名的兵舰上参加过甲午海战，有诗为证！

记得在 1914—1915 年之间，我在北京中剪子巷家里客厅的墙上，看到一张父亲的挚友张心如伯伯（父亲珍藏着一张“岁寒三友”的相片，这三友是父亲和一位张心如伯伯，一位萨幼洲伯伯。他们都是父亲的同学和同事。我不知道他们的大名，“心如”和“幼洲”都是他们的别号）贺父亲五十寿辰的七律二首，第一首的头两句我忘了：

××××××××
××××××××
东沟决战甘前敌
威海逃生岂惜身

人到穷时方见节
岁当寒后始回春
而今乐得英才育
坐护皋比士气伸

第二首说的都是谢家的典故，没什么意思，但是最后两句，点出了父亲的年龄：

乌衣门第旧冠裳
想见阶前玉树芳
希逸有才工月赋
惠连入梦忆池塘
出为霖雨东山望
坐对棋枰别墅光
莫道假年方学易
平时诗礼已闻亢

从第一首诗里看来，父亲所在的那艘兵舰是在大东沟“决战”的，而父亲是在威海卫泅水“逃生”的。

提到张心如伯伯，我还看到他给父亲的一封信，大概是父亲在烟台当海军学校校长的时期（父亲书房里有一个书橱，中间有两个抽屉，右边那个珍藏着许多朋友的书信诗词，父亲从来不禁止我去翻看。）信中大意说父亲如今安下家来，生活安定了，母亲不会再有：“会少离多”的怨言了等等。中间有几句说：“秋分白露，佳话十年，会心不远，当月笑存之。”我就去问父亲：“这佳话十年，是什么佳话？”父亲和母亲都笑了，说，那时心如伯伯和父亲在同一艘兵舰上服役。海上生活是寂寞而单调的，因此每逢有人接到家信，就大家去抢来看。当时的军官家属，会亲笔写信的不多，母亲的信总会引起父亲同伴的特别注意。有一次母亲信中提到天气的时候，引用了民间谚语：“白露秋分夜，一夜冷一夜。”大家看了就哄笑着逗着父亲说：“你的夫人想你了，这分明是‘鸳鸯瓦冷霜华重，翡翠衾寒谁与共’的意思！”父亲也只好红着脸把信抢了回去。从张伯伯的这封信里也可以想见当年长期在海上服务的青年军官们互相嘲谑的活泼气氛。

就是从父亲的这个书橱的抽屉里，我还翻出萨镇冰老先生的一首七绝，题目仿佛是《黄河夜渡》：

晓发襄江尚未寒
夜过荥泽觉衣单
黄河桥上轻车渡
月照中流好共看

父亲盛赞这首诗的末一句，说是“有大臣风度”。这首诗大概是作于清末民初，萨老先生当海军副大臣的时候，正大臣是载洵贝勒。

1984 年 11 月 5 日清晨

我的母亲

关于我的母亲，我写的不少了。20 年代初期，在美国写《寄小读者》时写了她；30 年代初期，她逝世后，我在《南归》中写了她；40 年代初期，我以“男士”的笔名写的《关于女人》，这本书中写了她；同时在那时候，应《大公报》之约，再写《儿童通讯》，在“通讯三”中又写了她。这些文章在《冰心文集》中都可以找到，也可以从这些文章中看出她是怎样的一位母亲。

我想，天下没有一个人，不认为自己的母亲是最好的母亲（当然也有例外）。但是母亲离开我已经57年了，这半个世纪之中，我不但自己做了母亲，连我的女儿们也做了母亲。我总觉得不但我们自己，也还有许多现代的母亲们，能够像我母亲那样得到儿女的敬爱。

关于母亲的许多大事，我都写过了。现在从头忆起，还觉得有许多微末细小的事，也值得我们学习。

我记得民国初期，袁世凯当总统时，黎元洪伯伯是副总统，住在东厂胡同(黎伯伯同我父亲是北洋水师学堂的同班同学，黎伯伯学的是管轮，父亲学的是驾驶)。父亲却没有去拜访过。等到袁世凯称帝，一面把黎伯伯封为武义亲王，一面却把他软禁在中南海的瀛台里。这时父亲反常到瀛台去陪他下棋谈话。我总听见母亲提醒父亲说："你又该去看看黎先生了。"她听父亲说瀛台比我们家里还冷，也提醒父亲说："别忘了多穿点衣服。"

母亲从来不开拆我们收到的信件，也从来不盘问我们和同学朋友之间的往来，因为她表示对我们的信任和理解。我们反而不惮其烦地把每封信都给她看，每件事都同她说。

她从来不积攒什么稀奇珍贵的东西。她得到的礼物，随时收下，随时又送给别人。她从来没有"疾言厉色"，尤其是对佣人们，总是微笑地、和言悦色地嘱咐指挥着一切。

她喜爱整洁，别人做得不周到时，她就悄悄地自己动手。我看见过她跪在铺着报纸的砖地上，去扫除床下的灰尘。

母亲常常教导我们"勤能补拙，俭以养廉"的道理。她自己更是十分勤俭，我们姐弟的布衣，都是她亲手缝制的。她年轻时连一家大小过年时穿的绸衣，也是自己来做。祖父十分喜欢母亲的针线，特别送她一副刀尺，这是别个儿媳所没有的。她做衣服还做得很快，我的三个在中学的弟弟，都是一米六七的个子，母亲能够一天给他们做出一件长衫。那时当然没有缝纫机！

她是个最"无我"的人！我一直努力想以她为榜样，学些处世做人的道理，但我没有做到……

1987年12月23日晨

南归——献给母亲在天之灵

去年秋天，楫自海外归来，住了一个多月又走了。他从上海十月三十日来信说："……今天下午到母亲墓上去了，下着大雨。可是一到墓上，阳光立刻出来。母亲有灵！我照了六张相片。照完后，雨又下起来了。姊姊！上次离国时，母亲在床上送我，嘱咐我，不想现在是这样的了！……"

我的最小偏怜的海上漂泊的弟弟！我这篇《南归》，早就在我心头，在我笔尖上。只因为要瞒着你，怕你在海外孤身独自，无人劝解时，得到这震惊的消息，读到这一切刺心刺骨的经过。我挽住了如澜的狂泪，直待到你归来，又从我怀中走去。在你重过漂泊的生涯之先，第一次参拜了慈亲的坟墓之后，我才来动笔！你心下一切都已雪亮了。大家颤栗相顾，都已做了无母之儿，海枯石烂，世界上慈怜温柔的恩福，是没有我们的份了！我纵然尽写出这深悲极恸的往事，我还能在你们心中，加上多少痛楚？我还能在你们心中，加上多少痛楚?!?

现在我不妨解开血肉模糊的结束，重理我心上的创痕。把心血呕尽，眼泪倾尽，和你们恣情开怀的一恸，然后大家饮泣收泪，奔向母亲要我们奔向的艰苦的前途！

我依据着回忆所及，并参阅藻的日记，和我们的通信，将最鲜明，最灵活，最酸楚的几页，一直写记了下来。我的握笔的手，我的笔儿，怎想到有这样运用的一天！怎想到有这样运用的一天！

前冬十二月十四日午，藻和我从城中归来，客厅桌上放着一封从上海来的电报，我的心立刻震颤了。急忙的将封套拆开，上面是"……母亲云，如决回，提前更好"，我念完了，抬起头来，知道眼前一片是沉黑的了！

藻安慰我说："这无非是母亲想你，要你早些回去，决不会怎样的。"我点点头。上楼来脱去大衣，只觉得全身颤栗，如冒严寒。下楼用饭之先，我打电话到中国旅行社买船票。据说这几天船只非常拥挤，须等到十九日顺天船上，才有舱位，而且还不好。我说无论如何，我是走定了。即使是猪圈，是狗窦，只要能把我渡过海去，我也要蜷伏几宵——就这样的定下了船票。

夜里如同睡在冰穴中，我时时惊跃。我知道假如不是母亲病的危险，父亲决不会在火车断绝，年假未到的时候，催我南归。他拟这电稿的时候，虽然有万千的斟酌使语气缓和，而背后隐隐的着急与悲哀是掩不住的——藻用了无尽的言语来温慰我；说身体要紧，无论怎样，在路上，在家里，过度的悲哀与着急，都与自己母亲是无益有害的。这一切我也知道，便饮泪收心的睡了一夜。

以后的几天，便消磨在收拾行装，清理剩余手续之中。那几天又特别的冷。朔风怒号，楼中没有一丝暖气。晚上藻和我总是强笑相对，而心中的怔忡，孤悬，恐怖，依恋，在不语无言之中，只有钟和灯知道了！

杰还在学校里，正预备大考。南归的消息，纵不能瞒他，而提到母亲病的推测，我们在他面前，总是很乐观的，因此他也还坦然。天晓得，弟弟们都是出乎常情的信赖我。他以为姊姊一去，母亲的病是不会成问题的。可怜的孩子，可祝福的无知的信赖！

十八日的下午四时二十五分的快车，藻送我到天津。这是我们蜜月后的第一次同车，虽然仍是默默的相挨坐着，而心中的甜酸苦乐，大不相同了！窗外是凝结的薄雪，窗隙吹过砭骨的冷风，斜日黯然，我已经觉得腹痛。怕藻着急，不肯说出，又知道说了也没用，只不住的喝热茶。七点多钟到天津，下了月台，我已痛得走不动了。好容易挣出站来，坐上汽车，径到国民饭店，开了房间，我一直便躺在床上。藻站在床前，眼光中露出无限的惊惶："你又病了？"我呻吟着点一点头。——我以后才发现这病是慢性的盲肠炎。这病根有十年了，一年要发作一两次。每次都痛彻心腑，痛得有时延长至十二小时。行前为预防途中复发起见，曾在协和医院仔细验过，还看不出来。直到以后从上海归来，又患了一次，医生才绝对的肯定，在协和开了刀。这已是第二年三月中的事了。

这夜的痛苦，是逐秒逐分的加紧，直到夜中三点。我神志模糊之中，只觉得自己在床上起伏坐卧，呕吐，呻吟，连藻的存在都不知道了。中夜以后，才渐渐的缓和，转过身来对坐在床边拍抚着我的藻，作颓乏的惨笑。他也强笑着对我摇头不叫我言语。慢慢的替我卸下大衣，严严的盖上被。我觉得刚一闭上眼，精魂便飞走了！

醒来眼里便满了泪；病后的疲乏，临别的依恋，眼前旅行的辛苦，到家后可能的恐怖的事实，都到心上来了。对床的藻，正做着可怜的倦梦。一夜的劳瘁，我不忍唤醒他，望着窗外天津的黎明，依旧是冷酷的阴天！我思前想后，除了将一切交给上天之外，没有别的方法了！

这一早晨，我们又相倚的坐着。船是夜里十时开，藻不能也不敢说出不让我走的话，流着泪告诉我："你病得这样！我是个穷孩子，忍心的丈夫。我不能陪你去，又不能替你预备下好舱位，我让你自己在这时单身走！……"他说着哽咽了。我心中更是甜酸苦辣，不知怎么好，又没有安慰他的精神与力量，只有无言的对泣。

还是藻先振起精神来，提议到梁任公家里，去访他的女儿周夫人，我无力的赞成了。到那里蒙他们夫妇邀去午饭。席上我喝了一杯白兰地酒，觉得精神较好。周夫人对我提到她去年的回国，任公先生的病以及他的死。悲痛沉挚之言，句句使我闻之心惊胆跃，最后实在坐不住，挣扎着起来谢了主人。发了一封报告动身的电报到上海，两点半钟便同藻上了顺天船。

房间是特别官舱，出乎意外的小！又有大烟囱从屋角穿过。上铺已有一位广东太太占住，箱儿篓子，堆满了一屋。幸而我行李简单，只一副卧具，一个手提箱。藻替我铺好了床，我便蜷曲着躺下。他也蜷伏着坐在床边。门外是笑骂声，叫卖声，喧呶声，争竞声；杂着油味，垢腻味，烟味，咸味，阴天味；一片的拥挤，窒塞，纷扰，叫嚣！我忍住呼吸，闭着眼。藻的眼泪落在我的脸上："爱，我恨不能跟了你去！这种地方岂是你受得了的！"我睁开眼，握住他的手："不妨事，我原也是人类中之一！"

直挨到夜中九时，烟囱旁边的横床上，又来了一位女客，还带着一个小女儿。屋里更加紧张拥挤了。我坐了起来，拢一拢头发，告诉藻："你走罢，我也要睡一歇，这屋里实在没有转身之地了！"因着早晨他说要坐三等车回北平去，又再三的嘱咐他："天气冷，三等车上没有汽炉，还是不坐好。和我同甘苦，并不在于这情感用事上面！"他答应了我，便从万声杂沓之中挤出去了。

——到沪后，得他的来信说："对不起你，我毕竟是坐了三等车。试想我看着你那样走的，我还有什么心肠求舒适？即此，我还觉得未曾分你的辛苦于万一！更有一件可喜的事：我将剩下的车费在市场的旧书摊上，买了几本书了……"

这几天的海行，窗外只看见塘沽的碎裂的冰块，和大海的洪涛。人气蒸得模糊的窗眼之内，只听得人们的呕吐。饭厅上，茶房连叠声叫"吃饭咧！"以及海客的谈时事声，涕唾声。这一百多钟头之中，我已置心身于度外，不饮不食，只求能睡，并不敢想到母亲的病状。睡不着的时候，只瞑目遐思夏日蜜月旅行中之西湖莫干山的微蓝的水，深翠的竹，以求超过眼前地狱景况于万一！

二十二日下午，船缓缓的开进吴淞口，我赶忙起来梳头着衣，早早的把行装收拾好。上海仍是阴天！我推测着数小时到家后可能的景况，心灵上只有战栗，只有祈祷！江上的风吹得萧萧的。寒星般的万船楼头的灯火，照映在黄昏的深黑的水上，画出弯颤的长纹。晚六时，船才缓缓的停在浦东。我又失望，又害怕，孤身旅行，这还是第一次。这些脚夫和接水，我连和他们说话的胆量都没有，只把门紧紧的关住，等候家里的人来接。直等到七时半，客人们都已散尽，连茶房都要下船去了。无可奈何，才开门叫住了一个中国旅行社的接客，请他照应我过江。

我坐在颠簸的摆渡上，在水影灯光中，只觉得不时摇过了黑而高大的船舷下，又越过了几只横渡的白篷带号码的小船。在料峭的寒风之中，淋漓精湿的石阶上，踏上了外滩。大街楼顶广告上的电灯连成的字，仍旧追逐闪烁着，电车仍旧是隆隆不绝的往来的走着。我又已到了上海！万分昏乱的登上旅行社运箱子的汽车，连人带箱子从几个又迅速又似疲缓的转弯中，便到了家门口。

按了铃，元来开门。我头一句话，是“太太好了么?”他说：“好一点了。”我顾不得说别的，便一直往楼上走。父亲站在楼梯的旁边接我。走进母亲屋里，华坐在母亲床边，看见我站了起来。小菊倚在华的膝旁，含羞的水汪汪的眼睛直望着我。我也顾不得抱她，我俯下身去，叫了一声“妈!”看母亲时，真病得不成样子了！所谓“骨瘦如柴”者，我今天才理会得！比较两月之前，她仿佛又老了二十岁。额上似乎也黑了。气息微弱到连话也不能说一句，只用悲喜的无主的眼光看着我……

父亲告诉我电报早接到了。涵带着苑从下午五时便到码头去了，不知为何没有接着。这时小菊在华的推挽里，扑到我怀中，叫了一声“姑姑”。小脸比从前丰满多了，我抱起她来，一同伏在母亲的被上。这时我的眼泪再也止不住了，赶紧回头走到饭厅去。

涵不久也回来了，脸冻得通红——我这时方觉得自己的腿脚，也是冰块一般的僵冷。——据说是在外滩等到七时。急得不耐烦，进到轮船公司去问，公司中人待答不理的说：“不知船停在哪里，也许是没有到罢!”他只得转了回来。

饭桌上大家都默然。我略述这次旅行的经过，父亲凝神看着我，似乎有无限的过意不去。华对我说发电叫我以后，才告诉母亲的，只说是我自己要来。母亲不言语，过一会子说：“可怜的，她在船上也许时刻提心吊胆的想到自己已是没娘的孩子了!”

饭后涵华夫妇回到自己的屋里去。我同父亲坐在母亲的床前。母亲半闭着眼，我轻轻的替她拍抚着。父亲悄声的问：“你看母亲怎样?”我不言语，父亲也默然，片晌，叹口气说：“我也看着不好，所以打电报叫你，我真觉得四无依傍——我的心都碎了！……”

此后的半个月，都是侍疾的光阴了。不但日子不记得，连昼夜都分不清楚了！一片相连的是母亲仰卧的瘦极的睡容，清醒时低弱的语声和憔悴的微笑，窗外的阴郁的天，壁炉中发爆的煤火，凄绝静绝的半夜炉台上滴答的钟声，黎明时四壁黯然的灰色，早晨开窗小立时潆潆的朝雾！在这些和泪的事实之中，我如同一个无靠的孤儿，独自赤足拖踏过这万重的火焰！

在这一片昏乱迷糊之中，我只记得侍疾的头几天，我是每天晚上八点就睡，十二点起来，直至天明。起来的时候，总是很冷。涵和华摩挲着忧愁的倦眼，和我交替，我站在壁炉边穿衣裳，母亲慢慢的侧过头来说："你的衣服太单薄了，不如穿上我的黑骆驼绒袍子，省得冻着！"我答应了，她又说："我去年头一次见藻，还是穿那件袍子呢。"

她每夜四时左右，总要出一次冷汗，出了汗就额上冰冷。在那时候，总要喝南枣北麦汤，据说是止汗滋补的。我恐她受凉，又替她缝了一块长方的白绒布，轻轻的围在额上。母亲闭着眼微微的笑说："我像观世音了。"我也笑说："也像圣母呢！"

因着骨痛的关系，她躺在床上，总是不能转侧。她瘦得只剩一把骨了，褥子嫌太薄，被又嫌太重。所以褥子底下，垫着许多棉花枕头，鸭绒被等，上面只盖着一层薄薄的丝绵被头。她只仰着脸在半靠半卧的姿势之下，过了我和她相亲的半个月。可怜的病弱的母亲！

夜深人静，我偎卧在她的枕旁。若是她精神较好，就和我款款的谈话，语音轻得似天半飘来，在半朦胧半追忆的神态之中，我看她的石像似的脸，我的心绪和眼泪都如潮涌上。她谈着她婚后的暌离和甜蜜的生活，谈到幼年失母的苦况，最后便提到她的病。她说："我自小千灾百病的，你父亲常说：'你自幼至今吃的药，总集起来，够开一间药房的了。'真是我万想不到，我会活到六十岁！男婚女嫁，大事都完了。人家说，'久病床前无孝子'，我这次病了五个月，你们真是心力交瘁！我对于我的女儿，儿子，媳妇，没有一毫的不满意。我只求我快快的好了，再享两年你们的福……"我们心力交瘁，能报母亲的恩慈于万一么？母亲这种过分爱怜的话语，使听者伤心得骨髓都碎了！

如天之福，母亲临终的病，并不是两月前的骨疯。可是她的老病“胃痛”和“咳嗽”又回来了。在每半小时一吃东西之外，还不住的要服药，如“胃活”“止咳丸”之类，而且服量要每次加多。我们知道这些药品都含有多量的麻醉性的，起先总是竭力阻止她多用。几天以后，为着她的不能支持的痛苦，又渐渐的知道她的病是没有痊愈的希望，只得咬着牙，忍着心肠，顺着她的意思，狂下这种猛剂，节节的暂时解除她突然袭击的苦恼。

此后她的精神愈加昏弱了，日夜在半醒不醒之间。却因着咳嗽和胃痛，不能睡得沉稳，总是由涵用手用力的替她揉着，并且用半催眠的方法，使她入睡。十二月二十四夜，是基督降生之夜。我伏在母亲的床前，终夜在祈祷的状态之中！在人力穷尽的时候，宗教的倚天祈命的高潮，淹没了我的全意识。我觉得我的心香一缕勃勃上腾，似乎是哀求圣母，体恤到婴儿爱母的深情，而赐予我以相当的安慰。那夜街上的欢呼声，爆竹声不停。隔窗看见我们外国邻人的灯彩辉煌的圣诞树，孩子们快乐的歌唱跳跃，在我眼泪模糊之中，这些都是针针的痛刺！

半夜里父亲低声和我说：“我看你母亲的身后一切该预备了。旧式的种种规矩，我都不懂。而且我看也没有盲从的必要。关于安葬呢——你想还回到故乡去么？山遥水隔的，你们轻易回不去，年深月久，倒荒凉了，是不是？不过这须探问你母亲的意思。”我说：“父亲说出这话来，是最好不过的了。本来这些迷信禁忌的办法，我们所以有时曲从，都是不忍过拂老人家的意思。如今父亲既不在乎这些，母亲又是个最新不过的人。纵使一切犯忌都有后验，只要母亲身后的事能舒舒服服的办过去，千灾五毒，都临到我们四个姊弟身上，我们也是甘心情愿的！”

第二天我们便托了一位亲戚到万国殡仪馆接洽一切。钢棺也是父亲和我亲自选定的。这些以后在我寄藻和杰的信中，都说得很详细。

这样又过了几天。母亲有时稍好，微笑的躺着。小菊爬到枕边，捧着母亲的脸叫“奶奶”。华和我坐在床前，谈到秋天母亲骨痛的时候，有时躺在床上休息，有时坐在廊前大椅上晒太阳，旁边几上总是供着一大瓶菊花。母亲说：“是的，花朵儿是越看越鲜，永远不使人厌倦的。病中阳光从窗外进来，照在花上，我心里便非常的欢畅!”母亲这种爱好天然的性情，在最深的病苦中，仍是不改。她的骨痛，是由指而臂，而肩背，而膝骨，渐渐下降，全身僵痛，日夜如在桎梏之中，偶一转侧，都痛彻心腑。假如我是她，我要痛哭，我要狂呼，我要咒诅一切，弃掷一切。而我的最可敬爱的母亲，对于病中的种种，仍是一样的接受，一样的温存。对于儿女，没有一句性急的话语；对于奴仆，却更加一倍的体恤慈怜。对于这些无情的自然，如阳光，如花卉，在她的病的静息中，也加倍的温煦馨香。这是上天赐予，惟有她配接受享用的一段恩福!

我们知道母亲决不能过旧历的新年了，便想把阳历的新年，大大的点缀一下。一清早起来，先把小菊打扮了，穿上大红缎子棉袍，抱到床前，说给奶奶拜年。桌上摆上两盘大福桔，露台窗台上的水仙花管，都用纸条束起。又买了十几盏小红纱灯，挂在床角上，炉台旁，电灯下。我们自己也略略的妆扮了，——我那时已经有十天没有对镜梳妆了！我觉得平常过年，我们还没有这样的起劲！到了黄昏我将十几盏纱灯点起挂好之后，我的眼泪，便不知是从哪里来的，一直流个不断了!

有谁经过这种的痛苦？你的最爱的人，抱着最苦恼的病，要在最短的时间内从你的腕上臂中消逝；同时你要佯欢诡笑的在旁边伴着，守着，听着，看着，一分一秒的爱惜恐惧着这同在的光阴！这样的生活，能使青年人老，老年人死，在天堂上的人，下了地狱！世间有这样痛苦的人呵，你们都有了我的最深极厚的同情!

裁缝来了，要裁做母亲装裹的衣裳。我悄悄的把他带到三层楼上。母亲平时对于穿着，是一点不肯含糊的。好的时候遇有出门，总是把要穿的衣服，比了又比，看了又看，熨了又熨。所以这次我对于母亲寿衣的材料，颜色，式样，尺寸，都不厌其详的叮咛嘱咐了。告诉他都要和好人的衣裳一样的做法，若含糊了要重做的。至于外面的袍料，帽子，袜子，手套等，都是我偷出睡觉的时间来，自己去买的。那天上海冷极，全市如冰。而我的心灵，更有万倍的僵冻！

回来脱了外衣，走到母亲跟前。她今天又略好了些，问我："睡足了么?"我笑说："睡足了。"因又谈起父亲的生日——阳历一月三日，阴历十二月四日——快到了。父亲是在自己生日那天结婚的。因着母亲病了，父亲曾说过不做生日，而父母亲结婚四十年的纪念，我们却不能不庆祝。这时父亲涵华等都在床前，大家凑趣谈笑，我们便故作娇痴的佯问母亲做新娘时的光景。母亲也笑着，眼里似乎闪烁着青春的光辉。她告诉我们结婚的仪式，赠嫁的妆奁，以及佳礼那天怎样的被花冠压得头痛。我们都笑了。爬在枕边的小菊看见大家笑，也莫名其妙的大声娇笑。这时，眼前一切的悲怀，似乎都忘却了。

第二天晚上为父亲暖寿。这天母亲又不好，她自己对我说："我这病恐怕不能好了。我从前看弹词，每到人临危的时候总是说'一日轻来一日重，一日添症八九分'，便是我此时的景象了。"我们都忙笑着解释，说是天气的关系，今天又冷了些。母亲不言语。但她的咳嗽，愈见艰难了，吐一口痰，都得有人使劲的替她按住胸口。胃痛也更剧烈了，每次痛起，面色惨变。——晚上，给父亲拜寿的子侄辈都来了。涵和华忙着在楼下张罗。我仍旧守在母亲旁边。母亲不住的催我，快拢拢头，换换衣服，下楼去给父亲拜寿。我含着泪答应了。草草的收拾毕，下得楼来，只看见寿堂上红烛辉煌，父亲坐在上面，右边并排放着一张空椅子。我一跪下，眼泪突然的止不住了，一翻身赶紧就上楼去，大家都默然相视无语。

夜里母亲忽然对我提起她自己儿时侍疾的事了："你比我有福多了，我十四岁便没了母亲！你外祖母是痨病，那年从九月九卧床，就没有起来。到了腊八就去世了。病中都是你舅舅和我轮流伺候着。我那时还小，只记得你外祖母半夜咽了气，你外祖父便叫老妈子把我背到前院你叔祖母那边去了。从那时起，我便是没娘的孩子了。”她叹了一口气，“腊八又快到了。”我那时真不知说什么好。母亲又说：“杰还不回来——算命的说我只有俩孩子送终，有你和涵在这里，我也满意了。”

父亲也坐在一边，慢慢的引她谈到生死，谈到故乡的茔地。父亲说：“平常我们所说的‘狐死首丘’，其实也不是……”母亲便接着说：“其实人死了，只剩一个躯壳，丢在哪里都是一样。何必一定要千山万水的运回去，将来糊口四方的子孙们也照应不着。”

现在回想，那时母亲对于自己的病势，似乎还模糊，而我们则已经默晓了，在轮替休息的时间内，背着母亲，总是以眼泪洗面。我知道我的枕头永远是湿的。到了时候，走到母亲面前，却又强笑着，谈些不要紧的宽慰的话。涵从小是个浑化的人，往常母亲病着，他并不会怎样的小心服侍。这次他却使我有无限的惊奇！他静默得像医生，体贴得像保姆。我在旁静守着，看他喂桔汁，按摩，那样子不像儿子服侍母亲，竟像父亲调护女儿！他常对我说：“病人最可怜，像小孩子，有话说不出来。”他说着眼眶便红了。

这使我如何想到其余的两个弟弟！杰是夏天便到塘沽工厂实习去了。母亲的病态，他算是一点没有看见。楫是十一月中旬走的。海上漂流，明年此日，也不见得会回来。母亲对于楫，似乎知道是见不着了，并没有怎样的念道他。却常常的问起杰：“年假快到了，他该回来了罢？”一天总问起三四次，到了末几天，她说：“他知道我病，不该不早回！做母亲的一生一世的事，……”我默然，母亲哪里知道可怜的杰，对于母亲的病还一切蒙在鼓里呢！

十二月三十一日夜，除夕。母亲自己知道不好，心里似乎很着急，一天对我说了好几次：“到底请个大医生来看一看，是好是坏，也叫大家定定心。”其实那时隔一两天，总有医生来诊。照样的打补针，开止咳的药，母亲似乎腻烦了。我们立刻商量去请V大夫，他是上海最有名的德国医生，秋天也替她看过的。到了黄昏，大夫来了。我接了进来，他还认得我们，点首微笑。替母亲听听肺部，又慢慢的扶她躺下，便走到桌前。我颤声的问：“怎么样？”他回头看了看母亲，“病人懂得英文么？”我摇一摇头，那时心胆已裂！他低声说：“没有希望了，现时只图她平静的度过最后的几天罢了！”

本来是我们意识中极明了的事，却经大夫一说破，便似乎全幕揭开了。一场悲惨的现象，都跳跃了出来！送出大夫，在甬道上，华和我都哭了，却又赶紧的彼此解劝说：“别把眼睛哭红了，回头母亲看出，又惹她害怕伤心。”我们拭了眼泪，整顿起笑容，走进屋里，到母亲床前说：“医生说不妨事的，只要能安心静息，多吃东西，精神健朗起来，就慢慢的会好了。”母亲点一点头。我们又说：“今夜是除夕，明天过新历年了，大家守岁罢。”

领略人生，可是一件容易事？我曾说过种种无知，痴愚，狂妄的话语，我说：“我愿遍尝人生中的各趣，人生中的各趣，我都愿遍尝。”又说：“领略人生，要如滚针毡，用血肉之躯，去遍挨遍尝，要它针针见血。”又说：“哀乐悲欢，不尽其致时，看不出生命之神秘与伟大。”其实所谓之“神秘”“伟大”，都是未经者理想的企望的言词，过来人自欺解嘲的话语！我宁可做一个麻木、白痴、浑噩的人，一生在安乐、卑怯、依赖的环境中过活。我不愿知神秘，也不必求伟大！

话虽如此，而人生之逼临，如狂风骤雨。除了低头闭目战栗承受之外，没有半分方法。待到雨过天晴，已另是一个世界。地上只有衰草，只有落叶，只有曾经风雨的凋零的躯壳与心灵。霎时前的浓郁的春光，已成隔世！那时你反要自诧！你曾有何福德，能享受了从前种种怡然畅然，无识无忧的生活！

我再不要领略人生，也更不要领略如十九年一月一日之后的人生！那种心灵上惨痛，脸上含笑的生活，曾碾我成微尘，绞我为液汁。假如我能为力，当自此斩情绝爱，以求免重过这种的生活，重受这种的苦恼！但这又有谁知道！

一月三日，是父亲的正寿日。早上便由我自到市上，买了些零吃的东西，如果品，点心，熏鱼，烧鸭之类。因为我们知道今晚的筵席，只为的是母亲一人。吃起整桌的菜来，是要使她劳乏的。到了晚上，我们将红灯一齐点起；在她床前，摆下一个小圆桌；桌上满满的分布着小碟小盘；一家子团团的坐下。把父亲推坐在母亲的旁边，笑说："新郎来了。"父亲笑着，母亲也笑了！她只尝了一点菜，便摇头叫"撤去罢，你们到前屋去痛快的吃，让我歇一歇。"我们便把父亲留下，自己到前头匆匆的胡乱的用了饭。到我回来，看见父亲倚在枕边，母亲矇矇眬眬的似乎睡着了。父亲眼里满了泪！我知道他觉得四十年的春光，不堪回首了！

如此过了两夜。母亲的痛苦，又无限量的增加了。肺部狂热，无论多冷，被总是褪在胸下；炉火的火焰，也隔绝不使照在床上（这总使我想到《小青传》中之"痰灼肺然，见粒而呕"两语）。每一转动，都喘息得接不过气来。大家的恐怖心理，也无限量的紧张了。我只记得我日夜口里只诵祝着一句祈祷的话，是："上帝接引这纯洁的灵魂！"这时我反不愿看母亲多延日月了，只求她能恬静平安的解脱了去！到了夜半，我仍半跪半坐的伏在她床前，她看着我喘息着说："辛苦你了……等我的事情过去了，你好好的睡几夜，便回到北平去，那时什么事都完了。"母亲把这件大事说得如此平凡，如此稳静！我每次回想，只有这几句话最动我心！那时候我也不敢答应，喉头已被哽咽塞住了！

张妈在旁边，抚慰着我。母亲似乎又入睡了。张妈坐在小凳上，悄声的和我谈话，她说："太太永远是这样疼人的！秋天养病的时候，夜里总是看通宵的书，叫我只管睡去。半夜起来，也不肯叫我。我说：'您可别这样自己挣扎，回头摔着不是玩的。'她也不听。她到天亮才能睡着。到了少奶奶抱着菊姑娘过来，才又醒起。"

谈到母亲看的书，真是比我们家里什么人看的都多。从小说，弹词，到杂志，报纸，新的，旧的，创作的，译述的，她都爱看。平常好的时候，天天夜里，不是做活计，就是看书。总到十一二点才睡。晨兴绝早，梳洗完毕，刀尺和书，又上手了。她的针线匣里，总是有书的。她看完又喜欢和我们谈论，新颖的见解，总使我们惊奇。有许多新名词，我们还是先从她口中听到的，如"普罗文学"之类。我常默然自惭，觉得我们在新思想上反像个遗少，做了落伍者！

一月五日夜，父亲在母亲床前。我困倦已极，侧卧在父亲床上打盹，被母亲呻吟声惊醒，似乎母亲和父亲大声争执。我赶紧起来，只听见母亲说：“你行行好罢，把安眠药递给我，我实在不愿意再俄延了！”那时母亲辗转呻吟，面红气喘。我知道她的痛苦，已达极点！她早就告诉过我，当她骨痛的时候，曾私自写下安眠药名，藏在袋里，想到了痛苦至极的时候，悄悄的叫人买了，全行服下，以求解脱——这时我急忙走到她面前，万般的劝说哀求。她摇头不理我，只看着父亲。父亲呆站了一会，回身取了药瓶来，倒了两丸，放在她嘴里。她连连使劲摇头，喘息着说：“你也真是……又不是今后就见不着了！”这句话如同兴奋剂似的，父亲眉头一皱，那惨肃的神宇，使我起栗。他猛然转身，又放了几粒药丸在她嘴里。我神魂俱失，飞也似的过去攀住父亲的臂儿，已来不及了！母亲已经吞下药，闭上口，垂目低头，仿佛要睡。父亲颓然坐下，头枕在她肩旁，泪下如雨。我跪在床边，欲呼无声，只紧紧的牵着父亲的手，凝望着母亲的睡脸。四周惨默，只有时钟滴答的声音。那时是夜中三点，我和父亲战栗着相倚至晨 4 时。母亲睡容惨淡，呼吸渐渐急促，不时的干咳，仍似日间那种咳不出来的光景，两臂向空抱捉。我急忙悄悄的去唤醒华和涵，他们一齐惊起，睡眼矇眬的走到床前，看见这景象，都急得哭了。华便立刻要去请大夫，要解药，父亲含泪摇头。涵过去抱着母亲，替她抚着胸口。我和华各抱着她一只手，不住的在她耳边轻轻的唤着。母亲如同失了知觉似的，垂头不答。在这种状态之下，延至早晨九时。直到小菊醒了，我们抱她过来坐在母亲床上，教她抱着母亲的头，摇撼着频频的唤着“奶奶”。她唤了有几十声，在她将要急哭了的时候，母亲的眼皮，微微一动。我们都跃然惊喜，围拢了来，将母亲轻轻的扶起。母亲仍是朦朦胧胧的，只眼皮不时的动着。在这种状态之下，又延至下午四时。这一天的工夫，我们也没有梳洗，也不饮食，只围在床前，悬空挂着恐怖希望的心！这一天比十年还要长，一家里连雀鸟都住了声息！

四时以后母亲才半睁开眼，长呻了一声，说“我要死了！”她如同从浓睡中醒来一般，抬眼四下里望着。对于她服安眠药一事，似乎全不知道。我上前抱着母亲，说“母亲睡得好罢？”母亲点点头，说“饿了！”大家赶紧将久炖在炉上的鸡露端来，一匙一匙的送在她嘴里。她喝完了又闭上眼休息着。我们才欢喜的放下心来，那时才觉得饥饿，便轮流去吃饭。

那夜我倚在母亲枕边，同母亲谈了一夜的话。这便是三十年来末一次的谈话了！我说的话多，母亲大半是听着。那时母亲已经记起了服药的事，我款款的说：“以后无论怎样，不能再起这个服药的念头了！母亲那种咳不出来，两手抓空的光景，别人看着，难过不忍得肝肠都断了。涵弟直哭着说：‘可怜母亲不知是要谁？有多少话说不出来！’连小菊也都急哭了。母亲看……”母亲听着，半晌说：“我自己一点不觉得痛苦，只如同睡了一场大觉。”

那夜，轻柔得像湖水，隐约得像烟雾。红灯放着温暖的光。父亲倦乏之余，睡得十分甜美。母亲精神似乎又好，又是微笑的圣母般的瘦白的脸。如同母亲死去复生一般，喜乐充满了我的四肢。我说了无数的憨痴的话：我说着我们欢乐的过去，完全的现在，繁衍的将来，在母亲迷糊的想象之中，我建起了七宝庄严之楼阁。母亲喜悦的听着，不时的参加两句……到此我要时光倒流，我要诅咒一切，一逝不返的天色已渐渐的大明了！

一月七日晨，母亲的痛苦已到了终极了！她厉声的拒绝一切饮食。我们从来不曾看见过母亲这样的声色，觉得又害怕，又胆怯，只好慢慢轻轻的劝说。她总是闭目摇头不理，只说：“放我去罢，叫我多挨这几天痛苦做什么！”父亲惊醒了，起来劝说也无效。大家只能围站在床前，看着她苦痛的颜色，听着她悲惨的呻吟！到了下午，她神志渐渐昏迷，呻吟的声音也渐渐微弱。医生来看过，打了一次安眠止痛的针。又拨开她的眼睑，用手电灯照了照，她的眼光已似乎散了！

这时我如同痴了似的，一下午两只手抱头，坐在炉前，不言不动，也不到母亲跟前去。只涵和华两个互相依傍的，战栗的，在床边坐着。涵不住的剥着桔子，放在母亲嘴里，母亲闭着眼都吸咽了下去。到了夜九时，母亲脸色更惨白了。头摇了几摇，呼吸渐渐急促。涵连忙唤着父亲。父亲跪在床前，抱着母亲在腕上。这时我才从炉旁慢慢的回过头来，泪眼模糊里，看见母亲鼻子两边的肌肉，重重的抽缩了几下，便不动了。我突然站起过去，抱住母亲的脸，觉得她鼻尖已经冰凉。涵俯身将他的银表，轻轻的放在母亲鼻上，战兢的拿起一看，表壳上已经没有了水汽。母亲呼吸已经停止了。他突然回身，两臂抱着头大哭起来。那时正是一月七夜九时四十五分。我们从此是无母之人了，呜呼痛哉！

关于这以后的事，我在一月十一日晨寄给藻和杰的信中，说得很详细，照录如下：

亲爱的杰和藻：

我在再四思维之后，才来和你们报告这极不幸极悲痛的消息。就是我们亲爱的母亲，已于一月七夜与这苦恼的世界长辞了！她并没有多大的痛苦，只如同一架极玲珑的机器，走的日子多了，渐渐停止。她死去时是那样的柔和，那样的安静。那快乐的笑容，使我们竟不敢大声的哭泣，仿佛恐怕惊醒她一般，那时候是夜中九时四十五分。那日是阴历腊八，也正是我们的外祖母，她自己亲爱的母亲，四十六年前离世之日！

至于身后的事呢，是你们所想不到的那样庄严，清贵，简单。当母亲病重的时候，我们已和上海万国殡仪馆接洽清楚，在那里预备了一个美国的钢棺。外面是银色凸花的，内层有整块的玻璃盖子，白绫捏花的里子。至于衣衾鞋帽一切，都是我去备办的，件数不多，却和生人一般的齐整讲究。……

经过是这样：在母亲辞世的第二天早晨，万国殡仪馆便来一辆汽车，如同接送病人的卧车一般，将遗体运到馆中。我们一家子也跟了去。当我们在休息室中等候的时候，他们在楼下用药水灌洗母亲的身体。下午二时已收拾清楚，安放在一间紫色的屋子里，用花圈绕上，旁边点上一对白烛。我们进去时，肃然的连眼泪都没有了！堂中庄严，如入寺殿。母亲安稳的仰卧在矮长榻之上，深棕色的锦被之下，脸上似乎由他们略用些美容术，觉得比寻常还好看。我们俯下去偎着母亲的脸，只觉冷彻心腑，如同石膏制成的慈像一般！我们开了门，亲友们上前行礼之后，便轻轻将母亲举起，又安稳装入棺内，放在白绫簇花的枕头上，齐肩罩上一床红缎绣花的被，盖上玻璃盖子。棺前仍旧点着一对高高的白烛。紫绒的桌罩下立着一个银十字架。母亲慈爱纯洁的灵魂，长久依傍在上帝的旁边了！

五点多钟诸事已毕。计自逝世至入殓，才用十七点钟。一切都静默，都庄严，正合母亲的身份。客人散尽，我们回家来，家里已洒扫清楚。我们穿上灰衫，系上白带，为母亲守孝。家里也没有灵位。只等母亲放大的相片送来后，便供上鲜花和母亲爱吃的果子，有时也焚上香。此外每天早晨合家都到殡仪馆，围立在棺外，隔着玻璃盖子，瞻仰母亲如睡的慈颜！

这次办的事，大家亲友都赞成，都艳羡，以为是没有半分糜费。我们想母亲在天之灵一定会喜欢的。异地各戚友都已用电报通知。楫弟那里，因为他远在海外，环境不知怎样，万一他若悲伤过度，无人劝解，可以暂缓告诉。至于杰弟，因为你病，大考又在即，我们想来想去，终以为恐怕这消息是终久瞒不住的，倘然等你回家以后，再突然告诉，恐怕那时突然的悲痛和失望，更是难堪。杰弟又是极懂事极明白的人。你是母亲一块肉，爱惜自己，就是爱母亲，在考试的时候，要镇定，就凡事就序，把书考完再回来，你别忘了你仍旧是能看见母亲的！

我们因为等你，定二月二日开吊，三日出殡。那万国公墓是在虹桥路。草树葱茏，地方清旷，同公园一般。上海又是中途，无论我们下南上北，或是到国外去，都是必经之路，可以随时参拜，比回老家去好多了。

藻呢，父亲和我都十二分希望你还能来。母亲病时曾说：“我的女婿，不知我还能见着他否?”你如能来，还可以见一见母亲。父亲又爱你，在悲痛中有你在，是个慰安。不过我顾念到你的经济问题，一切由你自己斟酌。

这事的始末是如此了。涵仍在家里，等出殡后再上南京。我们大概是都上北平去，为的是父亲离我们近些，可以照应。杰弟要办的事很多，千万要爱惜精神，遏抑感情，储蓄力量。这方是孝。你看我写这信时何等安静，稳定? 杰弟是极有主见的人，也当如此，是不是?

此信请留下，将来寄楫!

永远爱你们的冰心　正月十一晨

我这封信虽然写得很镇定，而实际上感情的掀动，并不是如此！一月七夜九时四十五分以后，在茫然昏然之中，涵、华和我都很早就寝，似乎积劳成倦，睡得都很熟。只有父亲和几个表兄弟在守着母亲的遗体。第二天早起，大家乱哄哄的从三层楼上，取下预备好了的白衫，穿罢相顾，不禁失声！下得楼来，又看见饭厅桌上，摆着厨师父从早市带来的一筐蜜桔——是我们昨天黄昏，在厨师父回家时，吩咐他买回给母亲吃的。才有多少时候? 蜜桔买来，母亲已经去了!

小菊穿着白衣，系着白带，白鞋白袜，戴着小蓝呢白边帽子，有说不出的飘逸和可爱。在殡仪馆大家没有工夫顾到她，她自在母亲榻旁，摘着花圈上的花朵玩耍。等到黄昏事毕回来，上了楼，尽了梯级，正在大家彷徨无主，不知往哪里走，不知说什么好的时候，她忽然大哭说：“找奶奶，找奶奶。奶奶哪里去了? 怎么不回来了!”抱着她的张妈，忍不住先哭了，我们都不由自主的号啕大哭起来。

吃过晚饭，父亲很早就睡下了。涵、华和我在父亲床前炉边，默然的对坐。只见炉台上时钟的长针，在凄清的滴答声中，徐徐移动。在这针徐徐的将指到九点四十分的时候，涵突然站起，将钟摆停了，说“姊姊，我们睡罢！”他头也不回，便走了出去。华和我望着他的背影，又不禁滚下泪来。九时四十五分！又岂只是他一个人，不忍再看见这炉台上的钟，再走到九时四十五分！

天未明我就忽然醒了，听见父亲在床上转侧。从前窗下母亲的床位，今天从那里透进微明来，那个床没有了，这屋里是无边的空虚，空虚，千愁万绪，都从晓枕上提起。思前想后，似乎世界上一切都临到尽头了！

在那几天内，除了几封报丧的信之外，关于母亲，我并没有写下半个字。虽然有人劝我写哀启，我以为不但是“语无伦次”之中，不能写出什么来，而且“先慈体素弱”一类的文字，又岂能表现母亲的人格于万一？母亲的聪明正直，慈爱温柔，从她做孙女儿起，至做祖母止，在她四围的人对她的疼怜，眷恋，爱戴，这些情感，在我知识内外的，在人人心中都是篇篇不同的文字了。受过母亲调理，栽培的兄姊弟侄，个个都能写出几篇最真挚最沉痛的哀启。我又何必来敷衍一段，使他们看了觉得不完全不满意的东西？

虽然没有写哀启，我却在父亲下泪搁笔之后，替他凑成一副挽联。我觉得那却是字字真诚，能表现那时一家的情感！联语是：

教养全赖卿贤，五个月病榻呻吟，最可怜娇儿爱婿，死别生离，几辈伤心失慈母。

晚近方知我老，四十载春光顿歇，我忍看稚孙弱媳，承欢强笑，举家和泪过新年。

在那几天内，除了每天清晨，一家子从寓所走到殡仪馆参谒母亲的遗容之外，我们都不出门。从殡仪馆归来，照例是阴天。进了屋子，刚擦过的地板，刚旺上来的炉火——脱了外面的衣服，在炉边一坐，大家都觉得此心茫茫然无处安放！我那几天的日课，是早晨看书，做活计。下午多有戚友来看，谈些时事，一天也就过去。到了夜时，不是呆坐，就是写信。夜中的心情，现在追忆已模糊了，为写这篇文章，检出旧信，觉得还可以寻迹：

藻：

真想不到现在才能给你写这封长信。藻，我从此是没有娘的孩子了！这十几天的辛苦，失眠，落到这么一个结果。我的悲痛，我的伤心，岂是千言万语所说得尽？前日打起精神，给你和杰弟写那一封慰函，也算是肝肠寸断。……这两天家中倒是很安静，可是更显出无边的空虚，孤寂。我在父亲屋中，和他做伴，白天也不敢睡，怕他因寂寞而伤心，其实我躺下也睡不着。中夜惊醒，尤为难过。……

——摘录一月十三日信

母亲死后的光阴真非人过的！就拿今晚来说，父亲出门访友去了；涵和华在他们屋里；我自己孤零零的坐在母亲屋内。四围只有悲哀，只有寂寞，只有凄凉。连炉炭爆发的声音，都予我以辛酸的联忆。这种一人独在的时光，我已过了好几次了，我真怕，澈骨的怕，怎么好？

因着母亲之死，我始惊觉于人生之极短。生前如不把温柔尝尽，死后就无从追讨了。我对于生命的前途，并没有一点别的愿望，只愿我能在一切的爱中陶醉，沉没。这情爱之杯，我要满满的斟，满满的饮。人生何等的短促，何等的无定，何等的虚空呵！

千言万语仍回到一句话来，人生本质是痛苦，痛苦之源，乃是爱情过重。但是我们仍不能不饮鸩止渴，仍从生痛苦之爱情中求慰安。何等的痴愚呵，何等的矛盾呵！

写信的地方，正是母亲生前安床之处。我愈写愈难过了，愈写愈糊涂了。若再写下去，我连气息也要窒住了！

——摘录一月十八日夜信

一月二十六日夜，因为杰弟明天到家，我时时惊跃，终夜不寐，想到这可怜的孩子，在风雪中归来，这一路哀思痛哭的光景，使我在想象中，心胆俱碎！二十七日下午，报告船到。涵驱车往接，我们提心吊胆的坐候着。将近黄昏，听得门外车响，大家都突然失色。华一转身便走回她屋里。接着楼梯也响着。涵先上来，一低头连忙走入他屋里去了。后面是杰，笑容满面，脱下帽子在手里，奔了进来。一声叫“妈”，我迎着他，忍不住哭了起来。他突然站住呆住了！那时惊痛骇疾的惨状，我这时追思，一支秃笔，真不能描写于万一！雷挚电掣一般，他垂下头便倒在地上，双手抱住父亲的腿，猛咽得闭过气去。缓了一缓，他才哭喊了出来，说：“你们为什么不早告诉我！你们为什么不早告诉我！”这时一片哭声之中涵和华也从他们屋里哭着过来。父亲拉着杰，泪流满面。婢仆们渐渐进来，慢慢的劝住，大家停了泪。杰立刻便要到殡仪馆去，看看母亲的遗容。父亲和涵便带了他去。回来问起母亲病中情状，又重新哭泣。在这几天内，杰从满怀的希望与快乐中，骤然下坠。他失魂落魄似的，一天哭好几次。我们只有勉强劝慰。幸而他有主见，在昏迷之中，还能支拄，我才放下了心。

二月二日开吊。礼毕，涵因有紧急的公事，当晚就回到南京去了。母亲曾说命里只有两个孩子送她，如今送葬又只剩我和杰了。在涵未走之前，我们大家聚议，说下葬之后，我们再看不见母亲了，应该有些东西殉葬，只当是我们自己永远随侍一般。我们随各剪下一缕头发，连父亲和小菊的，都装在一个小白信封里。此外我自己还放入我头一次剃下来的胎发（是母亲珍重的用红线束起收存起来的）以及一把“斐托斐”（Phi Tau Phi）名誉学位的金钥匙。这钥匙是我在大学毕业时得到的，上面刻有年月和姓名。我平时不大戴它，而在我得到之时，却曾与母亲以很大的喜悦。这是我觉得我的一切珍饰，都是母亲所赐予，只有这个，是我自己以母亲栽培我的学力得来的。我愿意以此寄托我的坚逾金石的爱感的心，在我未死之前，先随侍母亲于九泉之下！

二月三日，下午二时，我们一家收拾了都到殡仪馆。送葬的亲朋，也陆续的来了。我将昨夜封好了的白信封儿，用别针别在棺盖里子的白绫花上，父亲俯在玻璃盖上，又痛痛的哭了一场。我们扶起父亲，拭去了盖上的眼泪，珍重的将棺盖掩上。自此我们再无从瞻仰母亲的柔静慈爱的睡容了！

父亲和杰及几个伯叔弟兄，轻轻的将钢棺抬起，出到门外，轻轻的推进一辆堆满花圈的汽车里。我们自己以及诸亲友，随后也都上了汽车，从殡仪馆徐徐开行。路上天阴欲雨，我紧握着父亲的手，心头一痛，吐出一口血来。父亲惨然的望着我。

二时半到了虹桥万国公墓，我们又都跟着下车，仍由父亲和杰等抬着钢棺。执事的人，穿着黑色大礼服，静默前导。到了坟地上，远远已望见地面铺着青草似的绿毡。中央坟穴里嵌放着一个大水门泥框子。穴上地面放着一个光耀射目的银框架。架的左右两端，横牵着两条白带。钢棺便轻轻的安稳的放在白带之上，父亲低下头去，左右的看周正了。执事的人，便肃然的问我说："可以了罢？"我点一点首，他便俯下去，拨开银框上白带机括。白带慢慢的松了，盛着母亲遗体的钢棺，便平稳的无声的徐徐下降。这时大家惨默的凝望着，似乎都住了呼吸。在钢棺降下地面时，万千静默之中，小菊忽然大哭起来，挣出张妈的怀抱，向前走着说："奶奶掉下去了！我要下去看看，我要下去看看！"华一手拉住小菊，一手用手绢掩上脸。这时大家又都支持不住，忽然都背过脸去，起了无声的幽咽！

钢棺安稳平正的落在水门泥框里，又慢慢的抽出白带来。几个人夫，抬过水泥盖子来，平正的盖上。在四周合缝里和盖上铁环的凹处，都抹上灰泥。水泥框从此封锁。从此我们连盛着母亲遗体的钢棺也看不见了！

堆掩上黄土，又密密的绕覆上花圈。大家向着这一抔香云似的土丘行过礼，这简单严静的葬礼，便算完毕了。我们谢过亲朋，陆续的向着园门走。这时林青天黑，松梢上已洒上丝丝的春雨。走近园门，我回头一望。蜿蜒的灰色道上，阴沉的天气之中，松荫苍苍，杰独自落后，低头一步一跛的拖着自己似的慢慢的走。身上是灰色的孝服，眉宇间充满了绝望，无告，与迷茫！我心头刺了一刀似的！我止了步，站着等着他。可怜的孩子呵！我们竟到了今日之一日！

回家以后，呵，回家以后！家里到处都是黑暗，都是空虚了。我在二月五夜寄给藻的信上说：

我从前有一个心，是个充满幸福的心。现在此心是跟着我最宝爱的母亲葬在九泉之下了。前天两点半钟的时候，母亲的钢棺，在光彩四射的银架间，由白带上徐徐降下的时光，我的心，完全黑暗了。这心永远无处捉摸了，永远不能复活了！……

不说了，爱，请你预备着迎接我，温慰我。我要飞回你那边来。只有你，现在还是我的幻梦！

以后的几个月中，涵调到广州去，杰和我回校，父亲也搬到北平来。只有海外的楫，在归舟上，还做着“偎依慈怀的温甜之梦”。

九月七日晨，阴。我正发着寒热，楫归来了。轻轻推开屋门，站在我的床前。我们握着手含泪的勉强的笑着。他身材也高了，手臂也粗了，胸脯也挺起了，面目也黧黑了。海上的辛苦与风波，将我的娇生惯养的小弟弟，磨炼成一个忍辱耐劳的青年水手了！我是又欢喜，又伤心。他只四面的看着，说了几句不相干的话，才款款的坐在我床沿，说：“大哥并没有告诉我。船过香港，大哥上来看我，又带我上岸去吃饭，万分恳挚爱怜的慰勉我几句话。送我走时，他交给我一封信，叫我给二哥。我珍重的收起。船过上海，亲友来接，也没有人告诉我。船过芝罘，停了几个钟头，我倚栏远眺。那是母亲生我之地！我忽然觉得悲哀迷惘，万不自支，我心血狂涌，颠顿的走下舱去。我素来不拆阅弟兄们的信，那时如有所使，我打开箱子，开视了大哥的信函。里面赫然的是一条系臂的黑纱，此外是空无所有了！……”他哽咽了，俯下来，埋头在我的衾上，“我明白了一大半，只觉得手足冰冷！到了天津，二哥来接我，我们昨夜在旅馆里，整整的相抱的哭了一夜！”他哭了，“你们为什么不早告诉我？我一道上做着万里来归，偎倚慈怀的温甜的梦，到得家来，一切都空了！忍心呵，你们！”我那时也只有哭的份儿。是呵，我们都是最弱的人，父亲不敢告诉我；藻不敢告诉杰；涵不敢告诉楫；我们只能战栗着等待这最后的一天！忍心的天，你为什么不早告诉我们，生生的突然的将我们慈爱的母亲夺去了！

完了，过去这一生中这一段慈爱，一段恩情，从此告了结束。从此宇宙中有补不尽的缺憾，心灵上有填不满的空虚。只有自家料理着回肠，思想又思想，解慰又解慰。我受尽了爱怜，如今正是自己爱怜他人的时候。我当永远勉励着以母亲之心为心。我有父亲和三个弟弟，以及许多的亲眷。我将永远拥抱爱护着他们。我将永远记着楫二次去国给杰的几句话：“母亲是死去了，幸而还有爱我们的姊姊，紧紧的将我们搂在一起。”

窗外是苦雨，窗内是孤灯。写至此觉得四顾彷徨，一片无告的心，没处安放！藻迎面坐着，也在写他的文字。温静沉着者，求你在我们悠悠的生命道上，扶助我，提醒我，使我能成为一个像母亲那样的人！

1931年6月30日夜，燕南园，海淀，北平

我的小舅舅

我的小舅舅杨子玉先生，是我的外叔祖父杨颂岩老先生的儿子。外叔祖先有三个女儿，晚年得子，就给他起名叫喜哥，虽然我的三位姨母的名字并不是福、禄、寿！我们都叫他喜舅。他是我们最喜爱的小长辈。他从不腻烦小孩子，又最爱讲故事，讲得津津有味，似乎在讲故事中，自己也得到最大的快乐。

他在唐山路矿学校读书的时候，夏天就到烟台来度假，这时我们家就热闹起来了。他喜欢喝酒，母亲每晚必给他预备一瓶绍兴酒和一点下酒好菜。父亲吃饭是最快的，他还是按着几十年前海军学堂的习惯，三分钟内就把饭吃完，

离桌站起了。可是喜舅还是慢慢地啜，慢慢地吃，还总是把一片笋或一朵菜花，一粒花生翻来覆去地夹着看，不立时下箸。母亲就只好坐在桌边陪他。他酒后兴致最好，这时等在桌边的我们，就哄围过来，请他讲故事。现在回想起来，他总是先从笑话或鬼怪故事讲起，最后也还是讲一些同盟会的宣传推翻清廷的故事。他假满回校，还常给我们写信，也常寄诗。我记得他有《登万里长城》一首：

划地界夷华
秦王计亦难
怀柔如有道
胡越可为家
安用驱丁壮
翻因起怨嗟
而今凭吊处
不复有鸣笳

还有一首《日夜寄内》，那是他结婚后之作，很短，以他的爱人的口气写的：

之子不归来
楼头空怅望
新月来弄人
幻出刀环样

我在中学时代，他正做着铁路测量工作，每次都是从北京出发，因此他也常到北京来。他一离开北京，就由我负责给他寄北京的报纸，寄到江西萍乡等地。测量途中，他还常寄途中即景的诗，我只记得一两句，如：

瘦牛伏水成奇石

他在北京等待任务的时间，十分注意我的学习。他还似乎有意把我培养成一个“才女”。他鼓励我学写字，给我买了许多字帖，还说要先学“颜”，以后再转学“柳”、学“赵”。又给我买了许多颜料和画谱，劝我学画。他还买了很讲究的棋盘和黑白棋子，教我下围棋，说是“围棋不难下，只要能留得一个不死的口子，就输不了”。他还送我一架风琴，因此我初入贝满中学时，还交了学琴的费。但我只学了三个星期就退学了，因为我一看见练习指法的琴谱，就头痛。总之，我是个好动的、坐不住的孩子，身子里又没有音乐和艺术的细胞！和琴、棋、书、画都结不上因缘。喜舅给我买的许多诗集中，我最不喜欢《随园女弟子诗集》，而我却迷上了龚定庵、黄仲则和纳兰成德。

二十年代初期，喜舅就回到福建的建设厅去工作了，我也入了大学，彼此都忙了起来，通信由稀疏而渐渐断绝。总之，他在我身上“耕耘”最多，而“收获”最少，我辜负了他，因为他在自己的侄子们甚至自己的儿子身上，也没有操过这么多的心！

这里应该补上一段插曲。1911年，我们家回到福州故乡的时候，喜舅已先我们回去了。他一定参与了光复福建之役。我只觉得他和他的朋友们——都是以后到我北京家里来过，在父亲书斋里长谈的那些人——仿佛都忙得很，到我家来，也很少找我们说笑。有时我从“同盟会”门口经过——我忘了是什么巷，大约离我们家不远——常见他坐在大厅上和许多人高谈阔论。他和我的父亲对当时的福建都督彭寿松都很不满，说是“换汤不换药”。我记得那时父亲闲着没事，就用民歌“播间祭”的调子，编了好几首讽刺彭寿松的歌子。喜舅来了，就和我们一同唱着玩，他说是“出出气！”这些歌子我一句也不记得了，《墦间祭》的原歌也有好几首，我倒记得一首，虽然还不全。这歌是根据《孟子》的离娄章里“齐人有一妻一妾……”的故事，这妻妾发现齐人是到墦间乞食，回来却骄傲地自诩是到富贵人家去赴宴，她们就“羞泣”地唱了起来。调子很好听，我听了就忘不了！这首是妻唱的：

移步出家庭
×××××
家家插柳，时节值清明
出东门好一派水秀山明
哎呵，对景倍伤情！

第二首是妾唱的，情绪好得多！说什么“昨夜灯前，细踏青鞋”。一提起《墦间祭》，又把许多我在故乡学唱闽歌的往事，涌到心上来了。

1985 年 3 月 3 日

我的表兄们

中国人的亲戚真多！除了堂兄姐妹，还有许许多多的表兄弟姐妹。正如俗语说的：“一表三千里。”姑表、舅表、姨表；还有表伯、表叔、表姑、表姨的儿子，比我大的，就都是我的表兄了；其中有许多可写的，但是我最敬重的，是刘道铿（放园）先生。他是我母亲的表侄，怎么“表”法，我也说不清楚，他应该叫我母亲“表姑”，但他总是叫“姑”，把“表”字去掉。据我母亲说是他们从小在一个院住，因此彼此很亲热。从民国初年，我们到北京后，每逢年节或我父母亲的生日，他们一家必来拜贺。他比我大十七岁，我总以长辈相待，捧过茶烟，打过招呼，就退到一边，带他的儿女玩去了。那时他是《晨报》的编辑，我们家的一份《晨报》就是他赠阅的。“五四”运动时，我是协和女大学生会的文书，要写些宣传的文章，学生会还让我自己去找报刊发表。

这时我才想起这位当报纸编辑的表兄，便从电话里和他商量，他让我把文章寄去。这篇短文，一下便发表出来了，我虽然很兴奋，但那时我一心一意想学医，写宣传文章只是赶任务，并不想继续下去。放园表兄却一直鼓励我写作，同时寄许多那时期出版的刊物，如《新青年》，《新潮》，《少年中国》，《解放与改造》等等，让我阅读。我寄去的稿子，从来没有被修改或退回过，有时他还替上海的《时事新报》索稿。他就像我的亲哥哥一样，关心我的一切。1923 年我赴美时，他还替我筹了一百美元，作为旅费——因为我得到的奖学金里，不包括旅费——但是这笔款，父亲已经替我筹措了。放园表兄仍是坚持要我带在身边，以备不时之需，我也只好把这款带走，但一直没有动用。1926 年我得了硕士学位，应聘到母校——燕京大学——任教，旅费是学校出的。我一回到上海——那时放园表兄在上海通易信托公司任职——就把这百元美金，还给了他。

放园表兄很有学问，会吟诗填词，写得一笔好字。母亲常常夸他天性淳厚。他十几岁时，父母就相继逝世，他的弟妹甚至甥侄，都是他一手扶持起来的。自我开始写作，他就一直和我通讯。我在美期间，有一次得他的信，说："前日到京，见到姑母，她深以你的终身大事为念，说你一直太不注意这类事情，她很不放心。我认为你不应该放过在美的机会，切要多多留意。"原文大概是这些话，我不太记得了。我回信说："谢谢你的忠告，请您转告母亲，我'知道了'!"1926 年，我回到家，一眼就看见堂屋墙上挂的红泥金对联，是他去年送给父亲六十大寿的：

花甲初周　德星双耀

明珠一颗　宝树三株

把我们一家都写进去了。

五十年代初期，他回到北京，就任文史馆馆员，我们又时常见面。记得他那时常替人写字，评点过《白香山全集》，还送我一部。1957 年他得了癌疾，在北京逝世。

还有一位表兄，我只闻其声，从未见过其人。但他的一句笑话，我永远也忘不了，因为他送给我的头衔称号，是我这一辈子无论如何努力，也争取不到的！

我有一位表舅——也不知道是我母亲的哪一门的表姑，嫁到福州郊区的胪下镇郑家——因为是三代单传，她的儿子生下来就很娇惯，小名叫做“皇帝”。他的儿子，当然就是“太子”了，这位“太子”表兄，大约比我大七八岁。这两位“至尊”，我都没有拜见过。1911 年的冬天，我回到福州，有一夜住在舅舅家。福州人没有冬天生火炉的习惯，天气一冷，大家没事就都睡得很早。我躺在床上睡不着，听见一个青年人的声音，从外院一路笑叫着进来，说：“怎么这么早皇亲国戚都困觉了?!”我听到这个新奇的称呼，我觉得他很幽默！

1985 年 7 月 25 日

我的老伴——吴文藻

我想在我终于投笔之前，把我的老伴——和我共同生活了五十六年的吴文藻这个人，写了出来，这就是我此生文字生涯中最后要做的一件事，因为这是别人不一定会做、而且是做不完全的。

这篇文章，我开过无数次的头，每次都是情感潮涌，思绪万千，不知从哪里说起！最后我决定要稳静地简单地来述说我们这半个多世纪以来的、共同度过的、和当时全国大多数知识分子一样的“平凡”生活。

今年一月十七，大雾之晨，我为《婚姻与家庭》杂志写了一篇稿子，题目就是《论婚姻与家庭》。我说：

家庭是社会的细胞。

有了健全的细胞，才会有一个健全的社会，乃至一个健全的国家。

家庭首先由夫妻两人组成。

夫妻关系是人际关系中最密切最长久的一种。

夫妻关系是婚姻关系，而没有恋爱的婚姻是不道德的。

恋爱不应该只感情地注意到“才”和“貌”，而应该理智地注意到双方的“志同道合”（这“志”和“道”包括爱祖国、爱人民、爱劳动等等），然后是“情投意合”（这“情”和“意”包括生活习惯和爱好等等）。

在不太短的时间考验以后，才能考虑到组织家庭。

一个家庭对社会对国家要负起一个健康细胞的责任，因为在它周围还有千千万万个细胞。

一个家庭要长久地生活在双方的人际关系之中，不但要抚养自己的儿女，还要奉养双方的父母，而且还要亲切和睦地处在双方的亲、友、师、生之中。

婚姻不是爱情的坟墓，而是更亲密的灵肉合一的爱情的开始。

“二人同心，其利断金”，是中国人民几千年智慧的结晶。

人生的道路，到底是平坦的少，崎岖的多。

在平坦的道路上，携手同行的时候，周围有和暖的春风，头上有明净的秋月。两颗心充分地享受着宁静柔畅的“琴瑟和鸣”的音乐。

在坎坷的路上，扶掖而行的时候，要坚忍地咽下各自的冤抑和痛苦，在荆棘遍地的路上，互慰互勉，相濡以沫。

有着忠贞而精诚的爱情在维护着，永远也不会有什么人为的“划清界线”，什么离异出走，不会有家破人亡，也不会教育出那种因偏激、怪僻、不平、愤怒而破坏社会秩序的儿女。

人生的道路上，不但有“家难”！而且有“国忧”，也还有世界大战以及星球大战。

但是由健康美满的恋爱和婚姻组成的千千万万的家庭，就能勇敢无畏地面对这一切！

我接受写《论婚姻与家庭》这个任务，正是在我沉浸于怀念文藻的情绪之中的时候。我似乎没有经过构思，提起笔来就自然流畅地写了下去。意尽停笔，从头一看，似乎写出了我们自己一生共同的理想、愿望和努力的实践，写出了我现在的这篇文章的骨架！

以下我力求简练，只记下我们生活中一些有意义和有趣的值得写下的一些平凡琐事吧。

话还得从我们的萍水相逢说起。

1923 年 8 月 17 日，美国邮船杰克逊号，从上海启程直达美国西岸的西雅图。这一次船上的中国学生把船上的头等舱位住满了。其中光是清华留美预备学校的学生就有一百多名，因此在横渡太平洋两星期的光阴，和在国内上大学的情况差不多，不同的就是没有课堂生活，而且多认识了一些朋友。

我在贝满中学的同学吴楼梅——已先期自费赴美——写信让我在这次船上找她的弟弟、清华学生——吴卓。我到船上的第二天，就请我的同学许地山去找吴卓，结果他把吴文藻带来了。问起名字才知道找错了人！那时我们几个燕大的同学正在玩丢沙袋的游戏，就也请他加入。以后就倚在船栏上看海闲谈。我问他到美国想学什么？他说想学社会学。他也问我，我说我自然想学文学，想选修一些英国十九世纪诗人的功课。他就列举几本著名的英美评论家评论拜伦和雪莱的书，问我看过没有？我却都没有看过。他说："你如果不趁在国外的时间，多看一些课外的书，那么这次到美国就算是白来了！"他的这句话深深地刺痛了我！我从来还没有听见过这样的逆耳的忠言。我在出国前已经开始写作，诗集《繁星》和小说集《超人》都已经出版。这次在船上，经过介绍而认识的朋友，一般都是客气地说"久仰、久仰"，像他这样首次见面，就肯这样坦率地进言，使我悚然地把他作为我的第一个诤友、畏友！

这次船上的清华同学中，还有梁实秋、顾一樵等对文艺有兴趣的人，他们办了一张《海啸》的墙报。我也在上面写过稿，也参加过他们的座谈会。这些事文藻都没有参加，他对文艺似乎没有多大的兴趣，和我谈话时也从不提到我的作品。

船上的两星期，流水般过去了。临下船时，大家纷纷写下住址，约着通信。他不知道我到波士顿的威尔斯利女子大学研究院入学后，得到许多同船的男女朋友的信函，我都只用威校的风景明片写了几句应酬的话回复了，只对他，我是写了一封信。

他是一个酷爱读书和买书的人，每逢他买到一本有关文学的书，自己看过就寄给我。我一收到书就赶紧看，看完就写信报告我的体会和心得，像看老师指定的参考书一样的认真。老师和我作课外谈话时，对于我课外阅读之广泛，感到惊奇，问我是谁给我的帮助。我告诉她，是我的一位中国朋友。她说："你的这位朋友是个很好的学者!"这些事我当然没有告诉文藻。

我入学不到九个星期就旧病——肺气支扩大——复发，住进了沙穰疗养院。那时威校的老师和中、美同学以及在波士顿的男同学们都常来看我。文藻在新英格兰东北的新罕布什州的达特默思学院的社会学系读三年级——清华留美预备学校的最后两年，相当于美国大学二年级——新罕布什州离波士顿很远，大概要乘七八个小时的火车。我记得1923年冬，他因到纽约度年假，路经波士顿，曾和几位在波士顿的清华同学来慰问过我。1924年秋我病愈复学。1925年春在波士顿的中国学生为美国朋友演《琵琶记》，我曾随信给他寄了一张入场券。他本来说功课太忙不能来了，还向我道歉。但在剧后的第二天，到我的休息处——我的美国朋友家里——来看我的几个男同学之中，就有他!

1925年的夏天，我到绮色佳的康耐尔大学的暑期学校补习法文，因为考硕士学位需要第二外国语。等我到了康耐尔，发现他也来了，事前并没有告诉我，这时只说他大学毕业了，为读硕士也要补习法语。这暑期学校里没有别的中国学生，原来在康耐尔学习的，这时都到别处度假去了。绮色佳是一个风景区，因此我们几乎每天课后都在一起游山玩水，每晚从图书馆出来，还坐在石阶上闲谈。夜凉如水，头上不是明月，就是繁星。到那时为止，我们信函往来，已有了两年的历史了，彼此都有了较深的了解，于是有一天在湖上划船的时候，他吐露了愿和我终身相处。经过了一夜的思索，第二天我告诉他，我自己没有意见，但是最后的决定还在于我的父母，虽然我知道只要我没意见，我的父母是不会有意见的！

1925 年秋，他入了纽约哥伦比亚大学，离波士顿较近，通信和来往也比较频繁了。我记得这时他送我一大盒很讲究的信纸，上面印有我的姓名缩写的英文字母。他自己几乎是天天写信，星期日就写快递，因为美国邮局星期天是不送平信的，这时我的宿舍里的舍监和同学们都知道我有个特别要好的男朋友了。

1925 年冬，我的威校同学王国秀，毕业后升入哥伦比亚大学的，写信让我到纽约度假。到了纽约，国秀同文藻一起来接我。我们在纽约玩得很好，看了好几次莎士比亚的戏。

1926 年夏，我从威校研究院取得了硕士学位，应邀回母校燕大任教。文藻写了一封很长的信，还附了一张相片，让我带回国给我的父母。我回到家还不好意思面交，只在一天夜里悄悄地把信件放在父亲床前的小桌上。第二天，父母亲都没有提到这件事，我也更不好问了。

1928 年冬，他在哥伦比亚大学得了博士学位，还得到哥校“最近十年内最优秀的外国留学生”奖状。他取道欧洲经由苏联，于 1929 年初到了北京。这时他已应了燕大和清华两校教学之聘，燕大还把在燕南园兴建的一座小楼，指定给我们居住。

那时我父亲在上海海道测量局任局长。文藻到北京不几天就回到上海，我的父母很高兴地接待了他，他在我们家住了两天，又回他江阴老家去。从江阴回来，就在我家举行了简单的订婚仪式。

年假过后，1929 年春，我们都回到燕大教学，我在课余还忙于婚后家庭的一切准备。他呢，除了请木匠师傅在楼下他的书房的北墙，用木板做一个“顶天立地”的大书架之外，只忙于买几张半新的书橱，卡片柜和书桌等等，把我们新居的布置装饰和庭院栽花种树，全都让我来管。

我们的婚礼是在燕大的临湖轩举行的，1929 年 6 月 15 日是个星期六。婚礼十分简单，客人只有燕大和清华两校的同事和同学，那天待客的蛋糕、咖啡和茶点，我记得只用去三十四元！

新婚之夜是在京西大觉寺度过的，那间空屋子里，除了自己带去的两张帆布床之外，只有一张三条腿的小桌子——另一只脚是用碎砖垫起的。两天后我们又回来分居在各自的宿舍里，因为新居没有盖好，学校也还没有放假。

暑假里我们回到上海和江阴省亲。他们为我们举办的婚宴，比我们在北京自己办的隆重多了，亲友也多，我们把收来的许多红幛子，都交给我们两家的父母，作为将来亲友喜庆时还礼之用。

朋友们都劝我们到杭州西湖去度蜜月，可是我们只住了一天就热坏了，夏天的西湖就像蒸锅一般！那时刘放园表兄一家正在莫干山避暑，我们被邀到莫干山住了几天。文藻惦记着秋后的教学，我惦念着新居的布置，在假满之前，匆匆地又回到了北京。关于这一段，我在《第一次宴会》那篇小说里曾描写过。

上课后，文藻就心满意足地在他的书房里坐了下来，似乎从此就可以过一辈子的备课、教学、研究的书呆子生活了。

1930 年是我们两家多事之秋，我的母亲和文藻的父亲相继逝世。他的母亲就北上和我们同住，我的父亲不久也退休回到北京来。这时我的二弟为杰已升入燕大，他的妹妹剑群也入了燕大读家政系。他们都住在宿舍，却都常回来。我没有姐妹，文藻没有兄弟，这时双方都觉得有了补偿。

这里不妨插进一件趣事。1923 年我初到美国，花了 5 块美金，照了一两张相片，寄回国来，以慰我父母想念之情。那张大点的相片，从我母亲逝世后文藻就向我父亲要来，放在他的书桌上，我问他：“你真的每天要看一眼呢，还只是一件摆设？”他笑说：“我当然每天要看了。”有一天我趁他去上课，把一张影星阮玲玉的相片，换进相框里，过了几天，他也没理会。后来还是我提醒他：“你看桌上的相片是谁的？”他看了才笑着把相片换了下来，说：“你何必开这样的玩笑？”还有一次是一个阳光灿烂的春天上午，我们都在楼前赏花，他母亲让我把他从书房里叫出来。他出来站在丁香树前目光茫然地又像应酬我似的问：“这是什么花？”我忍笑回答：“这是香丁。”他点了点头：“呵，香丁。”大家听了都大笑起来。

婚后的几年，我仍在断断续续地教学，不过时间减少了。1931 年 2 月，我们的儿子吴平出世了。1935 年 5 月我们又有了一个女儿——吴冰。我尝到了做母亲的快乐和辛苦。我每天早晨在特制的可以折起的帆布高几上，给孩子洗澡。我们的弟妹和学生们，都来看过，而文藻却从来没有上楼来分享我们的欢笑。

在燕大教学的将近十年的光阴，我们充分地享受了师生间亲切融洽的感情。我们不但有各自的学生，也有共同的学生。我们不但有课内的接触，更多的是课外的谈话和来往。学生们对我们倾吐了许多生命的问题：婚姻，将来的专业等等，能帮上忙的，就都尽力而为，文藻侧重的是选送社会学的研究生出国深造的问题。在 1935 年至 1936 年，文藻休假的一年，我同他到欧美转了一周。他在日本、美国、英国、法国，到处寻师访友，安排了好几个优秀学生的入学从师的问题。他在自传里提到说：“我对于哪一个学生，去哪一个国家，哪一个学校，跟谁为师和吸收哪一派理论和方法等问题，都大体上作了具体的、有针对性的安排。”因此在这一年他仆仆于各国各大学之间的时候，我只是到处游山玩水。到了法国，他要重到英国的牛津和剑桥学习“导师制”，我却自己在巴黎住了悠闲的一百天！1937 年 6 月底，我们取道西伯利亚回国，一个星期后，“七七事变”便爆发了！七七事变以后几十年生活的回忆，总使我胆怯心酸，不能下笔——

说起我和文藻，真是“隔行如隔山”，他整天在书房里埋头写些什么，和学生们滔滔不绝地谈些什么，我都不知道。他那“顶天立地”的大书架摞着的满满的中外文的社会学、人类学的书，也没有引起我去翻看的勇气。要评论他的学术和工作，还是应该看他的学生们写的记述和悼念他的文章，以及他在一九八二年应《晋阳学刊》之约，发表在该刊第六期上的他的《自传》。这篇将近九千字的自传里讲的是：他自有生以来，进的是什么学校，读的什么功课，从哪位老师受业，写的什么文章，交的什么朋友，然后是教的什么课程，培养的哪些学生……提到我的地方，只有两处：我们何时相识，何时结婚，短短的几句！至于儿女们的出生年月和名字，竟是只字不提。怪不得他的学生写悼念他的文章里，都说：“吴老曾感慨地说‘我花在培养学生身上的精力和心思，比花在我自已儿女身上的多多了’。”

我不能请读者都去看他的《自传》，但也应该用他《自传》里的话，来总括他在“七七事变”前在燕大将近十年的工作：（一）是讲课，用他学生的话说是“建立‘适合我国国情’的社会学教学和科研体系，使‘中国式的社会学’扎根于中国的土壤之上。”（二）是培养专业人才，请进外国的专家来讲学和指导研究生，派出优秀的研究生去各国留学。（“请进来”和“派出去”的专家和学生的名字和国籍只能从略。）（三）是提倡社区研究。“用同一区位的或文化的观点和方法，来分头进行各种地域不同的社会研究。”我只知道那时有好几位常来我家讨论的学生，曾分头到全国各地去做这种工作，现在这几位都是知名的学者和教授，在这里我不敢借他们的盛名来增光我的篇幅！但我深深地体会到文藻那些年的“茫然的目光”和“一股傻气”的后面，隐藏了多少的“精力和心思”！这里不妨再插进一首嘲笑他的宝塔诗，是我和清华大学校长梅贻琦老先生凑成的。上面的七句是：

马
香 丁
羽 毛 纱

样样都差
傻姑爷到家
说起真是笑话
教育原来在清华

“马”和“羽毛纱”的笑话是抗战前在北京，有一天我们同到城里去看望我父亲，我让他上街去给孩子买“萨其玛”（一种点心），孩子不会说萨其玛，一般只说“马”。因此他到了铺子里，也只会说买“马”。还有我要送我父亲一件双丝葛的夹袍面子。他到了“稻香村”点心店和“东升祥”布店，这两件东西的名字都说不出来。亏得那两间店铺的售货员，和我家都熟，打电话来问。“东升祥”的店员问：“您要买一丈多的羽毛纱做什么？”我们都大笑起来，我就说：“他真是个傻姑爷！”父亲笑了说：“这傻姑爷可不是我替你挑的！”我也只好认了。抗战后我们到了云南，梅校长夫妇到我呈贡家里来度周末，我把这一腔怨气写成宝塔诗发泄在清华身上。梅校长笑着接写下面的两句：

冰心女士眼力不佳
书呆子怎配得交际花

当时在座的清华同学都笑得很得意，我又只好认我的“作法自毙”。

回来再说些正经的吧。“七七事变”后这一年，北大和清华都南迁了，燕大因为是美国教会办的，那时还不受干扰。但我们觉得在敌后一刻也呆不下去了，同时文藻已经同敌后的云南大学联系好了，用英庚款在云大设置了社会人类学讲座，由他去教学。那时只因为我怀着小女儿吴青，她要于十一月才出世，燕大方面也苦留我们再待一年。这一年中我们只准备离开的一切——这一段我在《丢不掉的珍宝》一文中写得很详细。

1938 年秋我们才取海道由天津经上海，把文藻的母亲送到他的妹妹处，然后经香港从安南（当时的越南）的海防坐小火车到了云南的昆明。这一路，旅途的困顿曲折，心绪的恶劣悲愤，就不能细说了。记得到达昆明旅店的那夜，我们都累得抬不起头来。我怀抱里的不过八个月的小女儿吴青忽然咯咯地拍掌笑了起来，我们才抬起倦眼惊喜地看到座边圆桌上摆的那一大盆猩红的杜鹃花！

用文藻自己的话说：“自 1938 年离开燕京大学，直到 1951 年从日本回国，我的生活一直处在战时不稳定的状态之中。”

他到了云南大学，又建立起了社会学系并担任了系主任，同年又受了北京燕大的委托，成立了燕大和云大合作的“实地调查工作站”。我们在昆明城内住了不久，又有日机轰炸，就带着孩子们迁到郊外的呈贡，住在华氏墓庐。我给这座祠堂式的房子改名为“默庐”，我在 1940 年 2 月为香港《大公报》（应杨刚之约）写的《默庐试笔》中写得很详细。

从此文藻就和我们分住了。他每到周末，就从城里骑马回家，还往往带着几位西南联大的没带家眷的朋友，如被称为“三剑客”的罗常培、郑天翔和杨振声。这些苦中作乐的情况，我在为罗常培先生写的《蜀道难》序中，也都描述过了。

1940 年底，因英庚款讲座受到干扰，不能继续，同时在重庆的国防最高委员会工作的清华同学，又劝他到委员会里当参事，负责研究边疆的民族、宗教和教育问题，并提出意见。于是我们一家又搬到重庆去了。

到了重庆，文藻仍寄居在城内的朋友家里，我和孩子们住在郊外的歌乐山，那里有一所没有围墙的土屋，是用我们卖书的六千元买来的。我把它叫做“潜庐”，关于这座土屋和门前风景，我在《力构小窗随笔》中也说过了。

我记得 1942 年春，文藻得了很重的肺炎，我陪他在山下的“中央医院”也就是“上海医学院”的附属医院，住了将近一个月，他受到内科钱德主任的精心医治，据钱主任说肺炎一般在一星期内外，必有一个转折期，那时才知凶吉。但是文藻那时的高烧一直延长到十三天！有一天早上，护士试过了他的脉搏，惊惶而悄悄地来告诉我说：“他的脉搏只有三十六下了。”急得我赶紧跑到医院后面的宿舍里去找王鹏万大夫夫妇——他的爱人张女士是我的同学——那时我只觉得双腿发软，连一座小小的山坡都走不上去！等我和王大夫夫妇回到病房来时，看见文藻身上的被子已被掀过来了，床边站满了大夫和护士，我想他一定“完”了！回头看见窗前桌上放着两碗刚送来的早餐热粥，我端起碗来一口气都喝了下去。我觉得这以后我要办的事多得很，没有一点力气是不行的。谁知道再一回头看到文藻翻了一个身，长长地吁了一口气，迸出一身冷汗。大夫们都高兴地又把被子给他盖上，说：“这转折点终于来了！”又都回头对我笑说，“好了，您不用难过了……”我擦着脸上的汗说：“你们辛苦了！他就是这么一个人，什么都慢！”

我的身心交瘁的一个多月过去了，却又忙着把他搬回山上来，那时没有公费医疗，多住一天，就得多付一天的住院费。我这个以“社会贤达”的名义被塞进“参政会”的参政员，每月的“工资”也只是一担白米。回家后还是亏了一位文藻的做买卖的亲戚，送来一只鸡和两只广柑，作为病后的补品。偏偏我在一杯广柑汁内，误加了白盐，我又舍不得倒掉，便自己仰脖喝了下去！

回家后，大女儿吴冰向我诉苦，说五月一日是她的生日，富奶奶（关于这位高尚的人，我将另有文章记述）只给她吃一个上面插着一支小蜡烛的馒头。这时文藻躺在家里床上，看到爬到他枕边的、穿着一身浅黄色衣裙，发上结着一条大黄缎带的小女儿吴青（这也是富奶奶给她打扮的），脸上却漾出了病后从未有过的一丝微笑！

文藻不是一个能够安心养病的人。1943 年初，他就参加了“中国访问印度教育代表团”去过印度，着重考察了印度的民族和印度教与伊斯兰教的冲突问题。同年的 6 月，他又参加了“西北建设考察团”，担任以新疆民族为主的西北民族问题调查。1944 年底，他又参加了去美国的“战时太平洋学会”，讨论各盟国战后对日处理方案。会后他又访问了哈佛，耶鲁，芝加哥，普林斯顿各大学的研究中心，去了解他们战时和战后的研究计划和动态。他得到的收获就是了解到“行为科学”的研究已从“社会关系学”发展到了以社会学、人类学、社会心理学三门结合的研究。

1945年8月14日夜，我们在歌乐山上听到了日本帝国主义者无条件投降的消息。那时在“中央大学”和在“上海医学院”学习的我们的甥女和表侄女们，都高兴得热泪纵横。我们都恨不得一时就回到北平去。但是那时的交通工具十分拥挤，直到1945年底我们才回到了南京。正在我们作北上继续教学的决定时，1946年初，文藻的清华同学朱世明将军受任中国驻日代表团团长，他约文藻担任该团的政治组长，兼任盟国对日委员会中国代表顾问。文藻正想了解战后日本政局和重建的情况和形势，他想把整个日本作为一个大的社会现场来考察、做专题研究，如日本天皇制、日本新宪法、日本新政党、财阀解体、工人运动等等，在中日邦交没有恢复，没有友好往来之前，趁这机会去日，倒是一个方便，但他只作一年打算。因此当他和朱世明将军到日本去的时候，我自己将两个大些的孩子吴平和吴冰送回北平就学，住在我的大弟妇家里；我自己带着小女儿吴青暂住在南京亲戚家里，这一段事我都写在1946年10月的《无家乐》那一篇文章里。当年的十一月，文藻又回来接我，带着小女儿到了东京。

现在回想起来，在东京的一段时间，是我们生命中的一个转折点。文藻利用一切机会，同美国来日研究日本问题的专家学者以及东京大学、京都大学的同行人士多有接触。我自己也接触了当年在美留学时的日本同学和一些妇女界人士，不但比较深入地了解了当时日本社会上存在的种种问题，同时也深入地体会了美帝国主义的侵略本性！

这时我们结交了一位很好的朋友——谢南光同志，他是代表团政治组的副组长，也是一个地下共产党员。通过他，我们研读了许多毛主席著作，并和国内有了联系。文藻有个很“不好”的习惯，就是每当买来一本新书，就写上自己的名字和年、月、日。代表团里本来有许多台湾特务系统，如军统、中统等据说有五个之多。他们听说政治组同人每晚以在吴家打桥牌为名，共同研讨毛泽东著作，便有人在一天趁文藻上班，溜到我们住处，从文藻的书架上取走一本《论持久战》。等到我知道了从卧室出来时，他已走远了。

我们有一位姓林的朋友——他是横滨领事，对共产主义同情的，被召回台湾即被枪毙了。文藻知道不能在代表团继续留任。1950 年他向团长提出辞职。但离职后仍不能回国，因为我们持有的是台湾当局的护照，这时华人能在日本居留的，只有记者和商人。我们没有经商的资本，就通过朱世明将军和新加坡巨商胡文虎之子胡好的关系，取得了《星槟日报》记者的身份，在东京停留了一年，这时美国的耶鲁大学聘请文藻到该校任教，我们把赴美的申请书寄到台湾，不到一星期便被批准了！我们即刻离开了日本，不是向东，而是向西到了香港，由香港回到了祖国！

这里应该补充一点，当年我送回北平学习的儿女，因为我们在日本的时期延长了，便也先后到了日本。儿子吴平进了东京的美国学校，高中毕业后，我们的美国朋友都劝我们把他送到美国去进大学，他自己和我们都不赞成到美国去。便以到香港大学进修为名，买了一张到香港而经塘沽的船票。他把我们给国内的一封信缝在裤腰里，船到塘沽他就溜了下去，回到北京。由联系方面把他送进了北大，因为他选的是建筑系，以后又转入清华大学——文藻的母校。他回到北京和我们通信时，仍由香港方面转。因此我们一回到香港，北京方面就有人来接，我们从海道先到了广州。

回国后的兴奋自不必说！1951 年至 1953 年之间，文藻都在学习，为接受新工作做准备。中间周总理曾召见我们一次，这段事我在 1976 年写的《永远活在我们心中的周总理》一文中叙述过。

1953 年 10 月，文藻被正式分配到中央民族学院工作。新中国成立后，社会学和其他的社会科学如心理学等，都被扬弃了竟达三十年之久。文藻这时是致力于研究国内少数民族情况。他担任了这个研究室和历史系“民族志”研究室的主任，他极力主张“民族学中国化”，“把包括汉族在内的整个中华民族作为中国民族学的研究，让民族学植根于中国土壤之中”。这段详细的情况，在

《中央民族学院学报》1986 年第二期，金天明和龙平平同志的《论吴文藻的“民族学中国化”的思想》一文中，都讲得很透彻，我这个外行人，就不必多说了。

1958 年 4 月，文藻被错划为右派。这件意外的灾难，对他和我都是一个晴天霹雳！因为在他的罪名中，有“反党反社会主义”一条，在让他写检查材料时，他十分认真地苦苦地挖他的这种思想，写了许多张纸！他一面痛苦地挖着，一面用迷茫和疑惑的眼光看着我说：“我若是反党反社会主义，就到国外去反好了，何必千辛万苦地借赴美的名义回到祖国来反呢?”我当时也和他一样“感到委屈和沉闷”，但我没有说出我的想法，我只鼓励他好好地“挖”，因为他这个绝顶认真的人，你要是在他心里引起疑云，他心里就更乱了。

正在这时，周总理夫妇派了一辆小车，把我召到中南海西花厅，那所简朴的房子里。他们当然不能说什么，也只十分诚恳地让我帮他好好地改造，说：“这时最能帮助他的人，只能是他最亲近的人了……”我一见到邓大姐就像见了亲人一样，我的一腔冤愤就都倾吐了出来！我说：“如果他是右派，我也就是漏网右派，我们的思想都差不多，但绝没有‘反党反社会’的思想!”我回来后向文藻说了总理夫妇极其委婉地让他好好改造。他在自传里说“当时心里还是感到委屈和沉闷，但我坚信事情终有一天会弄清楚的”。1959 年 12 月，文藻被摘掉右派分子的帽子。1979 年又被把错划予以改正。

作为一个旁观者，我看到 1957 年，在他以前和以后几乎所有的社会学者都被划成右派分子，在他以后，还有许许多多我平日所敬佩的各界的知名人士，也都被划为右派，这其中还有许多年轻人和大学生。我心里一天比一天地坦然了。原来被划为右派，在明眼人的心中，并不是一件可羞耻的事！

文藻被划为右派后，接到了撤销研究室主任的处分，并被剥夺了教书权，送社会主义学院学习。1959 年以后，文藻基本是从事内部文字工作，他的著作大部分没有发表，发表了也不署名，例如从 1959 年到 1966 年期间与费孝通（他已先被划为右派）共同校订少数民族史志“三套丛书”，为中宣部提供西方社会学新出名著，为《辞海》第一版民族类词目撰写释文等，多次为外交部交办的边界问题提供资料和意见。并参与了校订英文汉译的社会学名著工作。他还与费孝通共同搜集有关帕米尔及其附近地区历史、地理、民族情况的英文参考资料等。十年动乱中这些资料都散失了！

1966年“文革”开始了，我和他一样靠边站，住牛棚，那时我们一家八口（我们的三个子女和他们的配偶）分散在八个地方。如今单说文藻的遭遇。他在1969年冬到京郊石棉厂劳动，1970年夏又转到湖北沙洋民族学院的干校。这时我从作协的湖北咸宁的干校，被调到沙洋的民族学院的干校来。久别重逢后不久又从分住的集体宿舍搬到单间宿舍，我们都十分喜幸快慰！实话说，经过反右期间的惊涛骇浪之后，到了十年浩劫，连国家主席、开国元勋，都不能幸免，像我们这些“臭老九”，没有家破人亡，就是万幸了。又因为和民院相熟的同人们在一起劳动，无论做什么都感到新鲜有趣。如种棉花，从在瓦罐里下种选芽，直到在棉田里摘花为止，我们学到了许多技术，也流了不少汗水。湖北夏天，骄阳似火，当棉花秆子高与人齐的时候，我们在密集闭塞的棉秆中间摘花，浑身上下都被热汗浸透了，在出了棉田回到干校的路上，衣服又被太阳晒干了。这时我们都体会到古诗中的“锄禾日当午，汗滴禾下土”句中的甘苦，我们身上穿的一丝一缕，也都是辛苦劳动的果实呵！

1971年8月，因为美国总统尼克松将有访华之行，文藻和我以及费孝通、邝平章等八人，先被从沙洋干校调回北京民族学院，成立了研究部的编译室。我们共同翻译校订了尼克松的《六次危机》的下半部分。接着又翻译了美国海斯、穆恩、韦兰合著的《世界史》，最后又合译了英国大文豪韦尔斯著的《世界史纲》，这是一部以文论史的“生物和人类的简明史”的大作！那时中国作家协会还没有恢复，我很高兴地参加了这本巨著的翻译工作，从攻读原文和参考书籍里，我得到了不少学问和知识。那几年我们的翻译工作，是十年动乱的岁月中，最宁静、最惬意的日子！我们都在民院研究室的三楼上，伏案疾书，我和文藻的书桌是相对的，其余的人都在我们的隔壁或旁边。文藻和我每天早起八点到办公室，十二时回家午饭，饭后二时又回到办公室，下午六时才回家。那时我们的生活“规律”极了，大家都感到安定而没有虚度了光阴！现在回想起来，也亏得那时是“百举俱废”的时期，否则把我们这几个后来都是很忙的人召集在一起，来翻译这一部洋洋数百万言的大书，也不是一件容易的事。

“四人帮”被粉碎之后，各种学术研究又得到恢复，社会学也开始受到了重视和发展。1979 年 3 月，文藻十分激动地参加了重建社会学会的座谈会，作了《社会学与现代化》的发言，谈了多年来他想谈而不能谈的问题。当年秋季，他接受了带民族学专业研究生的任务，并在集体开设的“民族学基础”中，分担了“英国社会人类学”的教学任务。文藻恢复工作后，精神健旺了，又感到近几年来我们对西方民族学战后的发展和变化了解太少，就特别注意关于这方面材料的收集。1981 年底，他写了《战后西方民族学的变化》，介绍了西方民族战后出现的流派及其理论，这是他最后发表的一篇文章了！

他在自传里最后说：“由于多年来我国的社会学和民族学未被承认，我在重建和创新工作还有许多要做，我虽年老体弱，但我仍有信心在有生之年为发展我国的社会学和民族学作出贡献。”

他的信心是有的，但是体力不济了。近几年来，我偶尔从旁听见他和研究生们在家里的讨论和谈话，声音都是微弱而喑哑的，但他还是努力参加了研究生们的毕业论文答辩，校阅了研究生们的翻译稿件，自己也不断地披阅西方的社会学和民族学的新作，又做些笔记。1983 年我们搬进民族学院新建的高知楼新居，朝南的屋子多，我们的卧室兼书房，窗户宽大，阳光灿烂，书桌相对，真是窗明几净。我从 1980 年秋起得了脑血栓后又患右腿骨折，已有两年足不出户了。我们是终日隔桌相望，他写他的，我写我的，熟人和学生来了，也就坐在我们中间，说说笑笑，享尽了人间“偕老”的乐趣。这也是十一届三中全会以后，我们得到的政府各方面特殊照顾的丰硕果实。

“夕阳无限好，只是近黄昏”，这也是天然规律，文藻终于在 1985 年 7 月 3

日最后一次住进北京医院，再也没有出来了。他的床前，一直只有我们的第二代、第三代的孩子们在守护。我行动不便，自己还要人照顾，便也不能像1942年他患肺炎时那样，日夜守在他旁边了。1985年9月24日早晨，我们的儿子吴平从医院里打电话回来告诉我说："爹爹已于早上六时二十分逝世了！"

遵照他的遗嘱：不向遗体告别，不开追悼会、火葬后骨灰投海。存款三万元捐献给中央民院研究所，作为社会民族学研究生的助学金。九月二十七日下午，除了我之外，一家大小和近亲密友（只是他的几位学生）在北京医院的一间小厅里，开了一个小型的告别会（有好几位民院、民委、中联部的领导同志要去参加，我辞谢他们说：我都不去，你们更不必去了），这小型的告别会后，遗体便送到八宝山火化。九月二十九日晨，我们的儿女们又到火葬场拾了遗骨，骨灰盒就寄存在革命公墓的骨灰室架子上。等我死后，我们的遗骨再一同投海，也是"死同穴"的意思吧！

文藻逝世后一段时间内的情况，我在《衷心的感谢》一文中（见《文汇月刊》1986年第一期）都写过了。

现在总起来看他的一生，的确有一段坎坷的日子，但他的"坎坷"是和当时绝大多数的知识分子"同命运"的。1986年第十八期《红旗》上，有一篇"本刊特约评论员"的文章《引导知识分子坚持走健康成长的道路》中的党对知识分子问题的第四阶段上，讲得就非常地客观而公允！

> 第四阶段，从1957年到1976年。前十年由于党的指导思想发生了"左"的偏差，党的知识分子政策开始偏离了正确的方向，知识分子工作也经历了曲折的道路。主要表现是轻视知识，歧视知识分子，以种种罪名排斥和打击了一些知识分子，使不少人长期蒙受冤屈。这种错误倾向，在长达十年的"文化大革命"中，发展到了荒谬绝伦的地步，把广大知识分子诬蔑为"臭老九"，把学有所长、术有专攻的知识分子诬蔑为"反动学术权威"，只片面地强调知识分子要向工农学习，不提工农群众也要向知

识分子学习，人为地制造了工人农民同知识分子之间的对立，而重视知识分子，爱护知识分子，反被说成是搞“修正主义”，有“亡党亡国”的危险。摧残知识分子成为十年浩劫的重要组成部分。

读了这篇文章，使我从心里感觉到中国共产党真是一个伟大、英明、正确的无产阶级政党，是一个“有严明纪律和富于自我批评精神的无产阶级政党。”可惜的是文藻没能赶上披读这篇文章了！

写到这里，我应当搁笔了。他的也就是我们的晚年，在精神和物质方面，都没有感到丝毫的不足。要说他八十五岁死去更不能说是短命，只是从他的重建和发展中国社会学的志愿和我们的家人骨肉之间的感情来说，对于他的忽然走开，我是永远抱憾的！

1986 年 11 月 21 日

我的三个弟弟

我和我的弟弟们一向以弟兄相称。他们叫我“伊哥”（伊是福州方言“阿”的意思）。这小名是我的父母亲给我起的，因此我的大弟弟为涵小名就叫细哥（“细”是福州方言“小”的意思），我的二弟为杰小名就叫细弟，到了三弟为楫出生，他的小名就只好叫“小小”了！

说来话长！我一生下来，我的姑母就拿我的生辰八字，去请人算命，算命先生说：“这一定是个男命，因为孩子命里带着‘文曲星’，是会做文官的。”算命纸上还写着有“富贵逼人无地处，长安道上马如飞”。这张算命纸本来由我收着，几经离乱，早就找不到了。算命先生还说我命里“五行”缺“火”，于是我的二伯父就替我取了“婉莹”的大名，“婉”是我们家姐妹的排行，“莹”字上面有两个“火”字，以补我命中之缺。但祖父总叫我“莹官”，和我的堂兄们霖官、仪官等一样，当做男孩叫的。而且我从小就是男装，一直到

1911 年，我从烟台回到福州时，才改了女装。伯叔父母们叫我“四妹”，但“莹官”和“伊哥”的称呼，在我祖父和在我们的小家庭中，一直没改。

我的三个弟弟都是在烟台出生的，“官”字都免了，只保留福州方言，如“细哥”、“细弟”等等。

我的三个弟弟中，大弟为涵是最聪明的一个，十二岁就考上“唐山路矿学校”的预科（我在《离家的一年》这篇小说中就说的是这件事）。以后学校迁到北京，改称“北京交通大学”。他在学校里结交了一些爱好音乐的朋友，他自己课余又跟一位意大利音乐家学小提琴。我记得那时他从东交民巷老师家回来，就在屋里练琴，星期天他就能继续弹奏六七个小时。他的朋友们来了，我们的西厢房里就弦歌不断。他们不但拉提琴，也弹月琴，引得二弟和三弟也学会了一些中国乐器，三弟嗓子很好，就带头唱歌（他在育英小学，就被选入学校的歌咏队），至今我中午休息在枕上听收音机的时候，我还是喜欢听那高亢或雄浑的男歌音！

涵弟的音乐爱好，并没有干扰他的学习，他尤其喜欢外语。

1923 年秋，我在美国沙穰疗养院的时候，就常得到他用英文写的长信。病友们都奇怪说：“你们中国人为什么要用英文写信？”我笑说：“是他要练习外文并要我改正的缘故。”其实他的英文在书写上比我流利得多。

1926 年我回国来，第二年他就到美国的宾夕法尼亚大学，去学“公路”，回国后一直在交通部门工作。他的爱人杨建华，是我舅父杨子敬先生的女儿。他们的婚姻是我的舅舅亲口向我母亲提的，说是：“姑做婆，赛活佛。”照现在的说法，近亲结婚，生的孩子一定痴呆，可是他们生了五个女儿，却是一个赛似一个地聪明伶俐。（涵弟是长子，所以从我们都离家后，他就一直和我父亲住在一起。）至今我还藏着她们五姐妹环绕着父亲的一张相片。她们的名字都取的是花名，因为在华妹怀着第一个孩子时，我父亲做了一个梦，梦见一个老人递给他一张条子，上面写着“文郎俯看菊陶仙”，因此我的大侄女就叫宗菊。“宗”字本来是我们大家庭里男孩子的排行，但我父亲说男女应该一样。后来我的一个堂弟得了一个儿子，就把“陶”字要走了，我的第二个侄女，只好叫宗仙。以后接着又来了宗莲和宗菱，也都是父亲给起的名字。当华妹又怀了第五胎的时候，她们四个姐妹聚在一起祷告，希望妈妈不要生个男儿，怕有了弟弟，就不疼她们了。宗梅生后，华妹倒是有点失望，父亲却特为宗梅办了一桌满月酒席。这是她姐姐们所没有的，表示他特别高兴。因此她们总是高兴地说：“爷爷特别喜欢女孩子，我们也要特别争气才行！”

1937年，我和文藻刚从欧洲回来，“七七”事变就发生了。我们在燕京大学又待了一年，就到后方云南去了。我们走的那一天，父亲在母亲遗像前烧了一炷香，保佑我们一路平安。那时杰弟在南京，楫弟在香港，只有涵弟一人到车站送我们，他仍旧是泪汪汪地，一语不发，和当年我赴美留学时一样，他没有和杰、楫一道到车站送我，只在家里窗内泪汪汪地看着我走。我永远也忘不了那一对伤离惜别的悲痛的眼睛！

我们离开北京时，倒是把文藻的母亲带到上海，让她和文藻的妹妹一家住在一起。那时我们对云南生活知道的不多；更不敢也不能拖着父亲和涵弟一家人去到后方，当时也没想到抗战会抗得那么长，谁知道匆匆一别遂成永诀呢?!

1940年，我在云南的呈贡山上，得到涵弟报告父亲逝世的一封信，我打开信还没有看完，一口血就涌上来了！

……大人近二年来，瘦了许多，这是我感到伤心而不敢说的……谁也想不到他走的那样快……大人说：“伊哥住址是呈贡三台山，你能记得吗?”我含泪点首……晨十时德国医陈义大夫又来打针，大人喘仍不止，稍止后即告我：“将我的病况，用快函寄上海再转香港和呈贡，他们三人都不知道我病重了……”这时大人面色苍白，汗流如雨，又说：“我要找你妈去！”……大人表示要上床睡，我知道是那两针吗啡之力，一时房中安静，窗外一滴一滴的雨声，似乎在催着正在与生命挣扎的老父，不料到了早晨八时四十五分，就停了气息……我的血也冷了，不知是梦境？是幻境？最后责任心压倒了一切，死的死了，活的人还得活着干……

他的第二封信，就附来一张父亲灵堂的相片，以及他请人代拟的文藻吊我父亲的挽联：

分为半子，情等家人，远道那堪闻噩耗

本是生离，竟成死别，深闺何以慰哀思

信里还说，“听说你身体也不好，时常吐血，我非常不安……弟近来亦常发热出汗，疲弱不堪，但不敢多请假，因请假多了，公司将取消食粮配给……华妹一定要为我订牛奶，劝我吃鸡蛋，但是耗费太大，不得不将我的提琴托人出售，因为家里已没有可卖之物……一切均亏得华妹操心，这个家真亏她维持下去……孩子们都好，都知吃苦，也都肯用功读书，堪以告慰，但愿有一天苦尽甜来……”

这是涵弟给我的末一封信了。父亲是 1940 年 8 月 4 日 8 时 45 分逝世的。涵弟在敌后的一个公司里又挨了四年，我也总找不到一个职业使他可以到后方来。他贫病交加，于 1944 年也逝世了！他最爱的也是最聪明的女儿宗莲，就改了名字和同学们逃到解放区去，其他的仍守着母亲，过着极其艰难的日子……

我的这个最聪明、最尽责、性情最沉默、感情最脆弱的弟弟，就这样在敌后劳苦抑郁地了此一生！

关于能把三个弟弟写在一起的事：就是他们从小喜欢上房玩。北京中剪子巷家里，紧挨着东厢房有一棵枣树，他们就从树上爬到房上，到了北房屋脊后面的一个旮旯里，藏了许多他们自制的玩艺儿，如小铅船之类。房东祈老头儿来了，看见他们上房，就笑着嚷：“你们又上房了，将来修房的钱，就跟你们要!”

还有就是他们同一些同学，跟一位打拳的老师学武术，置办一些刀枪剑戟，一阵乱打，以及带着小狗骑车到北海泅水、划船，这些事我当然都没有参加。

其实我在《关于女人》那一本书里，虽然说的是我的三位弟妇，却已经把我的三个弟弟的性情、爱好等等都已经描写过了。不过《关于女人》是写在1943年，对于大弟只写了他恋爱、婚姻一段，对于二弟、三弟就写得多一些。

二弟为杰从小是和我在一床睡的。那时父亲带着大弟，母亲带着小弟，我就带着他。弟弟们比我们睡得早，在里床每人一个被窝筒，晚饭后不久，就钻进去睡了。为杰和一般的第二个孩子一样，总是很“乖”的。他在三个弟兄里，又是比较“笨”的。我记得在他上小学时，每天早起我一边梳头，一边听他背《孟子》，什么“泄泄犹沓沓也”，我不知道这是《孟子》中的哪一章？哪一节？也许还是“注释”，但他呜咽着反复背诵的这一句书，至今还在我耳边震响着。

他的功课总是不太好，到了开初中毕业式那天，照例是要穿一件新的蓝布大褂的，母亲还不敢先给他做，结果他还是毕业了。可是到了高中，他一下子就窜上来了，成了个高材生。1926年秋他考上了燕京大学，正巧我也回国在那里教课，因为他参加了许多课外活动，我们接触的机会很多。有一次男生们演话剧“咖啡店之一夜”，那时男女生还没有合演，为杰就担任了女服务员这一角色。他穿的是我的一套黑绸衣裙，头上扎个带褶的白纱巾，系上白围裙，台下同学们都笑说他像我。那年冬天男女同学在未名湖上化装溜冰，他仍是穿那一套衣裳，手里捧着纸做的杯盘，在冰上旋舞。

1929年我同文藻结婚后，我们有了家了，他就常到家里吃饭，他很能吃，也不挑食。1930年秋我怀上了吴平，害口，差不多有七个月吃不下东西。父亲从城里送来的新鲜的蔬菜水果，几乎都是他吃了。甚至在1931年2月我生吴平那一天，我从产房出来，看见他在病房等着我，房里桌上有一杯给产妇吃的冰淇淋，我实在太累了，吃不下，冲他一努嘴，他就捧起杯来，脸朝着墙，一口气吃下了！

他在燕大念的是化学，他的学士和硕士的论文，都是跟天津碱厂的总工程师侯德榜博士写的。侯先生很赏识他，又介绍他到美国威斯康星大学读化学博士，毕业时还得了金钥匙奖。回国后就在永利制碱公司工作。解放后又跟侯先生到了化工部。1951 年我们从日本回到北京，见面的时候就多了。

我是农历闰八月十日生的，他的生日是农历八月初十，因此每到每年的农历的八月十一日，他们就买一个大蛋糕来，我们两家人一起庆祝，我现在还存着我们两人一同切蛋糕的相片。

1985 年 9 月文藻逝世后，他得到消息，一进门还没来得及说话，就伏在书桌上，大哭不止，我倒含着泪去劝他。他晚年身体不好，常犯气喘病，家里暖气不够热时，就往往在堂屋里生上火炉。1986 年初，他病重进了医院，他的爱人李文玲还瞒着我，直到他一月十二日逝世几天以后，我才得到这不幸的消息。化工部他的同事们为他准备了一个纪念册，要我题字，我写：

为杰逝世了，我在深深地自恸自怜之后，终于为有他这么一个对祖国的化工事业，做出应有的贡献的弟弟，我又感到无限的自慰与自豪。

他的爱人李文玲是金陵女子大学音乐系毕业的，专修钢琴。他的儿子谢宗英和儿媳张薇都继承了他的事业，现在都在化工部的附属工程机关工作。

我的三弟谢为楫的一切，我在《关于女人》写我的三弟妇那一段已经把他描写过了：

……他是我们弟兄中最神经质的一个，善怀，多感，急躁，好动，因为他最小，便养得很任性，很娇惯。虽然如此，他对于父母和兄姐的话总

是听从的，对我更是无话不说……

他很爱好文艺，也爱交些文艺界的年轻朋友。丁玲、胡也频、沈从文等，都是他介绍给我的，我记得那是1927年我的父亲在上海工作的时候。他还出过一本短篇小说集，名字我忘了，那时他也不过十七八岁。

他没有读大学就到英国利物浦的海上学校，当了航海学生，在五洲的海上漂荡了五年，居然还得了一张荣誉证书回来。从那时起他就在海关的缉私船上工作。抗战时期，上海失守后，他到了香港，香港又失守了，他就到重庆，不久由港务司派他到美国进修了一年，回来后就在上海港务局工作。他的爱人刘纪华，是我的表兄刘放园先生的女儿，燕大的社会学系优秀的硕士研究生，那时也在上海的"善后救济总署"工作。他们是青梅竹马的恩爱夫妻，工作和生活都很愉快。他们有五个儿女。为楫说，为了纪念我，他们孩子的名字里都要带一个"心"字。长女宗慈，十一二岁就到东北上学，我记得是长春大学，学的是农业机械。他们的二女儿宗爱、三女儿宗恩，学的是音乐，是报考上海音乐学院附中的上千人中考上的五十人中之二。我听见了很高兴，给她们寄去八百元买了一架钢琴，作为奖励。他们的两个儿子宗惠和宗慤那时还小。

1957年，为了响应"向党进言"的号召，他写了几张大字报，被划成了右派，遣送到甘肃的武威劳动改造，从此丢弃了他的专业，如同失水的枯鱼一般，全家迁到了大西北。那时我的老伴吴文藻，和我的儿子吴平也都是右派分子，我的头上响起了晴天的霹雳，心中的天地也一下子旋转了起来！但我还是镇定地给为楫写一封封的长信，鼓励他好好改造，重新做人，求得重有报效祖国的机会，其实那几年我自己也不知道是怎么过的！只记得为楫夫妇都在武威一所中学教书，度过了相当艰苦的日子。孩子们在逆境中反而加倍奋发自强，宗恩和宗爱都在西安音乐学院毕了业。两个男孩子都学的是理工，在矿学事业自动化研究所里工作，这都是后话了！

劳瘁交加的纪华得了癌症，1976年去世了，为楫就到窑街和小儿子住了些日子，1978 年又到四川的北碚，同大女儿住了些日子；1979 年应兰州大学之聘，在兰大教授英语；1984 年的 1 月 12 日就因病在兰州逝世了！他的儿女们都没有告诉我们。我和为杰只奇怪楫弟为什么这样懒得动笔，每逢农历九月十九，我们还是寄些钱去（他比纪华大一岁，两人是同一天生日，往常我们总是祝他们“双寿”)，让他的孩子们给他买块蛋糕。孩子们也总是回信说：“爹爹吃了蛋糕，很喜欢，说是谢谢你们!”杰弟一直到死，还不知道“小小”已经比他先走了！

在写这一篇的时候，我流尽了最后的眼泪！王羲之在《兰亭序》里说“死生亦大矣，岂不痛哉。”我倒觉得“死”真是个“解脱”,“痛”的是后死的人！

我的三个弟弟：从小到大，我尽力地爱护了你们。最后也还是我用眼泪来给你们送别，我总算对得起你们了！

1987 年 7 月 8 日风雨欲来的黄昏

图书在版编目（CIP）数据

冰心作品精选 / 冰心著 .– 武汉：崇文书局 ,2016.1

（永不泯灭的文学经典）

ISBN 978-7-5403-4080-3

Ⅰ . ①冰…

Ⅱ . ①冰…

Ⅲ . ①中国文学–现代文学–作品综合集

Ⅳ . ① I216.2

中国版本图书馆 CIP 数据核字 (2015) 第 263580 号

永 不 泯 灭 的 文 学 经 典

冰心作品精选

责任编辑 刘丹

出版发行 崇文书局

地　　址 武汉市雄楚大街 268 号 C 座 11 层

印　　制 湖北恒泰印务有限公司

邮政编码 430070

开　　本 700 毫米 ×1000 毫米 1/16

印　　张 19

版　　次 2016 年 1 月第 1 版

印　　次 2016 年 1 月第 1 次印刷

定　　价 38.00 元

（如发现质量问题，影响阅读，请与承印厂调换）

崇文书局官方网站：www.cwbook.cn

崇文书局淘宝旗舰店：www.chongwenshuju.tao.com